Bem-Vindo!

A LÍNGUA PORTUGUESA NO MUNDO DA COMUNICAÇÃO

Português para Estrangeiros

BEM-VINDO!
A LÍNGUA PORTUGUESA
NO MUNDO DA COMUNICAÇÃO
6ª Edição Atualizada 2004

© Texto: Maria Harumi Otuki de Ponce - Silvia R. B. Andrade Burim - Susanna Florissi

© Diagramação: Special Book Services

Coordenação Editorial	Susanna Florissi
Revisão	Inaldo Firmino Soares
Projeto Gráfico/Editoração	Cia. de Desenho
Ilustrações Especiais	Leonardo Teodoro Delfino/Paulo Moura
Fotos	Photodisc/Folha Imagem
Fotolito Digital	Fast Film
Impressão	Tarfc

SBS - SPECIAL BOOK SERVICES
Avenida Casa Verde, 463
02519-000 São Paulo SP
Brasil
Tel: 55-11-6238-4477
Fax: 55-11-6977-1384
E-mail: editora@sbs.com.br
Website: www.sbs.com.br

ISBN 85-7583-063-5

04-4393

Ponce, Maria Harumi de
        Bem-vindo! a língua portuguesa no mundo da comunicação / Maria Harumi Otuki de Ponce, Silvia R. B. Andrade Burim e Susanna Florissi. -- 6. ed. atual. São Paulo: Special Book Services Livraria, 2004.

Suplementado por manual do professor.
Inclui fita cassete e áudio CD.

1. Português - Brasil 2. Português - Estudo e ensino - Estudantes estrangeiros 3. Português - Livros-texto para estrangeiros I. Burim, Silvia R. B. Andrade II. Florissi, Susanna. III. Título.

1. Português: Livros-texto para estrangeiros 469.824
2. Português para estrangeiros 469.824

CDD-469.824

April 14th → 5pm (THUR)
presentation Room G217

April 18th → surgery

alice_ishii@hotmail.com
Katia 604-904-2460

AGRADECIMENTOS

Agradecemos às professoras Diva, Shalimar, Maria Luiza, Celene
e Itana que colaboraram com sugestões e dicas
para o enriquecimento de nosso livro e a Maria Augusta B. de Mattos pelas
primeiras revisões do Livro do Aluno.
Às empresas NEC e TELEFÔNICA pela valiosa oportunidade
que tivemos em pilotar o material com nossos alunos. E a todos,
que direta ou indiretamente, contribuíram
para a concretização deste trabalho. Valeu!

BrazilianBooks.com

3119 N. Doris Lane
5:30

APRESENTAÇÃO

"Psiu!" Fique atento ao que você vai ler agora!

*Idealizado por **Torre de Babel Idiomas**
especialmente para a **SBS-Special Book Services**,
Bem-Vindo! A Língua Portuguesa no Mundo da Comunicação
é um livro feito "ao vivo e em cores" para você que quer aprender
o nosso português falado como ele é, sem deixar de lado as
necessárias referências à Gramática Normativa.*

*Você vai se deparar, no decorrer das vinte unidades,
com as expressões coloquiais mais usadas,
dialetos regionais e muito vocabulário útil a situações diversas:
no trabalho, em casa, na rua, em restaurantes, etc.*

*Um pouco da História, cultura e sociedade brasileiras
fazem parte deste livro elaborado especialmente
para suprir a grande necessidade de um material dinâmico
e interativo cujo foco central é a COMUNICAÇÃO.*

Bem-Vindo!

GRUPO1

EU E VOCÊ

Meu Presente, Meu Passado (2)

Meu Futuro

GRUPO2

O BRASIL E SUA LÍNGUA

A Chegada

O País e O Idioma

GRUPO3

A SOCIEDADE E SUA ORGANIZAÇÃO

A Educação

A Saúde

GRUPO4

O TRABALHO E SUAS CARACTERÍSTICAS

O Local de Trabalho

O Mercado de Trabalho

A Cultura Brasileira no Trabalho

Trabalho, Trabalho, Trabalho...

GRUPO5

DIVERSÃO - CULTURA

Esportes

Arte - Música

MODO INDICATIVO			
TEMPOS SIMPLES		**PRESENTE**	estudar: eu estudo, você estuda, ela estuda, nós estudamos, vocês estudam, elas estudam vender: eu vendo, você vende, ela vende, nós vendemos, vocês vendem, elas vendem partir: eu parto, você parte, ela parte, nós partimos, vocês partem, elas partem
		PRETÉRITO PERFEITO	estudar: estudei, estudou, estudou, estudamos, estudaram, estudaram vender: vendi, vendeu, vendeu, vendemos, venderam, venderam partir: parti, partiu, partiu, partimos, partiram, partiram
		PRETÉRITO IMPERFEITO	estudar: estudava, estudava, estudava, estudávamos, estudavam, estudavam vender: vendia, vendia, vendia, vendíamos, vendiam, vendiam partir: partia, partia, partia, partíamos, partiam, partiam
		FUTURO DO PRESENTE	estudar: estudarei, estudará, estudará, estudaremos, estudarão, estudarão vender: venderei, venderá, venderá, venderemos, venderão, venderão partir: partirei, partirá, partirá, partiremos, partirão, partirão
		FUTURO DO PRETÉRITO	estudar: estudaria, estudaria, estudaria, estudaríamos, estudariam, estudariam vender: venderia, venderia, venderia, venderíamos, venderiam, venderiam partir: partiria, partiria, partiria, partiríamos, partiriam, partiriam
TEMPOS COMPOSTOS		**PRETÉRITO PERFEITO**	tenho, tem, temos, têm ESTUDADO tenho, tem, temos, têm VENDIDO tenho, tem, temos, têm PARTIDO
		PRETÉRITO MAIS-QUE-PERFEITO	tinha, tinha, tínhamos, tinham ESTUDADO tinha, tinha, tínhamos, tinham VENDIDO tinha, tinha, tínhamos, tinham PARTIDO
		FUTURO DO PRESENTE	terei, terá, teremos, terão ESTUDADO terei, terá, teremos, terão VENDIDO terei, terá, teremos, terão PARTIDO
		FUTURO DO PRETÉRITO	teria, teria, teríamos, teriam ESTUDADO teria, teria, teríamos, teriam VENDIDO teria, teria, teríamos, teriam PARTIDO

MODO SUBJUNTIVO	**TEMPOS SIMPLES**	**PRESENTE**	estudar: que eu estude, que você/ele estude, que nós estudemos, que vocês/eles estudem vender: que eu venda, que você/ele venda, que nós vendamos, que vocês/eles vendam partir: que eu parta, que você/ele parta, que nás partamos, que vocês/eles partam
		IMPERFEITO	estudar: se eu estudasse, se você/ele estudasse, se nós estudássemos, se vocês/eles estudassem vender: se eu vendesse, se você/ele vendesse, se nós vendêssemos, se vocês/eles vendessem partir: se eu partisse, se você/ele partisse, se nós partíssemos, se vocês/eles partissem
		FUTURO	estudar: quando eu estudar, quando você/ela estudar, quando nós estudarmos, quando vocês/elas estudarem vender: quando eu vender, quando você/ela vender, quando nós vendermos, quando vocês/elas venderem partir: quando eu partir, quando você/ela partir, quando nós partirmos, quando vocês/elas partirem
	TEMPOS COMPOSTOS	**PRETÉRITO PERFEITO**	que eu tenha, que você/ela tenha, que nós tenhamos, que vocês/eles tenham ESTUDADO que eu tenha, que você/ela tenha, que nós tenhamos, que vocês/eles tenham VENDIDO que eu tenha, que você/ela tenha, que nós tenhamos, que vocês/eles tenham PARTIDO
		PRETÉRITO MAIS-QUE-PERFEITO	se eu tivesse, se você/ela tivesse, se nós tivéssemos, se vocês/eles tivessem ESTUDADO se eu tivesse, se você/ela tivesse, se nós tivéssemos, se vocês/eles tivessem VENDIDO se eu tivesse, se você/ela tivesse, se nós tivéssemos, se vocês/eles tivessem PARTIDO
		FUTURO	quando eu tiver, quando você/ela tiver, quando nós tivermos, quando vocês/eles tiverem ESTUDADO quando eu tiver, quando você/ela tiver, quando nós tivermos, quando vocês/eles tiverem VENDIDO quando eu tiver, quando você/ela tiver, quando nós tivermos, quando vocês/eles tiverem PARTIDO
MODO IMPERATIVO	**IMPERATIVO**	**AFIRMATIVO**	(2ª pessoa do singular e 1ª e 2ª pessoas do plural) estudar: estude (você), estudemos(nós), estudem (vocês) vender: venda (você), vendamos (nós), vendam (vocês) partir: parta (você), partamos (nós), partam (vocês)
		NEGATIVO	(2ª pessoa do singular e 1ª e 2ª pessoas do plural) estudar: não estude (você), não estudemos (nós), não estudem (vocês) vender: não venda (você), não vendamos (nós), não vendam (vocês) partir: não parta (você), não partamos (nós), não partam (vocês)

FORMAS NOMINAIS	**INFINITIVO IMPESSOAL**	estudar vender partir
	INFINITIVO PESSOAL	estudar, estudar, estudarmos, estudarem vender, vender, vendermos, venderem partir, partir, partirmos, partirem
	GERÚNDIO	verbo estar (no tempo desejado) + estudando vendendo partindo
	PARTICÍPIO PASSADO	estudado vendido partido
VOZES VERBAIS	**ATIVA**	O sujeito pratica a ação Ex.: O cão mordeu o menino.
	PASSIVA	O sujeito sofre a ação Verbo ser (no tempo adequado) + verbo no Particípio Passado Ex.: O menino foi mordido pelo cão.
	REFLEXIVA	O sujeito pratica e sofre a ação Ex.: O menino se cortou com a faca.

APÊNDICES

SÍMBOLOS UTILIZADOS NESTE LIVRO

EXERCÍCIO PARA QUE O ALUNO FALE SOBRE SI MESMO/SUA REALIDADE

EXERCÍCIO PARA SER TRABALHADO EM DUPLA

EXERCÍCIO SUGERIDO PARA DESENVOLVER A HABILIDADE ESCRITA

CONTEÚDO GRAVADO NA FITA/CD QUE ACOMPANHA O LIVRO

DADOS PARA AMPLIAR SEU CONHECIMENTO E SEU VOCABULÁRIO

EXERCÍCIO PARA SER TRABALHADO EM GRUPOS DE TRÊS ALUNOS

EXERCÍCIO DE CONTEÚDO GRAMATICAL JÁ VISTO ANTERIORMENTE

CORES EMPREGADAS PARA OS VERBOS

PRESENTE DO INDICATIVO

PRETÉRITO IMPERFEITO DO INDICATIVO

FUTURO DO PRETÉRITO

PRETÉRITO PERFEITO DO INDICATIVO

IMPERFEITO DO SUBJUNTIVO

GERÚNDIO (PASSADO)

FUTURO

GERÚNDIO (PRESENTE)

FUTURO

FUTURO DO SUBJUNTIVO

IMPERATIVO

VOZ PASSIVA

PRESENTE DO SUBJUNTIVO

Bem-Vindo!

A LÍNGUA PORTUGUESA NO MUNDO DA COMUNICAÇÃO

 **Cumprimentos**

Carlos Henrique Burim
Coordenador de Sistemas

Avenida Paulista, 2313   01311 934 São Paulo SP Brasil
Tel: 55 11 3066 4122   Fax: 55 11 3066 4377
burim@ticket.com.br www.ticket.com.br

'Meu nome é Carlos Henrique. Eu sou brasileiro. Trabalho para o grupo Accor, na Ticket Serviços. Sou Coordenador de Sistemas. Muito prazer.'

Dias da Semana

DOM	SEG	TER	QUA	QUI	SEX	SÁB
			1	2	3	4
5	6	7	8	9	10	11
12	13	14	15	16	17	18
19	20	21	22	23	24	25
26	27	28	29	30	31	

segunda-feira, terça-feira, quarta-feira, quinta-feira, sexta-feira, sábado e domingo (fim de semana)

Meses do Ano

JANEIRO	JULHO
FEVEREIRO	AGOSTO
MARÇO	SETEMBRO
ABRIL	OUTUBRO
MAIO	NOVEMBRO
JUNHO	DEZEMBRO

 **O Alfabeto**

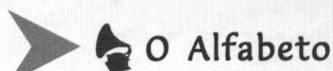

A B C D E F G H I J K L M N O P Q R S T U V W X Y Z

Veja o Apêndice I.

UNIDADE 1

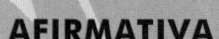

AFIRMATIVA

O menino brasileiro *brinca muito.*

NEGATIVA

O menino brasileiro *não* brinca muito.

INTERROGATIVA

O menino brasileiro *brinca muito?*

O	- ARTIGO
menino	- SUBSTANTIVO
brasileiro	- ADJETIVO
não	- ADVÉRBIO
brinca	- VERBO
muito	- ADVÉRBIO

SUBSTANTIVOS e ADJETIVOS

ARTIGOS

O	A
UM	UMA
OS	AS
UNS	UMAS

Veja o Apêndice II.

A Ticket **é uma** empresa francesa.

VERBOS

cantar

sorrir

escrever

A Avenida Paulista
é muito famosa e
movimentada.

Os brasileiros **são**
gentis e alegres.

Um cafezinho quente **é bom** a toda hora!

UNIDADE 1

Presente Simples
Pronomes Pessoais
Pronomes Interrogativos

EU E MINHA FAMÍLIA

Muito prazer! Meu nome é Adachi e sou japonês. Minha família não é toda japonesa. Eu tenho dois filhos lindos. Minha primeira filha é japonesa. O nome dela é Ayako. Ela é muito tímida, tem sete anos. Meu segundo filho é brasileiro. O nome dele é Fernando. Ele é do signo Escorpião e nasceu em novembro. Fernando tem um ano e é extrovertido. Minha esposa é muito alegre. Somos uma família muito feliz. Agora estamos no Brasil e temos uma casa muito grande. Estou feliz em trabalhar aqui e minha esposa também está contente em aprender um novo idioma.

PRONOMES PESSOAIS

EU sou Adachi. VOCÊ é um aluno de português. Minha esposa (ELA) é alegre. Fernando (ELE) é brasileiro. NÓS somos uma família bonita. VOCÊS estão conhecendo a nossa família. Minha esposa e minha filha (ELAS) são japonesas. Fernando e meu amigo Paulo (ELES) são brasileiros.

1 Estude a página 10 e preencha os espaços com os verbos TER, SER e ESTAR:

O nome dela _é_ Mary e _é_ americana. Ela _tem_ 19 anos e _é_ estudante. _É_ muito alegre e inteligente. _Está_ no Brasil há 3 meses e _está_ contente em viver aqui. _Está_ solteira e seus pais _está_ nos Estados Unidos. Ela _tem_ duas irmãs. Uma _tem_ 17 anos e _está_ no Canadá. A outra _tem_ 21 anos e _está_ na Espanha. As duas _são_ estudantes e _estão_ solteiras também.

Agora ouça a fita e corrija as respostas.

Responda oralmente:

1. Qual é o seu nome?
2. De onde você é?
3. Quantos anos você tem?
4. Você é casado?

5. Sua esposa é japonesa?
6. Vocês têm filhos?
7. Quantos?
8. Onde está sua família?

NACIONALIDADES

AMERICANA ESPANHOLA

BRASILEIRA

FRANCESA

JAPONESA ITALIANA ALEMÃ

psiu!

2 Complete as perguntas com os verbos SER, TER ou ESTAR e ligue-as às respectivas respostas.

1. De onde _____ Marta?	a. Tenho 25 anos.
2. Juca e Estela _____ filhos?	b. Não, ele é solteiro.
3. Lúcio __é__ casado?	c. Nós temos três filhos.
4. Silvia e Renata _____ brasileiras?	d. Ela é da Espanha.
5. Onde _____ sua esposa?	e. Não, ela é muito extrovertida.
6. Quantos anos você _____?	f. Estou no Brasil há 4 meses.
7. Quantos filhos vocês _____?	g. Sim, elas são brasileiras.
8. Há quanto tempo você _____ no Brasil?	h. Eles têm dois filhos.
9. Tereza _____ tímida?	i. Ela está na França.

3 Formule perguntas e respostas para cada uma das informações e, depois, escreva um parágrafo apresentando a personagem.

EXEMPLO:

a. Edson Arantes do Nascimento	a. (Quem é ele?) Ele é Edson Arantes do Nascimento.
b. Pelé	b. (Como é seu apelido?) Seu apelido é Pelé.
c. Ex-jogador de futebol	c. (O que ele faz?) É um ex-jogador de futebol.
d. Brasileiro	d. (Qual a sua nacionalidade?) Ele é brasileiro.
e. Minas Gerais	e. (Onde ele nasceu?) Ele é de Minas Gerais. Ele é mineiro.
f. 23 de outubro de 1940	f. (Quantos anos ele tem?) Tem 63 anos.
g. Casado	g. (Ele é casado?) Sim, ele é casado.
h. 6 filhos	h. (Quantos filhos ele tem?) Tem 6 filhos.

Este é Pelé. Seu nome verdadeiro é Edson Arantes do Nascimento. É um ex-jogador de futebol brasileiro, muito famoso. Tem 63 anos, é casado e tem 6 filhos. Ele é do estado de Minas Gerais.

a. Gilberto Passos Gil Moreira
b. Gilberto Gil
c. Cantor / Ministro da Cultura
d. Brasileiro
e. Salvador, Bahia
f. 26 de junho de 1942

a. Luís Inácio Lula da Silva
b. Lula
c. Político / Presidente da República
d. Brasileiro
e. Pernambuco
f. 06 de outubro de 1945
g. Casado
h. 4 filhos

4 Cada aluno deve trazer uma foto de seu ídolo. Através de perguntas, respostas (Sim./Não.) e algumas dicas, os colegas deverão adivinhar quem é a personagem.

Aluno 2 — Seu ídolo é mulher?
Aluno 1 — Não.
Aluno 3 — Ele é brasileiro?
Aluno 1 — Sim.

Aluno 4 — É ator?
Aluno 1 — Não. Vou dar duas dicas: ele é de Santa Catarina e é jogador de tênis.
Aluno 2 — Já sei. É o Guga!
Aluno 1 — Certo!

APELIDOS

CHICO (FRANCISCO)
DANI (DANIELA)
LEO (LEONARDO)
MANÉ (MANOEL)
RAFA (RAFAEL)
SUSI (SUZANA)
ZECA/ZÉ (JOSÉ)...

psiu!

UNIDADE 1

$\varsigma = SSSS$

VAMOS CONHECER BENEDITA COSTA

REP: *Qual é o seu nome?*
BENE: Benedita Costa.
REP: *Prazer em conhecê-la.*
BENE: O prazer é meu.
REP: *Você é estudante?*
BENE: Não, sou atleta.
REP: *Profissional?*
BENE: Não, hoje não sou
mais atleta profissional.
Sou empresária. — *de negócios*

REP: *Quem são estas pessoas nestas fotos?*
BENE: Esta sou eu e minha família. Aqui nós estamos
no Ceará. Nós todos somos Cearenses, de Fortaleza.
REP: *Seu pai também é empresário?*
BENE: Não, meu pai é professor universitário e
minha mãe é dona-de-casa.

nesta=this

REP: *Quem é esta moça?* *mohesa*
BENE: Carla, minha irmã. E ao lado dela
está José, seu filho. Hoje ele está na França.
Carla é psicóloga e hoje em dia nós duas
estamos em São Paulo.
REP: *Como é o seu dia-a-dia?*
BENE: Bem, pela manhã eu normalmente estou
em casa e à tarde no escritório.
Tenho sempre muitas coisas a fazer em casa: *hacer*
escrevo artigos para jornais, leio novidades
sobre o atletismo, estudo inglês, faço ligações
de negócios. *call*
À tarde tenho reuniões de trabalho.
Normalmente chego em casa à noite.
Minha irmã também trabalha muito.
À noite estamos sempre muito cansadas.

Leia o texto, assinale as alternativas corretas e corrija as incorretas:

	CORRETO	INCORRETO	
a. Benedita é jogadora de squash.	☐	☒	É empresária
b. A família toda de Benedita é baiana.	☐	☒	São Cearenses
c. O pai dela é universitário.	☒	☐	
d. A irmã dela é tenista.	☐	☒	É psicóloga
e. Carla está em São Paulo.	☒	☐	
f. Pela manhã, Benedita está em casa.	☒	☐	

Traga uma foto de sua família e apresente-a ao seu/sua colega. Trabalhe
em pares. Utilize também os verbos introduzidos no texto acima. Tome
nota das informações do seu/sua colega e escreva uma redação sobre a
família dele/a.

FAMÍLIA

AVÔ/AVÓ
NETO/NETA
CUNHADO/CUNHADA
PAI/MÃE
SOGRO/SOGRA
TIO/TIA
IRMÃO/IRMÃ
MARIDO/ESPOSA
FILHO/FILHA
SOBRINHO/SOBRINHA
PRIMO/PRIMA

psiu!

6 Leia o diálogo e depois complete o quadro. O que Luís tem?

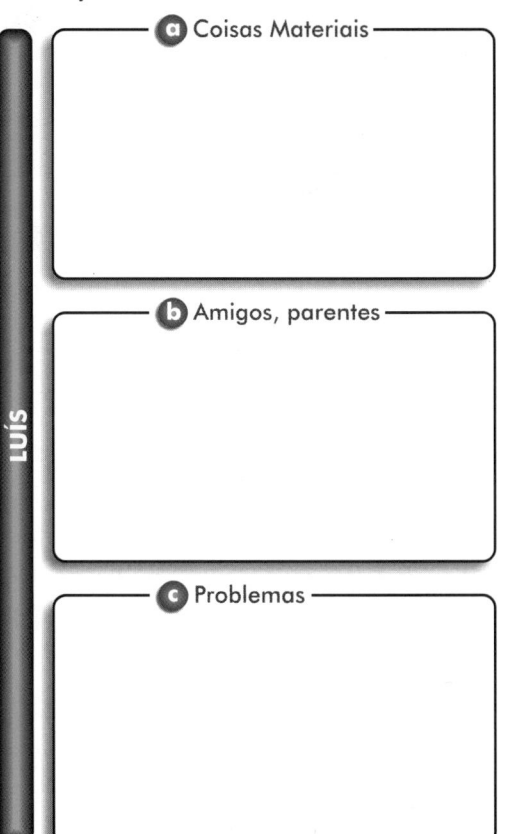

Andréa — O que você tem, Luís?

Luís — Ih, Andréa, é dor de cabeça... Tenho tantos problemas...

Andréa — Posso te ajudar?

Luís — Obrigado, mas são os compromissos, as dívidas com o banco, o negócio vai mal...

Andréa — Mas, você tem tios ricos...

Luís — Tenho, mas eles não são meus amigos... Alguns são até inimigos!

Andréa — Tenho um pouco de dinheiro no banco... Posso te emprestar.

Luís — Obrigado. Tenho um pouco na poupança. Tenho também alguns aparelhos para vender: computador, televisão, vídeo. Tenho um carro, um terreno...

Andréa — Você vai vender tudo?

Luís — Se precisar...

Luís

a Coisas Materiais

b Amigos, parentes

c Problemas

7 Veja, no quadro, informações sobre Paula e/ou Marcos. Complete-as com os verbos SER ou ESTAR e escreva, na coluna à direita, informações sobre você.

Informações sobre Paula e/ou Marcos	**Informações sobre você e um amigo/a**
1. Paula _____ uma menina alegre e extrovertida.	1. Eu (também) _____
2. Marcos _____ amigo de Paula.	2. _____ _____ meu amigo/a.
3. Eles _____ atletas profissionais.	3. Nós _____
4. Paula também _____ uma boa psicóloga.	4. _____
5. Eles _____ sempre ocupados.	5. _____
6. Eles _____ portugueses.	6. _____
7. Paula _____ no Brasil há 2 anos.	7. _____
8. Eles _____ contentes por morar no Brasil.	8. _____

8 Você conhece bem seu professor ou o seu colega ao lado? Entreviste-o e escreva frases com as informações levantadas.

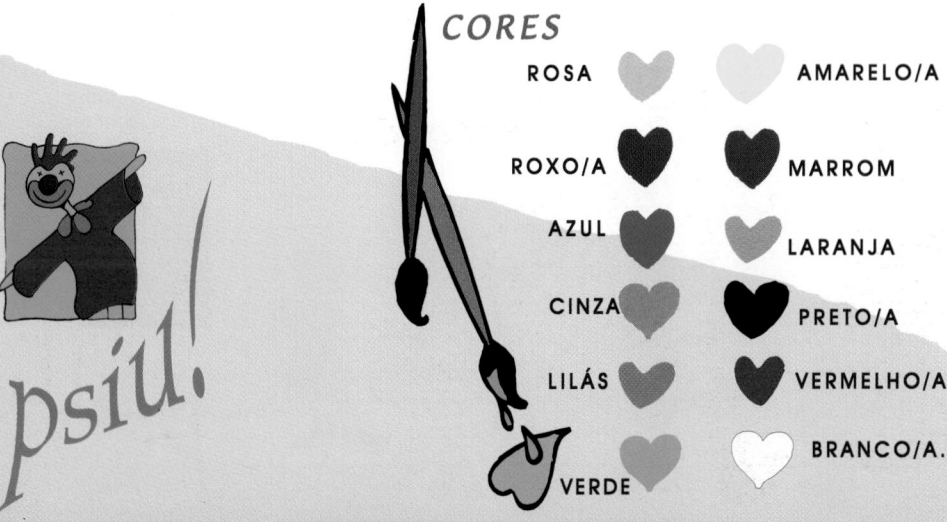

CORES

ROSA   AMARELO/A

ROXO/A   MARROM

AZUL   LARANJA

CINZA   PRETO/A

LILÁS   VERMELHO/A

VERDE   BRANCO/A...

psiu!

VAMOS CONHECER A ROTINA DE ADACHI E SEUS AMIGOS BRASILEIROS

dia-a-dia

Adachi é uma pessoa muito alegre. Ele está no Brasil a trabalho. Ele acorda muito cedo e após tomar café da manhã vai de carro para o escritório. Ele gosta muito daqui e fala português muito bem porque estuda bastante. Adachi trabalha em uma fábrica em Guarulhos e quer melhorar ainda mais seu vocabulário. Por isso, conversa com todos os colegas em português. Seu horário de trabalho é longo. Ele começa a trabalhar às 7h30 e termina às 17h30. Seu almoço é de uma hora e ele e seus amigos almoçam juntos no restaurante da empresa. A esposa de Adachi e seus filhos almoçam em casa. Enquanto Adachi estuda português, seus colegas estudam inglês e espanhol. Alguns estudam também japonês e acham esse idioma muito difícil. Os alunos de inglês, espanhol e de japonês vão à aula duas vezes por semana mas estudam muito em casa também. Para eles é muito importante aprender outro idioma, para um dia ir a outros países trabalhar para sua empresa. Quando viajam, eles vão aos Estados Unidos, à Bolívia, à Colômbia, à Venezuela e, muitas vezes, ao Japão. Nos fins de semana, eles jogam futebol, tênis e baralho. Quando estão em casa conversam com suas famílias, assistem à televisão e vão passear pela cidade. Gostam muito de ir ao cinema e, quando é feriado, de ir à praia ou às montanhas. Agora nós conhecemos (= a gente conhece) melhor Adachi e seus amigos.

 Copie no seu caderno os verbos que aparecem no texto e coloque-os na forma do infinitivo.

EXEMPLO: é - ser
está - estar

 E você? O que você gosta de fazer nas horas livres?
Você fala espanhol, japonês ou inglês?

10 Observe as seguintes estruturas, treine-as e depois pratique falando sobre a rotina de um amigo seu.

> Está no Brasil a trabalho/a serviço/a estudo/a passeio
> Gosta daqui/do Brasil/da cidade/de viajar
> Quer estudar/melhorar/trabalhar/viajar
> Começa a estudar/a trabalhar/a escrever/a ler
> Vai para o escritório/para a cidade/para a escola
> Vai de carro/de ônibus/de trem/de avião
> Almoça sozinho/com o professor/junto com um amigo
> Estuda 2 vezes por semana/por dia/por mês/por ano
> É importante aprender um idioma para ir a outros países/
> para conversar com os estrangeiros/para trabalhar no exterior

PROFISSÕES

O/A POLICIAL
VENDEDOR/A
O/A DENTISTA
MÉDICO/A
ADVOGADO/A
ENGENHEIRO/A
MECÂNICO/A
SECRETÁRIO/A...

psiu!

11 Ouça a fita e preencha os espaços com os verbos:

1. Eu _____ (ACORDAR) muito cedo todos os dias.

2. João e Lucas _____ (ESTUDAR) em uma escola particular.

3. Carla _____ (ESCREVER) cartas para suas amigas na Itália todas as semanas.

4. O açougueiro _____ (VENDER) carne fresca.

5. Você _____ (ABRIR) a porta do escritório todos os dias às 8h da manhã.

6. Elas _____ (SORRIR) sempre que alguém faz um elogio.

12 Relacione e construa frases *oralmente* usando os verbos que você conhece e as informações abaixo:

Exemplo: *"Adachi é casado."*

ADACHI   BENEDITA   *MARY*

SOLTEIRO (A)	ARTIGOS PARA JORNAIS
CASADO (A)	ESCRITÓRIO
PORTUGUÊS	CEARÁ
JAPONÊS (A)	RESTAURANTE DA EMPRESA
AMERICANO (A)	3 MESES
2 FILHOS	FELIZ
ATLETA	25 ANOS
2 IRMÃS 19 ANOS	

13 O aluno A diz um verbo no infinitivo e o aluno B forma frases com o verbo. Quanto mais informações tiver a frase, mais pontos ele ganhará. Vence quem fizer mais pontos. O professor deverá indicar o tempo, que não deverá ser muito longo.

EXEMPLO:

A: Trabalhar!

B: <u>Eu</u> trabalho <u>todos os dias</u> <u>no escritório</u> <u>da firma</u> <u>em São Paulo</u> <u>das 8h</u> <u>às 17 h</u>.
    1   2   3   4   5   6   7

(7 informações = 7 pontos)

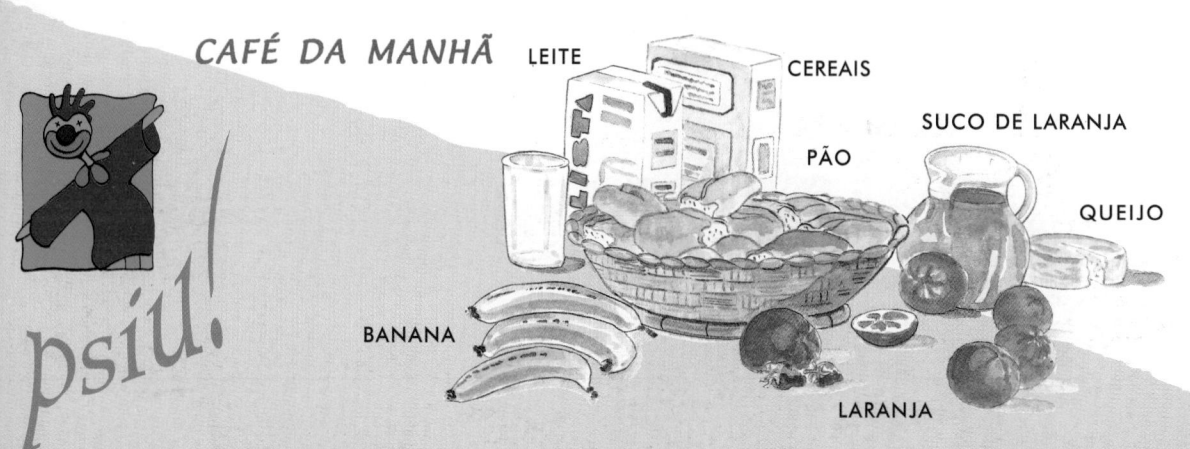

CAFÉ DA MANHÃ   LEITE   CEREAIS   SUCO DE LARANJA   PÃO   QUEIJO   BANANA   LARANJA

psiu!

14 Ligue as palavras das duas colunas e formule perguntas para entrevistar os colegas. Há mais de uma possibilidade.

1. A que horas você	a. faz nos fins de semana?
2. Com quem você	b. é?
3. Onde você	c. acorda sempre?
4. O que você	d. almoça?
5. Que tipo de pessoa você	e. vai ao cinema?
6. Quantas vezes por mês você	f. estuda português?
7. Quando você	g. vai amanhã?
8. Por que você	h. volta para casa?
9. Aonde você	i. está contente?

 Fale de sua rotina, do seu dia-a-dia, usando os verbos dados:

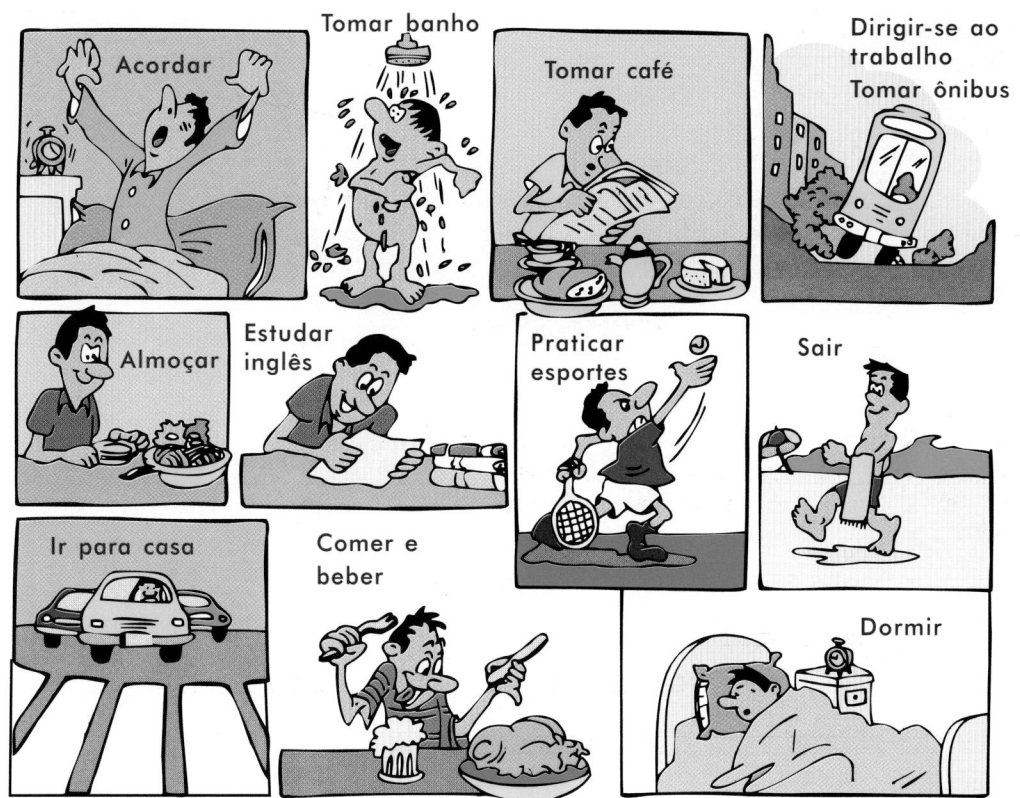

Acordar — Tomar banho — Tomar café — Dirigir-se ao trabalho / Tomar ônibus — Almoçar — Estudar inglês — Praticar esportes — Sair — Ir para casa — Comer e beber — Dormir

COMIDAS

SALADA

FRANGO

ARROZ

PEIXE

CARNE

FEIJÃO

psíu!

Gramática

PRESENTE DO INDICATIVO

REGULARES

TRABALHAR		ESCREVER	ASSISTIR
EU	TRABALHO	ESCREVO	ASSISTO
VOCÊ	TRABALHA	ESCREVE	ASSISTE
ELE/ELA	TRABALHA	ESCREVE	ASSISTE
NÓS	TRABALHAMOS	ESCREVEMOS	ASSISTIMOS
VOCÊS	TRABALHAM	ESCREVEM	ASSISTEM
ELES/ELAS	TRABALHAM	ESCREVEM	ASSISTEM

**OBSERVAÇÃO: O pronome TU é usado em algumas regiões do Brasil;
O pronome VÓS é usado em textos mais antigos.**

TU	TRABALHAS	ESCREVES	ASSISTES
VÓS	TRABALHAIS	ESCREVEIS	ASSISTIS

IRREGULARES

CONSEGUIR		DORMIR	ESTAR	FAZER	IR	PÔR
EU	CONSIGO	DURMO	ESTOU	FAÇO	VOU	PONHO
VOCÊ	CONSEGUE	DORME	ESTÁ	FAZ	VAI	PÕE
ELE/ELA	CONSEGUE	DORME	ESTÁ	FAZ	VAI	PÕE
NÓS	CONSEGUIMOS	DORMIMOS	ESTAMOS	FAZEMOS	VAMOS	POMOS
VOCÊS	CONSEGUEM	DORMEM	ESTÃO	FAZEM	VÃO	PÕEM
ELES/ELAS	CONSEGUEM	DORMEM	ESTÃO	FAZEM	VÃO	PÕEM

TU	CONSEGUES	DORMES	ESTÁS	FAZES	VAIS	PÕE
VÓS	CONSEGUIS	DORMIS	ESTAIS	FAZEIS	IDES	PONDES

QUERER		SAIR	SER	SORRIR	TER	VIR
EU	QUERO	SAIO	SOU	SORRIO	TENHO	VENHO
VOCÊ	QUER	SAI	É	SORRI	TEM	VEM
ELE/ELA	QUER	SAI	É	SORRI	TEM	VEM
NÓS	QUEREMOS	SAÍMOS	SOMOS	SORRIMOS	TEMOS	VIMOS
VOCÊS	QUEREM	SAEM	SÃO	SORRIEM	TÊM	VÊM
ELES/ELAS	QUEREM	SAEM	SÃO	SORRIEM	TÊM	VÊM

TU	QUERES	SAIS	ÉS	SORRIS	TENS	VENS
VÓS	QUEREIS	SAÍS	SOIS	SORRIDES	TENDES	VINDES

ATENÇÃO!!!

❶ PARA A FORMA NEGATIVA, **❷** ALGUNS VERBOS MUDAM
BASTA ACRESCENTAR NA ESCRITA:
NÃO DIRIGIR — eu dirijo
ANTES DO VERBO. CONHECER — eu conheço

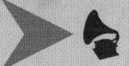

APRENDA

▶ 🎵 QUE HORAS SÃO, POR FAVOR?

São três horas.

São nove e cinco.

É uma e quinze.

São duas e meia.

É meio-dia.

São cinco para as seis.

"Por favor, que horas são?"

"São seis e vinte."

"Com licença! Tem horas?"

"É uma hora."

"Estou adiantado!"

"Lá vem ela! Ela é pontual."

"Já são cinco e meia! Estou atrasado! Vou perder o ônibus!"

Ascensorista - "Que andar?"
Pedro - "3º andar, por favor."

▶ NÚMEROS ORDINAIS

1º - Primeiro/a/os/as	12º - Décimo-segundo
2º - Segundo	23º - Vigésimo-terceiro
3º - Terceiro	34º - Trigésimo-quarto
4º - Quarto	45º - Quadragésimo-quinto
5º - Quinto	56º - Quinquagésimo-sexto
6º - Sexto	67º - Sexagésimo-sétimo
7º - Sétimo	78º - Septuagésimo-oitavo
8º - Oitavo	89º - Octogésimo-nono
9º - Nono	91º - Nonagésimo-primeiro
10º - Décimo	100º - Centésimo

UNIDADE 2

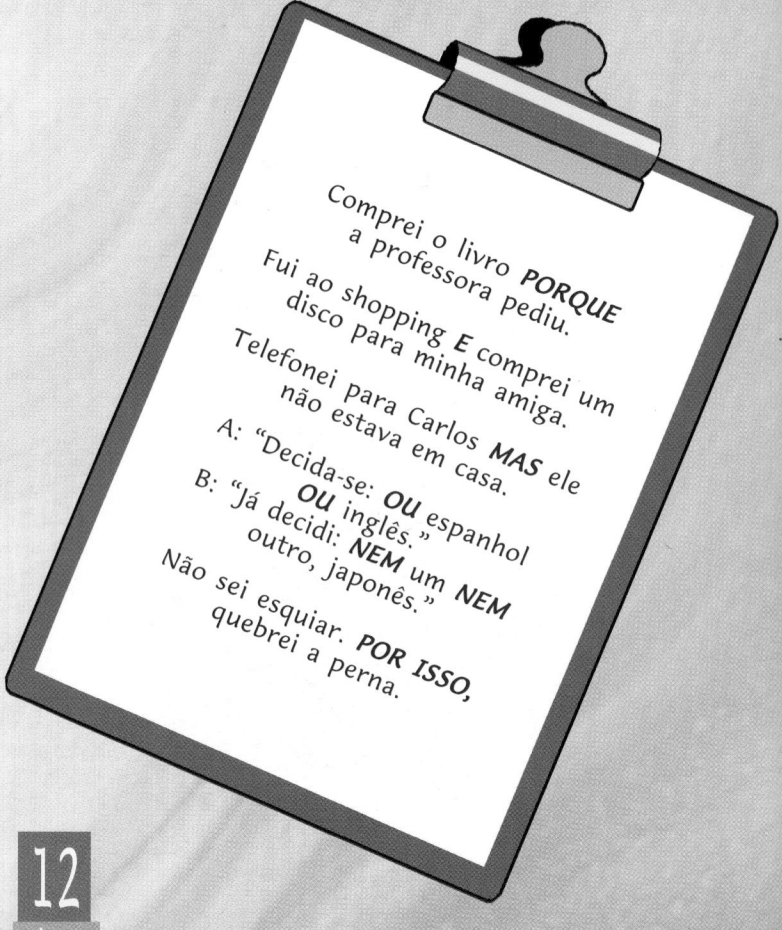

▶ POSSESSIVOS

Adjetivos/Pronomes

Meu carro/O meu   Teu carro/O teu   Seu carro/O seu   Nosso carro/O nosso
Minha filha/A minha   Tua filha/A tua   Sua filha/A sua   Nossa filha/A nossa

O carro dela/O dela   O carro delas/O delas
A filha dele/A dele   A filha deles/A deles

SEU(S) - SUA(S)   →   para as 2ᵃˢ pessoas
SEU(S) - SUA(S) - DELE(S) - DELA(S)   →   para as 3ᵃˢ pessoas

▶ REFLEXIVOS

Eu **me** cortei.   Ela **se** penteou.   Nós **nos** sentamos.   Eles **se** beijaram.   Vocês **se** abraçaram?

PREPOSIÇÃO + ARTIGO

De	+	o	=	Do
		a	=	Da
		os	=	Dos
		as	=	Das
Em	+	o	=	No
		a	=	Na
		os	=	Nos
		as	=	Nas
Em	+ um	=		Num
	uma	=		Numa
	uns	=		Nuns
	umas	=		Numas
Por	+	o	=	Pelo
		a	=	Pela
		os	=	Pelos
		as	=	Pelas

ALGUMAS CONJUNÇÕES IMPORTANTES

Comprei o livro **PORQUE** a professora pediu.

Fui ao shopping **E** comprei um disco para minha amiga.

Telefonei para Carlos **MAS** ele não estava em casa.

A: "Decida-se: **OU** espanhol **OU** inglês."
B: "Já decidi: **NEM** um **NEM** outro, japonês."

Não sei esquiar. **POR ISSO,** quebrei a perna.

Pretérito Perfeito
Pronomes Possessivos
Pronomes Reflexivos
Conjunções

ch = sh

MEU PASSADO, MEU PRESENTE

Eu nasci no dia 23 de outubro de 1976 numa pequena cidade do interior. Fui o primeiro filho de um casal de agricultores. Meu pai *ficou* muito orgulhoso e deu uma grande festa. Convidou quase toda a vizinhança e ofereceu um grande churrasco. Meu avô e minha avó também ficaram muito emocionados e dançaram o tempo todo. Minha mãe tirou umas fotografias lindas!

Fui filho único por apenas dois anos porque depois nasceu minha irmã, Josefa. Ela deu muito trabalho, chorou muito nos primeiros anos de vida.

Hoje eu tenho 23 anos e minha irmã, 21.

Terminei a faculdade no ano passado e agora trabalho numa firma de engenharia. Não é uma empresa grande mas gosto do meu trabalho e dos meus colegas. Tenho bastante serviço mas recebo um bom salário. Estudo inglês à noite e nos fins de semana saio com minha namorada. Ela é linda e estou muito feliz! Minha irmã Josefa estuda na Faculdade de Economia. É muito comportada e já não dá trabalho aos meus pais. Ela ainda não tem namorado.

1

Prepare algumas perguntas sobre o texto e exercite com seu colega:

Quando   Quem

Por que   Quantos

Qual   O que   Onde

2

 Trabalhe em pares. Ouça a fita e escreva os verbos no tempo em que aparecem no diálogo.

LEGUMES e VERDURAS

ABOBRINHA
ACELGA
AGRIÃO
ALFACE
BATATA
BETERRABA
CENOURA
CHUCHU
COUVE-FLOR
PEPINO
REPOLHO
VAGEM...

psíu!

UNIDADE 2

3 Leia o e-mail, completando-o com o verbo no tempo correto e responda as perguntas.

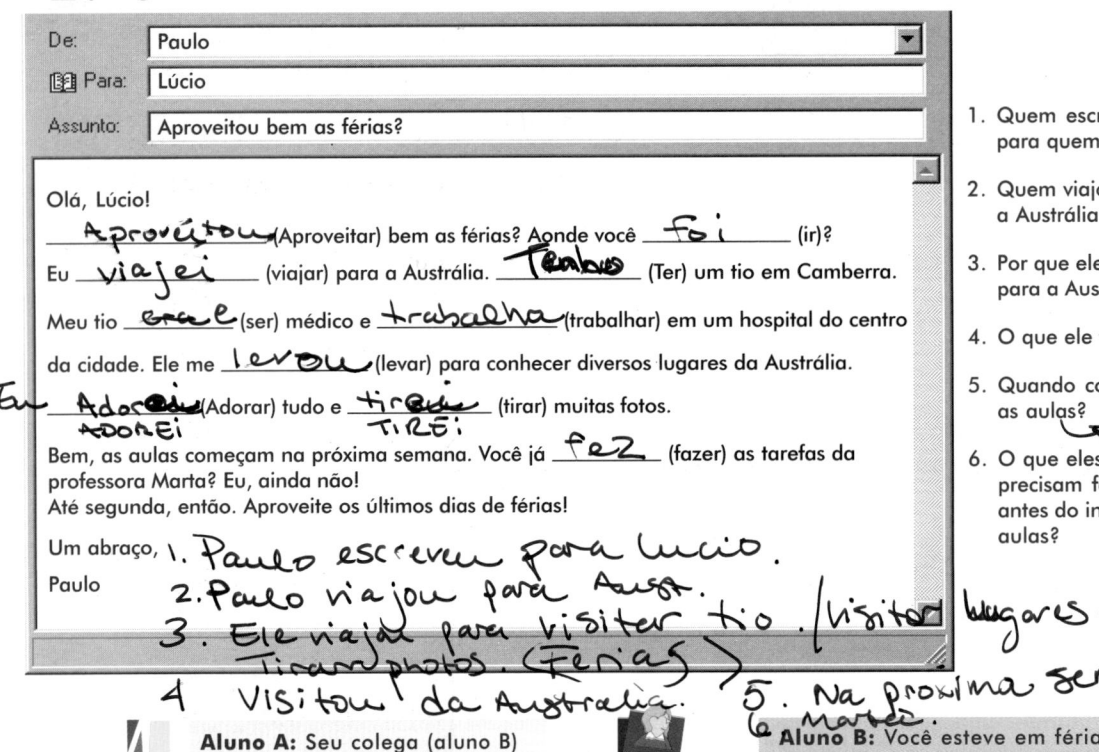

De: Paulo
Para: Lúcio
Assunto: Aproveitou bem as férias?

Olá, Lúcio!
___Aproveitou___ (Aproveitar) bem as férias? Aonde você ___foi___ (ir)?
Eu ___viajei___ (viajar) para a Austrália. ___Tenho___ (Ter) um tio em Camberra.
Meu tio ___é___ (ser) médico e ___trabalha___ (trabalhar) em um hospital do centro
da cidade. Ele me ___levou___ (levar) para conhecer diversos lugares da Austrália.
Eu ___Adorei___ (Adorar) tudo e ___tirei___ (tirar) muitas fotos.
Bem, as aulas começam na próxima semana. Você já ___fez___ (fazer) as tarefas da
professora Marta? Eu, ainda não!
Até segunda, então. Aproveite os últimos dias de férias!

Um abraço,
Paulo

1. Paulo escreveu para Lúcio.
2. Paulo viajou para Aust.
3. Ele viajou para visitar tio. (Visitar lugares da Aust.) Tirar photos. (Férias)
4. Visitou da Austrália.
5. Na próxima semana.
6. Marta.

Perguntas:

1. Quem escreveu para quem?

2. Quem viajou para a Austrália?

3. Por que ele viajou para a Austrália?

4. O que ele fez lá?

5. Quando começam as aulas? class

6. O que eles precisam fazer antes do início das aulas?

4

Aluno A: Seu colega (aluno B) voltou de férias recentemente e você gostaria de saber as novidades. Use o quadro abaixo para fazer perguntas sobre a viagem dele/dela.

Aluno B: Você esteve em férias no Estado do Rio de Janeiro: capital e Angra dos Reis. Ao retornar, você encontra um colega (aluno A) que vai fazer perguntas sobre sua viagem. Use o quadro abaixo para responder às perguntas dele/dela.

EXEMPLO:

A: Aonde você foi nas férias?

B: Fui ao Rio de Janeiro. Fiquei em Ipanema, na praia.

A

Aonde/férias?

Quanto tempo?

Onde/hotel, acampamento, casa?

Com quem?

Que/Quais?

O que mais?

O tempo?

Comida?

B

Rio de Janeiro - Ipanema/Praia

Duas semanas

Hotel 5 estrelas - com piscinas, saunas, salão de jogos, quadras e muito mais

Minha esposa/Meu marido e dois casais amigos

Visitamos outros pontos do Rio de Janeiro: Barra da Tijuca, Leblon, Urca, Copacabana

Fomos ao Cristo Redentor, Corcovado, Pão de Açúcar

Muito calor!

Feijoada

psíu!

CHURRASCO

ALCATRA
CONTRA FILÉ
CORAÇÃOZINHO (DE GALINHA)
COSTELAS
CUPIM
FILÉ MIGNON
LOMBO (ROSBIFE)
MAMINHA
PICANHA...

Veja o Apêndice III.

5 Ligue as colunas e complete as frases como no exemplo.

1. Nasci (em)	( ) a. . . . . centro da cidade.
2. Morei (em)	( ) b. . . . maior supermercado da cidade.
3. Estudei (em)	( ) c. . . . . um carro para ir ao trabalho.
4. Trabalhei (em)	( ) d. . . . . rua 7 de Abril, com meus avós.
5. Agora trabalho (em)	( ) e. . . . . cinema com o meu namorado.
6. Gosto (de)	(1) f. . _no_ . dia 27 de dezembro.
7. Passo todos os dias (por)	( ) g. . . . . Colégio São José.
8. Fui (a)	( ) h. . . . . São Paulo, como vendedor.
9. Preciso (de)	( ) i. . . . . morar no Brasil.

Tentar = to try (handwritten)

6 Veja os desenhos e diga o que Carlos fez ontem. Faça uma pequena história utilizando as conjunções E, MAS, POR ISSO, PORQUE.

Fazer compras (handwritten)

Cenar com amigos (handwritten)

Tentou comprar uma entrada para a cinema, mas no estevem esgotado (handwritten)

No tem trabalh amanhã, por isso assistiu TV muito por umas horas. (handwritten)

Foi a uma festa e ficou lá tarde (handwritten)

E você? O que você fez ontem à noite?
O que você faz sempre nos fins de semana?
Você fez isso no último fim de semana?
Você costuma trabalhar ou estudar nos fins de semana?
Você fez compras esta semana?
Se sim, o que você comprou?

ANTES	AGORA	DEPOIS
ONTEM/ANTEONTEM	HOJE	AMANHÃ/DEPOIS DE AMANHÃ
SEMANA PASSADA/SEMANA RETRASADA	ESTA SEMANA	SEMANA QUE VEM = PRÓXIMA SEMANA
MÊS PASSADO/MÊS RETRASADO	ESTE MÊS	MÊS QUE VEM = PRÓXIMO MÊS
ANO PASSADO/ANO RETRASADO	ESTE ANO	ANO QUE VEM = PRÓXIMO ANO

psiu!

UNIDADE 2

 **7** 🎧 **Vamos praticar os verbos SER, TER e ESTAR:**

B. - Alô.

A. - Alô, *donde* fala?

B. - Transportadora Alves, bom dia!

A. - Bom dia! O Antônio está?

B. - Quem gostaria?

A. - Aqui é Benedito.

B. - Um momento, por favor. Ele está na outra sala.

C. - Alô, Benedito, tudo bem?

A. - Oi, Antônio, tudo bem. Você tem tempo amanhã à noite?
Tenho duas entradas para um show. É de um cantor muito famoso.

C. - Ah! Que pena! Já tenho um compromisso. Amanhã
à noite já estou ocupado.

A. - Que pena!

8 Leiam o tema e as palavras abaixo. Formulem quatro perguntas cujas respostas vocês imaginam encontrar em um texto sobre esse assunto.

Tema: JACARÉS e CROCODILOS - AMIGOS DOS DINOSSAUROS

Palavras: DIFERENTE   FOME   CAÇAR   ENGOLIR
hungry   _swallow_

Troquem os papéis com as perguntas e chequem se as respostas estão ou não no texto que o professor vai ler ou entregar a cada um.

SOBREMESAS e FRUTAS

BOLO DE CHOCOLATE   MELANCIA   BANANA

SORVETE DE CAJÁ   MELÃO   TORTA DE MAÇÃ   UVA   COCADA

psiu!

UNIDADE 2

Pipoca=popcorn

9 Hoje é segunda-feira e algumas crianças acabaram de chegar à escola. Ouça a fita e responda às questões:

1. Quem levou José ao clube? _Zezinho_
2. O que Pedro fez no fim de semana? _S— Em casa   D— Foi a clube_
3. Andréia gostou de seu fim de semana? Por quê? _____
4. O que José fez no sábado? _____

10 Complete as frases com os pronomes reflexivos e depois numere-as para formar um diálogo. Pratique o diálogo com um colega.

(7) Eles _se_ mudaram para Curitiba. A família da Yooko, a esposa dele, é de lá. Eles _se_ conheceram lá.

(4) Lindo! Mas acho que todos _se_ surpreenderam com a troca de roupas. Ela _se_ trocou pelo menos 3 vezes!

(3) O que você achou do casamento deles?

(1) Oi, você é Mônica, não é? Lembra- _se_ de mim?

(6) Eu e a minha família _nos_ mudamos para cá no mês passado. Você sabe onde mora André?

(5) Você mora por aqui?

(2) Claro que eu _me_ lembro! Nós _nos_ encontramos no casamento de André.

(8) É. Uns amigos me disseram que no Japão eles costumam fazer isso...

(10) Até qualquer dia, então.

(9) Bem, eu preciso ir. A gente _se_ vê por aí.

brush hair

falla:
pen-chee

Levantei-me às 5 horas, atrasado, me penteei e me vesti para ir trabalhar. Aí me lembrei de que era domingo. Troquei-me e me deitei outra vez mas não consegui dormir e então me sentei no sofá para assistir à televisão.

→ Changed clothes
↳ laid down

Já aconteceu isto com você?

Agora use os verbos abaixo para formar frases:

levantar-se pentear-se
lembrar-se sentar-se
vestir-se deitar-se trocar-se

VIAJAR DE

AVIÃO
BARCO
CAMINHÃO
CARRO
HELICÓPTERO
IATE
METRÔ
NAVIO
ÔNIBUS
TÁXI
TREM...

psiu!

11 Complete as respostas (comentários) usando ARTIGOS, ADJETIVOS e/ou PRONOMES POSSESSIVOS, como no exemplo.

EXEMPLO:
> A. Lembranças à sua família.
> B. Para _____a sua_____ também, obrigado.

1. A. Hoje é o aniversário de vocês?
   B. Hoje é _____ . O _____ foi ontem.

2. A. Vocês já fizeram as malas?
   B. _____, sim; mas a do meu filho, ainda não.

3. A. Vocês se prepararam para o jogo de hoje?
   B. Não se preocupe. _____ time é muito forte.

4. A. Vão ao parque de carro?
   B. Não, vamos andando porque _____ carro está na oficina, e é dia de rodízio.

5. A. Peguei um resfriado ontem. Minha cabeça está doendo muito.
   B. _____ também e acho que vou faltar à aula de hoje. E você?

12 Escolha uma expressão do quadro abaixo para desejar algo a cada uma das pessoas.

> a. BOA VIAGEM!　　b. BOA SORTE!
> c. CUIDE-SE!　　d. DIVIRTA-SE!　　e. FELIZ ANIVERSÁRIO!

BOA VIAGEM!

① ② ③ ④ ⑤

13 Leia o trecho abaixo e acrescente as conjunções em seus locais respectivos. Cada conjunção pode ser usada mais de uma vez.

> E　　PORQUE　　MAS　　POR QUE　　POR ISSO

Rosa levantou-se bem cedo ___*e*___ preparou o café da manhã para a família. Depois preparou-se para sair. ___*mas*___, de repente, começou a chover. ___*Por isso*___ desistiu de sair. Resolveu fazer a faxina da casa ___*porque*___, na noite anterior, teve uma festa em sua casa pelo aniversário de seu filho _____ a casa ficou uma bagunça!

'_____ fiz a festa em casa?' — perguntou-se, arrependida.

'É a última vez que eu faço isso!' — disse para si mesma.

psiu!

PEIXES

ANCHOVA
ATUM
BACALHAU
BONITO
CORVINA
LINGUADO
PESCADINHA
PINTADO
SALMÃO
SARDINHA
TAINHA...

UNIDADE 2

14 Una as perguntas às respectivas respostas, como no exemplo.

1. De quem é esta bolsa?
2. Este livro é da Ana?
3. Aqueles carros são de vocês?
4. Onde fica o quarto de Ana e Paula?
5. Essa salada é sua?
6. Onde trabalham os filhos de João?
7. Elas gostam do trabalho?
8. Seu carro é prateado?
9. Você conheceu o pai de Maria e João?

a. Não, os nossos estão lá.
b. Não, a minha é esta.
c. Elas disseram que o trabalho delas é divertido.
d. Os filhos dele trabalham na loja.
e. É dela, sim. Tem o nome dela na capa.
f. Sim, o pai deles é muito simpático.
g. Não, o meu é verde.
h. O quarto delas fica no segundo andar.
i. É minha, obrigada.

15 Leia o parágrafo abaixo, circulando a alternativa correta, e conheça a história de Boi-Bumbá, uma parte do rico folclore brasileiro.

Mãe Catirina está grávida (e/mas/porque) tem desejo de comer língua de boi. Pai Francisco tem medo de o filho não nascer com saúde, (mas/por isso/porque) satisfaz o desejo da mulher e mata o melhor boi do rebanho de seu patrão. (Porque/E/Mas) ele descobre e manda prendê-lo. Pai Francisco sofre muito, (por isso/mas/porque) é salvo pelo pajé e pelo padre, que conseguem também ressuscitar o boi. (Porque/Mas/Por isso) o patrão perdoa a Pai Francisco e tudo se transforma em festa e comemoração.

Com essa história simples, enriquecida por ritmos, cores e muita gente, realiza-se, todos os anos, no final de junho, em Parintins, na Ilha de Tupinambarana, a 420 quilômetros de Manaus, um festival que é um dos maiores atrativos, culturais e turísticos do Norte do Brasil.

Fonte: O Grande Livro do Folclore, Ed. Leitura, Belo Horizonte, 2ª ed. - 2000

ESTABELECIMENTOS PÚBLICOS

CARTÓRIO
DELEGACIA DE POLÍCIA
DETRAN
MEC
PALÁCIO DO GOVERNO
POLÍCIA FEDERAL
PREFEITURA DA CIDADE DE SÃO PAULO
RECEITA FEDERAL...

UNIDADE 2

Gramática

PRETÉRITO PERFEITO

REGULARES

	TRABALHAR	ESCREVER	ASSISTIR
EU	TRABALHEI	ESCREVI	ASSISTI
VOCÊ	TRABALHOU	ESCREVEU	ASSISTIU
ELE/ELA	TRABALHOU	ESCREVEU	ASSISTIU
NÓS	TRABALHAMOS	ESCREVEMOS	ASSISTIMOS
VOCÊS	TRABALHARAM	ESCREVERAM	ASSISTIRAM
ELES/ELAS	TRABALHARAM	ESCREVERAM	ASSISTIRAM

	TRABALHAR	ESCREVER	ASSISTIR
TU	TRABALHASTE	ESCREVESTE	ASSISTISTE
VÓS	TRABALHASTES	ESCREVESTES	ASSISTISTES

IRREGULARES

	DAR	ESTAR	FAZER	IR	PODER	PÔR	QUERER
EU	DEI	ESTIVE	FIZ	FUI	PUDE	PUS	QUIS
VOCÊ	DEU	ESTEVE	FEZ	FOI	PÔDE	PÔS	QUIS
ELE/ELA	DEU	ESTEVE	FEZ	FOI	PÔDE	PÔS	QUIS
NÓS	DEMOS	ESTIVEMOS	FIZEMOS	FOMOS	PUDEMOS	PUSEMOS	QUISEMOS
VOCÊS	DERAM	ESTIVERAM	FIZERAM	FORAM	PUDERAM	PUSERAM	QUISERAM
ELES/ELAS	DERAM	ESTIVERAM	FIZERAM	FORAM	PUDERAM	PUSERAM	QUISERAM

	DAR	ESTAR	FAZER	IR	PODER	PÔR	QUERER
TU	DESTE	ESTIVESTE	FIZESTE	FOSTE	PUDESTE	PUSESTE	QUISESTE
VÓS	DESTES	ESTIVESTES	FIZESTES	FOSTES	PUDESTES	PUSESTES	QUISESTES

	SABER	SER	TER	VIR
EU	SOUBE	FUI	TIVE	VIM
VOCÊ	SOUBE	FOI	TEVE	VEIO
ELE/ELA	SOUBE	FOI	TEVE	VEIO
NÓS	SOUBEMOS	FOMOS	TIVEMOS	VIEMOS
VOCÊS	SOUBERAM	FORAM	TIVERAM	VIERAM
ELES/ELAS	SOUBERAM	FORAM	TIVERAM	VIERAM

	SABER	SER	TER	VIR
TU	SOUBESTE	FOSTE	TIVESTE	VIESTE
VÓS	SOUBESTES	FOSTES	TIVESTES	VIESTES

ATENÇÃO!!!

CUIDADO COM ALGUNS VERBOS
SEGUIDOS POR PREPOSIÇÃO!

POR EXEMPLO: GOSTO DE,
PRECISO DE, FALEI DE/COM,
INTERESSAR-SE POR...

> ESTAÇÕES DO ANO

verão

primavera

inverno

outono

> TEMPO

Temperatura Máxima
Temperatura Mínima

 Hoje no Rio de Janeiro
o calor chegou a 40° (= graus centígrados).
Ontem, a máxima
foi de 38° e a mínima de 22°.

 Como está o tempo hoje?

| Está chovendo! | Está nevando! | Está nublado! | Está ventando! | Está fazendo sol! |

Que calor!
Que sol!

Que frio!
Que vento!

Que chuva!
Que enchente!
O rio transbordou! ——— muito agua

Luas
Lua Nova
Quarto Crescente
Lua Cheia   shay-uh
Quarto Minguante

SEPARAÇÃO SILÁBICA

 **NÃO** se separam:

1. letras de **mesma sílaba** (grupo de fonemas emitido num só impulso da voz)

ex: noi-te, res-pei-to, sa-guão

lobby

2. **ch, lh, nh, qu, gu**

ex: pe-chin-cha, mi-lho, a-ma-nhã, quen-te, san-gue

3. **consoante + l** ou **r**

ex: cla-ro, pra-do, trei-no, de-cla-ro

4. **consoante + consoante** que **começam palavras**

ex: pneu, psi-co-lo-gia, gno-mo

 **Separam-se:**

1. No interior da palavra, **consoante não seguida de vogal** junta-se à sílaba que a precede:

ex: ab-sol-ver, am-né-sia, téc-ni-co, de-sig-nar, núp-cias

2. As letras: **rr, ss, sc, sç, xc**

ex: er-ro, pas-so, des-cen-der, cres-çam, ex-ce-ção

UNIDADE 3

Imperfeito do Indicativo
Gerúndio
Comparativos/Superlativos

PETROLINA

Nós morávamos em Petrolina durante 10 anos e Josefa e eu freqüentamos a escola primária local. Mais tarde, meu pai resolveu mudar para uma cidade grande. Eu *gostava* do interior. Nós *éramos* livres lá. [→ jugar] Me lembro que podíamos (brincar) na rua sem perigo e que *íamos* à aula a pé. Eu levava Josefa pela mão porque ela *era* menor. Me recordo que passava horas das minhas tardes sentado perto do riacho e que *conversava* com meus amigos. Nós *brincávamos* muito e inventávamos muitas brincadeiras. [lazy] Não *assistia* à televisão porque não me interessava. Aos sábados, *íamos* pescar com nossos pais e muitas vezes *passávamos* o dia inteiro fora. Minha mãe *cozinhava* muito bem e aos domingos após o almoço eu e Josefa ficávamos deitados na rede. [net (hammock)]

(Petrolina = Cidade do Interior de PE)

E você, o que você *fazia* no seu país?

1 ♪ Preencha os espaços com os verbos dados no Presente, Perfeito ou Imperfeito:

Quando **saímos** (SAIR) de Petrolina algumas coisas mudaram. Não havia mais tanta liberdade.

Os estudos também **eram** (SER) difíceis. Josefa já **tem** (TER) oito anos. Que [tinha]

menina chata! [mal educada = chata]

Nós **moramos** (MORAR) lá até a hora em que eu fui para o Colegial. Então meu pai mais uma vez [vestibular - entrance exam]

procurou (PROCURAR) emprego em outro lugar e **fomos** (IR) para Recife. Para Josefa aquilo

era muito, muito difícil. Nós **tínhamos** (TER) feito muitas amizades em Petrolina. Mas enfim, nos

acostumamos (ACOSTUMAR). Foi lá que **fizemos** (FAZER) vestibular, **ingressamos**

(INGRESSAR) na universidade, nos **formamos** (FORMAR) e nos **casamos** (CASAR). Foi em Recife

que **iniciamos** (INICIAR) nossa vida profissional.

Hoje eu **sou** (SER) médico e Josefa **é** (SER) arquiteta. Eu **sou** (SER) casado e

tenho (TER) dois filhos: um casal. [ca-zal] **Pretendo** (PRETENDER) fazer o caminho inverso e ir

morar no interior. Josefa **estuda** (ESTUDAR) muito, **fez** (FAZER) até pós-graduação

fora do Brasil. Hoje **mora** (MORAR) em Porto Alegre com seu marido Jean-Paul e seus filhos

Françoise e Peter. **Têm** (TER) saudades deles.

[can = a lata]
[Kick = chutar]

[empinar a pipa/o papagaio]

JOGOS e BRINCADEIRAS

AMARELINHA [hot scotch]
BAMBOLÊ [hoola hoop]
CORDA [Rope]
ELÁSTICO
ESCONDE-ESCONDE [Hide? Seek]
ESTÁTUA [Freeze]
PEGA-PEGA [Tag]
PETECA [Birdie]
PIÃO [top]
PIPA [Kite]
QUEIMADA... [Dodge Ball]

psíu!

 Agora fale sobre você:

1. Onde você já morou antes? No interior ou numa cidade grande?
2. Quanto tempo você morou em cada lugar?

3. O que você fazia nos finais de semana?
4. Você brincava com seus amigos? Qual era sua brincadeira predileta?
5. Onde você estudou?
6. Qual foi o seu primeiro emprego?

numa = em + uma

2 O professor ou um de seus colegas lerá um poema de Maria Cândida Mendonça. Os alunos deverão fazer a encenação, ouvindo e seguindo as palavras do poema e, em seguida, deverão completar os espaços em branco.

Parei
_____

Comprei

Saí

Abri
_____

Peguei
Coloquei
_____
_____

Desci
_____
_____

E ri

Um leão!
_____

Mas não
É o João!

Responder a pergunta: Qual é o título do poema? Dica: diz respeito ao objeto ao qual o poema se refere. _____

3  Ouça e escreva:

Alejandro vai falar sobre o que ele fazia quando estava na Espanha. Observe as figuras, coloque os acontecimentos em ordem e, então, numere-os:

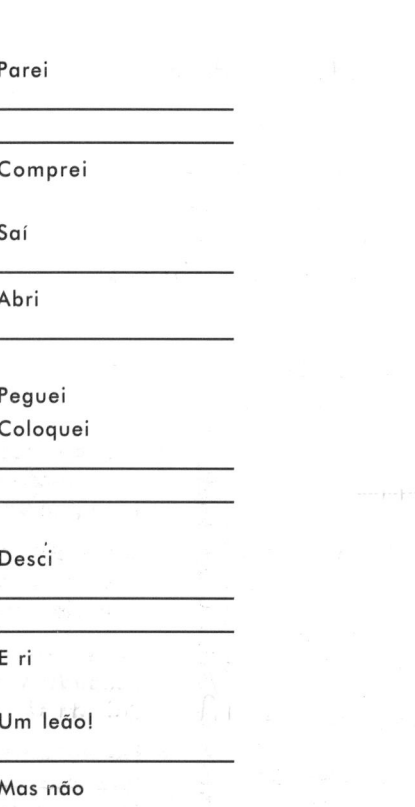

HOBBIES

ACAMPAR
ANDAR DE BICICLETA
COLECIONAR SELOS
JOGAR GOLFE
LER
OUVIR MÚSICA
PESCAR
TOCAR PIANO...

psiu!

4 Veja os cartões de visita de Mauro e Paula e o bilhete enviado por Mauro a Paula. Fale sobre eles respondendo as perguntas abaixo.

Eletrônica Brasil S.A.

MAURO CAMPOS DA SILVA
Gerente de Vendas

Praça Boa Esperança, 456
Tel. (57) 578-2840

Financeira Paulista S.A.

PAULA RAMOS DE AZEVEDO

Diretora

Av. José de Anchieta, 76   Tel. (32) 4792-4538

Querida Paula,

Podemos almoçar juntos hoje? Vamos nos encontrar no lugar de sempre, no Restaurante Veneza, às 11h?

Beijos com muito amor.

Mauro

P.S.: Não se esqueça de que amanhã vamos comemorar seu aniversário na minha casa, com um bolo e um jantar à luz de velas... Estarei em casa às 19h.

1. Quem é Mauro?
2. Quem é Paula?
3. Qual a relação entre os dois?
4. Qual dos dois tem o cargo mais importante?
5. O que vão fazer amanhã?

Analise a agenda de Mauro e responda as perguntas.

Quarta-feira

11h
encontro com Paula, almoço no Restaurante Veneza

15h
encomendar bolo para o aniversário de Paula amanhã

Quinta-feira

8h30 - 10h30
reunião com a diretoria
11h
visita à empresa Smile - falar com o gerente
12h30
almoço de negócios com o Diretor do Banco Itaú
14h - 15h30
reunião com o pessoal de Vendas
16h
receber o sr. Smith, da American Electronics, no Aeroporto de Congonhas
19h
festa de aniversário de Paula

1. A que horas Mauro se encontrou com Paula na 4ª-feira?

2. Onde eles se encontraram? O que eles fizeram?

3. Ele esteve muito ocupado nesses dois dias?

4. Na quinta-feira, ele teve duas reuniões. Qual das duas foi mais longa?

5. (Faça outras perguntas a seus colegas.)

 **EXPRESSÕES**

- Por que é que você não foi à festa?
- É que eu estava com dor de cabeça.

- Onde é que você foi ontem?
- Fui a Santos.

- Quem foi que comeu o meu bolo?
- Desculpe, fui eu.

psíu!

U N I D A D E ³

listen to tape

5 🔊 Ouça a fita e preencha os dados sobre Marta e Marina:

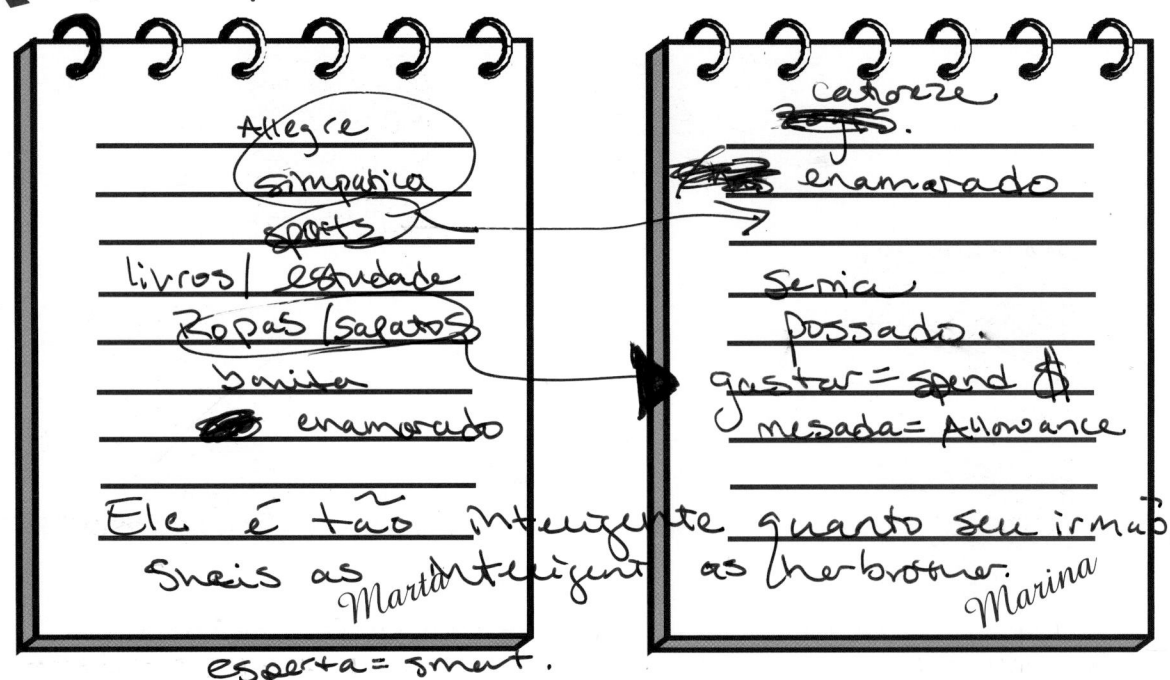

alegre
simpática
sports
livros / estudar
Ropas / sapatos
bonita
enamorado

catorze

enamorado

séria
possado
gostar = spend $
mesada = Allowance

Ele é tão inteligente quanto seu irmão.
Sheis as Marta inteligente as herbrother. Marina

esperta = smart.

🌀 E você? Você é muito diferente de seus irmãos e amigos?
Fale-nos sobre essas diferenças.

6 Leia os diálogos abaixo e escreva uma frase <u>comparativa</u> conforme o exemplo.

EXEMPLO: *inch → very new*

> Carlos: Tenho uma televisão de 29 polegadas, novinha.
> Mauro: Pois ontem ganhei uma de 36 polegadas de meus padrinhos. *I won godfather*
> <u>Mauro ganhou de seus padrinhos uma TV maior do que a de Carlos.</u>

1. Mauro: Você já leu o livro de Português? Eu já li até a página 138.

   Carlos: Já leu tudo isso? Eu ainda estou na página 49...

   Mauro leu mais de Carlos.

2. Carlos: Você assistiu ao programa do Jô Soares? Fiquei assistindo até a 1h. *I am*

   Mauro: Não consigo ficar acordado até tão tarde. Sempre durmo antes das 11h.

   Carlos assisti duas horas mais de Mauro

3. Mauro: E você consegue acordar cedo? Eu me levanto sempre às 7h30. *sete-meia*

   Carlos: Ah, não! Eu só acordo depois das 9h30.

   Carlos levanta mais tarde do que Mauro

4. Mauro: Como foram as suas notas na escola? Eu tirei 10 em tudo, menos em Matemática, que foi 8. E você?

   Carlos: Invejo você! Eu só tirei 8 em História. O resto foi tudo 4 ou 5.

   Mauro tirou melhor notas do que Carlos

5. Mauro: O que você fez neste feriadão? Eu fiquei em casa estudando para as provas. *long holiday*

   Carlos: Eu fui com a minha turma pra praia. Andamos de barco, surfamos, e à noite fomos às danceterias da cidade. Por isso, não tive tempo pra estudar...

   Carlos tive Menos tempo pra estudar do que Mauro.

   Mauro mais intelig. do que Carlos.

7 Através dos diálogos do exercício 6, descreva Carlos e Mauro. Que tipo de pessoas eles são? Quem é mais dedicado? E mais estudioso?

ESTAÇÕES DO ANO

psiu!

PRIMAVERA:
DE 22 DE SETEMBRO
A 20 DE DEZEMBRO

VERÃO:
DE 21 DE DEZEMBRO
A 19 DE MARÇO

OUTONO:
DE 20 DE MARÇO
A 19 DE JUNHO

INVERNO:
DE 20 DE JUNHO
A 21 DE SETEMBRO

26

 Veja as duas fotos, compare-as e faça frases usando o comparativo e o superlativo:

1.São Paulo 30 anos atrás

2.São Paulo hoje

1. ....quando pequeno.

2............................hoje.

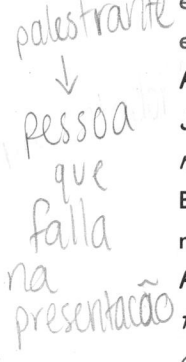 Paula e Jorge **estão** fora do país participando de uma importante conferência. Eles **telefonam** para Bernardo, seu colega de trabalho. Ouça a fita e leia o diálogo:

BERNARDO: Recursos Humanos, Bernardo!

PAULA: Oi, Bernardo, como estão as coisas? Aqui é Paula.

BERNARDO: Olá, Paula! Estou sentindo sua falta. Estou trabalhando por mim e por você! E aí, como estão indo as palestras da conferência? Você está entendendo bem os palestrantes nativos?

PAULA: Eu estou encontrando muita dificuldade mas Jorge está entendendo tudo. Estamos aprendendo muito e ele está me ajudando bastante.

BERNARDO: Como está o tempo? Está fazendo muito frio?

PAULA: Sim, estamos gastando muito em agasalhos e também em comida pois com o frio estamos comendo mais! Temos muita fome e assim estamos engordando um pouco.

Por favor, diga ao chefe que estamos levando conosco muito material interessante. Um beijo. Vou passar pro Jorge.

JORGE: Bernardo, que saudades dos nossos jogos de futebol! Estou enferrujando todo. Os meus músculos estão doendo com este frio!

BERNARDO: Por aqui está chovendo muito e assim não estamos podendo jogar! Parabéns! Paula me disse que você está entendendo muito bem os palestrantes nativos! As aulas de Inglês estão dando bons resultados.

JORGE: Obrigado. Estou prestando muita atenção e tentando falar o máximo possível. Estou fazendo muitas perguntas. Alguma novidade?

BERNARDO: Não, por aqui tudo bem. Estamos aguardando a volta de vocês. O chefe está esperando ansiosamente pelas novidades que vocês estão trazendo. Tchau Jorge!

JORGE: Tchau Bernardo. Um abraço!

(handwritten notes: palestrante ↓ pessoa que falla na presentação; roupa; I'm rusty)

 Agora ouça a fita e responda às perguntas.

ESTABELECIMENTOS

(handwritten: prefeitura = city hall)

AÇOUGUE — *butcher*
BANCO — *bank*
CINEMA — *movie*
CORREIO — *post office*
ESCOLA — *school*
FARMÁCIA — *pharm.*
HOSPITAL — *hospital*
LIVRARIA — *book store*
PADARIA — *bakery*
SUPERMERCADO... — *super market*

(handwritten: biblioteca = library)

psiu!

FOFOCAR = to gossip

↗ gossip

10 Você conhece a palavra *fofoca* ? Ouça o diálogo, tente responder às perguntas e confirme ouvindo a fita.

A: Olhe ali! Não é a Ana?

B: É, sim. O que ela está fazendo lá?

A: Eu acho *que ela espera ~~~ João*

B: Por que você acha que ela está esperando João?

A: Você não sabia que *João foi para Canda?*

B: Não, mas agora que você tocou no assunto, realmente eu

já tinha notado que *ele esta estrango.*

A: Eu acho que *Ana tambem teu ohos enamor.*

B: Você não acha que Ana *~~tambem tem ohos~~.*

Olhe só a saia curta que ela está vestindo! Ela não era assim, não!

SHORT SKIRT   She was not like that.

A: É, como as amizades mudam as pessoas, não é mesmo?

Oh yeah, Friendship Δ people.

touch the subject

Voce sabia que . . .

Did you know?

Voce sabia que Shopko comprou ~~pata uma~~ Shopko.
~~Firma~~

Firma privada.

Agora vamos *fofocar*, usando as expressões:

Você sabia que..., Você não sabia que..., Verdade?, Não acredito!, Eu acho que..., Não acho que ..., Olhe só ..., etc.

✶ MAKE Sentence

is it true?

→ I don't think that

11 Una com um traço a palavra da esquerda com a frase da direita:

Eu acho que (expression)

João
- antes — fez a faculdade de direito.
- depois — era um ajudante de escritório (office-boy).
- hoje — é um bom advogado.

Carolina
- antes — trabalhou e ganhou muito dinheiro.
- depois — tem um belo carro novo.
- agora — tinha um carro velho e feio.

Search & find = Procurar e achar

Agora conte ao seu colega algo sobre você: sua vida (antes, depois e hoje), seu gosto (antes, depois e agora) e suas atividades (antigamente, posteriormente e atualmente).

ESTADO CIVIL

SOLTEIRO/A
CASADO/A
VIÚVO/A
DIVORCIADO/A
DESQUITADO/A
SEPARADO/A...

psiu!

Test

12 🎧 Ouça a fita e escreva o que você acha que está acontecendo neste momento:

1._____

2._____

3._____

4._____

5._____

6._____

7._____

13 Relacione as palavras abaixo:

cesto de *basket of*	pilha *battery*
buquê de *bouquet of*	bordo *board*
receita de *prescription of*	lixo *trash*
licença de *license of*	ouro *gold*
doce de *candy of*	flores *flowers*
dor de *pain of*	bolo *cake*
revista de *magazine of*	dente *tooth*
rádio de *Radio*	motorista *driver*
relógio de *clock*	coco *chocolate*

Você é bom em mímica?

Usando os verbos do quadro ao lado e as expressões do exercício 13, imagine uma situação e faça uma mímica. Marque um ponto para o colega que primeiro adivinhar o que você está fazendo
Boa Sorte!

> jogar - entregar
> escrever - tirar
> comer - gritar
> ler - ouvir - usar

A: Fazendo a mímica (jogando papel no cesto de lixo).
B: Você está jogando papel no cesto de lixo.
C: Correto!

ESPORTES

ATLETISMO
BASQUETE
BEISEBOL
FUTEBOL
HIPISMO
IATISMO
NATAÇÃO
TÊNIS
VOLEI...

psíu!

UNIDADE 3

Gramática

PRETÉRITO IMPERFEITO

REGULARES

TRABALHAR		ESCREVER	ASSISTIR
EU	TRABALHAVA	ESCREVIA	ASSISTIA
VOCÊ	TRABALHAVA	ESCREVIA	ASSISTIA
ELE/ELA	TRABALHAVA	ESCREVIA	ASSISTIA
NÓS	TRABALHÁVAMOS	ESCREVÍAMOS	ASSISTÍAMOS
VOCÊS	TRABALHAVAM	ESCREVIAM	ASSISTIAM
ELES/ELAS	TRABALHAVAM	ESCREVIAM	ASSISTIAM

TU	TRABALHAVAS	ESCREVIAS	ASSISTIAS
VÓS	TRABALHÁVEIS	ESCREVÍEIS	ASSISTÍEIS

IRREGULARES

PÔR		SER	TER	VIR
EU	PUNHA	ERA	TINHA	VINHA
VOCÊ	PUNHA	ERA	TINHA	VINHA
ELE/ELA	PUNHA	ERA	TINHA	VINHA
NÓS	PÚNHAMOS	ÉRAMOS	TÍNHAMOS	VÍNHAMOS
VOCÊS	PUNHAM	ERAM	TINHAM	VINHAM
ELES/ELAS	PUNHAM	ERAM	TINHAM	VINHAM

TU	PUNHAS	ERAS	TINHAS	VINHAS
VÓS	PÚNHEIS	ÉREIS	TÍNHEIS	VÍNHEIS

GERÚNDIO

FALAR		ESCREVER		PARTIR		PÔR	
EU	ESTOU FALANDO	ESTOU	ESCREVENDO	ESTOU	PARTINDO	ESTOU	PONDO
VOCÊ	ESTÁ FALANDO	ESTÁ	ESCREVENDO	ESTÁ	PARTINDO	ESTÁ	PONDO
ELE/ELA	ESTÁ FALANDO	ESTÁ	ESCREVENDO	ESTÁ	PARTINDO	ESTÁ	PONDO
NÓS	ESTAMOS FALANDO	ESTAMOS	ESCREVENDO	ESTAMOS	PARTINDO	ESTAMOS	PONDO
VOCÊS	ESTÃO FALANDO	ESTÃO	ESCREVENDO	ESTÃO	PARTINDO	ESTÃO	PONDO
ELES/ELAS	ESTÃO FALANDO	ESTÃO	ESCREVENDO	ESTÃO	PARTINDO	ESTÃO	PONDO

TU	ESTÁS FALANDO	ESTÁS	ESCREVENDO	ESTÁS	PARTINDO	ESTÁS	PONDO
VÓS	ESTAIS FALANDO	ESTAIS	ESCREVENDO	ESTAIS	PARTINDO	ESTAIS	PONDO

ATENÇÃO!!
CUIDADO COM ALGUNS VERBOS
SEGUIDOS POR INFINITIVO:
**PARECE ESTAR, PRECISA IR, QUER ESTUDAR,
CONSEGUE TRABALHAR, SABE FALAR...**

DINHEIRO

MOEDAS

Centavos

0,01
0,05
0,10
0,25
0,50

1,00   Real

NOTAS

Real

1,00
2,00
5,00
10,00
20,00
50,00
100,00

Plural — REAIS

EXPRESSÕES

Quanto custa?

Quanto é?

Quanto sai?

Tem trocado?

Confira o troco, por favor.

PAGAMENTOS

cartão de crédito
à vista
a prazo
(em parcelas/em "x" vezes/em "x" prestações)
cartão de banco
cheque
dinheiro

COMO PREENCHER
UM CHEQUE NO BRASIL:

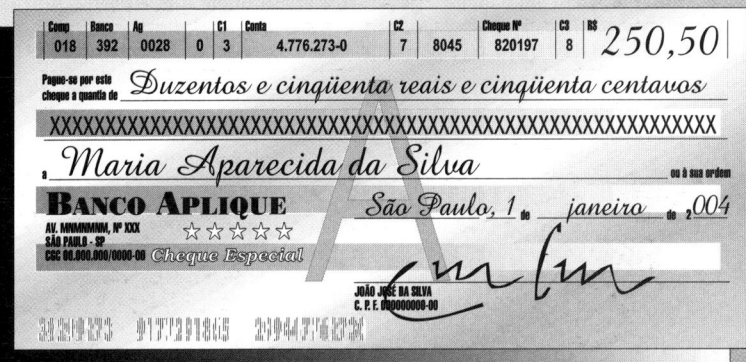

| Comp | Banco | Ag | | C1 | Conta | | C2 | | Cheque Nº | | C3 | R$ |
| 018 | 392 | 0028 | 0 | 3 | 4.776.273-0 | | 7 | 8045 | 820197 | | 8 | 250,50 |

Pague-se por este cheque a quantia de   *Duzentos e cinqüenta reais e cinqüenta centavos*
XXXXXXXXXXXXXXXXXXXXXXXXXXXXXXXXXXXXXXXXXXXXXXXXXXXXXXXXXXXXXXX

Maria Aparecida da Silva   ou à sua ordem

BANCO APLIQUE   *São Paulo, 1 de janeiro de 2004*
AV. MMMMMM, Nº XXX
SÃO PAULO - SP
CGC 00.000.000/0000-00   *Cheque Especial*

JOÃO JOSÉ DA SILVA
C. P. F. 000000000-00

 SÍLABA TÔNICA e SÍLABA ÁTONA

A sílaba que pronunciamos com **mais força** chama-se **sílaba tônica**.

Sílabas átonas são as sílabas pronunciadas com **menos força**.

TIPOS DE FRASES E SUAS PONTUAÇÕES

FRASE AFIRMATIVA	Moro em São Paulo.	. =	ponto final
NEGATIVA	Eles não são advogados.	. =	ponto final
INTERROGATIVA	Onde você trabalha?	? =	ponto de interrogação
EXCLAMATIVA	Parabéns!	! =	ponto de exclamação

 Agora ouça a fita e indique os tipos de frases e suas pontuações. Circule também a sílaba tônica de cada palavra.

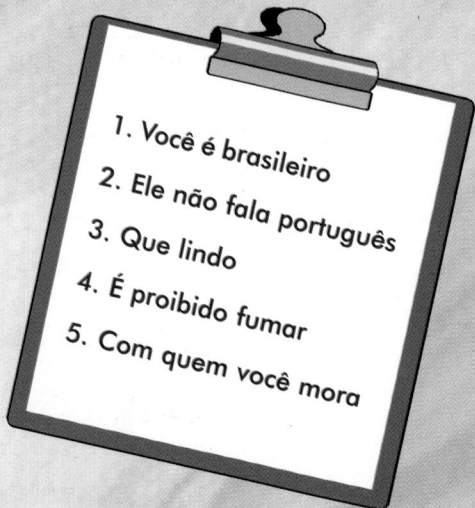

1. Você é brasileiro
2. Ele não fala português
3. Que lindo
4. É proibido fumar
5. Com quem você mora

Futuro

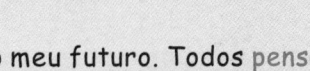

Penso muito no meu futuro. Todos pensamos muito! Onde estarei daqui a 5 anos? Estarei trabalhando? Continuarei na mesma cidade? Terei filhos? Minha vida será mais fácil ou mais difícil? Como estará a minha saúde? E minha família, como andará? Meus irmãos continuarão perto de mim? Precisarei estudar mais? Vou me especializar? Falarei mais idiomas? *ou "vou especializarme?"* Estarei mais familiarizado com o computador? O mundo terá resolvido seus grandes problemas? Teremos um meio-ambiente mais amigável?

E você? Quais são as suas perguntas sobre o seu FUTURO?

1 Siga as ilustrações *sois* e formule mais algumas perguntas com os verbos entre parênteses.

(VIAJAR)

(CONHECER)

(PRATICAR)

(GANHAR)

2 Vocês foram eleitos governantes de um país e têm plena autoridade para fazer o que quiserem. Que mudanças vocês farão para construir um "país ideal"? O que vocês não aprovam no país em que vocês moram agora e gostariam de mudar? Depois, discutam com o professor/outros grupos sobre a viabilidade ou não de implantar esta mudança no país.

Ex.: Atualmente o povo está pagando impostos pesados. Achamos injusto, por isso, no nosso "país" ninguém precisará pagar impostos.

(Mas o que o governo fará para arrecadar verbas para a realização de obras?...)

ADVÉRBIOS DE FREQÜÊNCIA

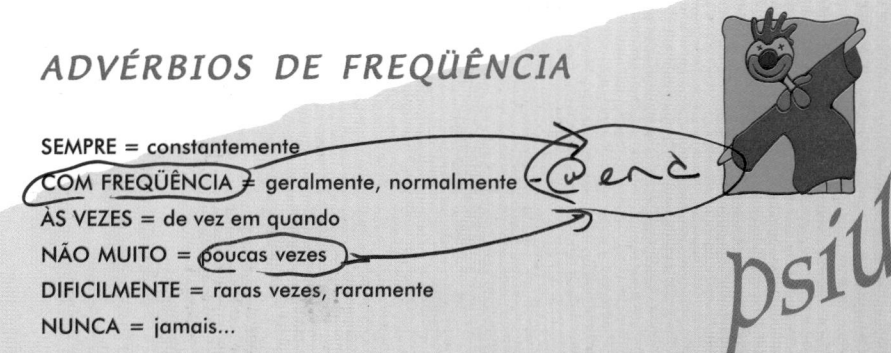

SEMPRE = constantemente
COM FREQÜÊNCIA = geralmente, normalmente
ÀS VEZES = de vez em quando
NÃO MUITO = poucas vezes
DIFICILMENTE = raras vezes, raramente
NUNCA = jamais...

psiu!

UNIDADE 4

 Estou **sentado** na sala, em frente à televisão, mas **não estou** acompanhando a programação. Ao meu lado, meu irmão **está brincando** e minha irmã **está estudando**. Meus pais **estão fora**, estão **jantando** com amigos. **Estou pensando**...
Não estou muito feliz com minha vida. **Não sinto** que **estou** progredindo. **Preciso mudar!!!**
Meus pais **reclamam** muito do meu comportamento e meus professores também **não estão** satisfeitos comigo. Assim, eu **não estou** feliz e meus pais e meus professores também não. **Vou mudar!!!**
Daqui pra frente vou ser diferente: vou estudar mais, não vou mais responder mal aos meus pais e não vou deixar de fazer as tarefas de casa. **Serei** mais aplicado no meu treino de futebol e **não faltarei** às aulas de inglês e computação.

 Leia o texto e responda:

1. Onde está Paulo?
2. O que ele está fazendo?
3. Ele está gostando da programação?
4. O que Mariana está fazendo?
5. E Carlos, o irmão de Paulo?
6. Onde estão os pais deles?
7. Por que Paulo não está feliz?
8. Que decisões ele toma?
   O que vai fazer?

E você? O que está fazendo agora?
Você está feliz com sua vida?
O que você vai mudar?
Você acha que vai ser fácil mudar?
O que você tem certeza de que não vai mudar de jeito nenhum?
O que você já mudou (para melhor) até agora?
Que tipo de pessoa você acha que é? Simpática? Amigável? Chata? Aborrecida? Por quê?

 **Trabalhe em pares. Um de vocês é Ana e o outro, Jorge. Elaborem um diálogo baseado nos anúncios da agência de turismo. O que cada um fará em sua viagem? O que deverão levar em suas malas?**

A ANA

Visite **Foz do Iguaçu!** Admire as belas e inesquecíveis cascatas e tente a sorte no Cassino do Paraguai! Um programão para todas as faixas etárias! **LAZER** Agência de Turismo S.A. Praça da Paz, 1256 Tel.: 3267-9843

B JORGE

Pantanal Venha desfrutar desta beleza natural e conhecer o melhor do Brasil! Saídas: todas as sextas-feiras, de maio a outubro. Agência **BRASIL** R. Tiradentes, 347 Tel.: 2567-1289

psiu!

FLORES

CRAVOS
FLORES DO CAMPO
GIRASSÓIS
LÍRIOS
MARGARIDAS
ORQUÍDEAS
PALMAS
ROSAS
VIOLETAS...

Future Tense

UNIDADE 4

potatoe – banan – mango

Casca de banana – peanut shell – orange – etc.

5 Observe os desenhos e diga o que VAI ACONTECER:

Cair Ele escorregará...

ESCORREGAR

(Slip) Ele vai escorregar a casca de banana.

Ele vai almoçar
Ele almoçará.

subir ao avión
Ele viajará - - - -
Ele vai viajar de avión.

a um
Ele vai assistir a filme.
Ele vai entrar a cinema.

telefonar
Ele Falará - - - -
Ele telefonará - - - -

Dormir
Ele vai dormir.
Ele dormirá
Ele vai fazer a cama.
Ele vai acodar.

Tomar o ônibus
climb = subir
Ele vai subir o ônibus.
Ele vai pegar o ônibus.
Ele vai tomar o ônibus.

Ele vai tomar banho.
Ele tomará doucha.
Tomar banho

Nadar
Ela vai Nadar
Ela nadará

Conduzir
Ele vai encher o tanque do carro.

Por favor, encha o tanque.
Please, fill it up.

Ele vai encher gasolina

• • • O ÍNDIO • • •

🎺 REFAZENDA

ABACATEIRO, ACATAREMOS TEU ATO
NÓS TAMBÉM SOMOS DO MATO
COMO O PATO E O LEÃO
AGUARDAREMOS, BRINCAREMOS NO REGATO
ATÉ QUE NOS TRAGAM FRUTOS
TEU AMOR, TEU CORAÇÃO

ABACATEIRO, TEU RECOLHIMENTO
É JUSTAMENTE O SIGNIFICADO
DA PALAVRA TEMPORÃO
ENQUANTO O TEMPO
NÃO TROUXER TEU ABACATE
AMANHECERÁ TOMATE
E ANOITECERÁ MAMÃO (...)

Gilberto Gil

UM ÍNDIO DESCERÁ DE UMA ESTRELA
COLORIDA, BRILHANTE
DE UMA ESTRELA QUE VIRÁ
NUMA VELOCIDADE ESTONTEANTE
E POUSARÁ NO CORAÇÃO DO HEMISFÉRIO SUL
NA AMÉRICA, NUM CLARO INSTANTE

DEPOIS DE EXTERMINADA
A ÚLTIMA NAÇÃO INDÍGENA
E O ESPÍRITO DOS PÁSSAROS
DAS FONTES DE ÁGUA LÍMPIDA
MAIS AVANÇADO QUE A MAIS AVANÇADA
DAS MAIS AVANÇADAS DAS TECNOLOGIAS

VIRÁ, IMPÁVIDO QUE NEM MOHAMED ALI
VIRÁ QUE EU VI
APAIXONADAMENTE COMO PERI
VIRÁ QUE EU VI
TRANQÜILO E INFALÍVEL COMO BRUCE LEE
VIRÁ QUE EU VI
O AXÉ DO AFOXÉ, FILHOS DE GANDHI
VIRÁ (...)

Caetano Veloso

DATAS COMEMORATIVAS
ANO NOVO (1º DE JANEIRO)
CARNAVAL
TIRADENTES (21 DE ABRIL)
DIA DO TRABALHO (1º DE MAIO)
DIA DAS MÃES
CORPUS CHRISTI
DIA DOS NAMORADOS (12 DE JUNHO)
FESTAS JUNINAS
DIA DOS PAIS
DIA DA INDEPENDÊNCIA (7 DE SETEMBRO)
N.SRA. APARECIDA (12 DE OUTUBRO)
DIA DAS CRIANÇAS (12 DE OUTUBRO)
DIA DOS PROFESSORES (15 DE OUTUBRO)
FINADOS (2 DE NOVEMBRO)
PROCLAMAÇÃO DA REPÚBLICA (15 DE NOVEMBRO)
NATAL (25 DE DEZEMBRO)

psiu!

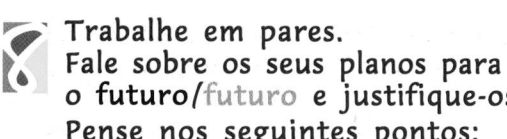

Trabalhe em pares.
Fale sobre os seus planos para o **futuro**/futuro e justifique-os.
Pense nos seguintes pontos:

provavelmente
vai fazer

Probably

não vai fazer
de jeito nenhum

Not going to do that ever
- never

Casamento/filhos

Trabalho/estudo

Moradia

Viagem

Outros (   )

O que a cigana está dizendo ao rapaz?
Use as palavras entre parênteses:

EXEMPLO

"Você vai viajar muito para o exterior."

may maus *~rubia*
má más

(loira) **(exterior)**

(novo)

(pessoas) **(no campo)**

más

pessoa má

O que mais você acha que a cigana vai dizer para o rapaz???

A. _____
B. _____
C. _____
D. _____
E. _____

Você e seu/sua colega estão participando de uma Convenção Internacional de Engenharia Ecológica. Planejem uma Cidade Futurista no coração da Amazônia com o mínimo de destruição do meio-ambiente possível.

Ex.: Preservaremos **a natureza**.
Não derrubaremos **as árvores**.

Agora ouça a fita e compare suas anotações com as previsões da cigana.

SALÃO DE BELEZA

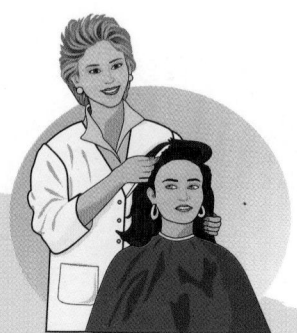

CABELEIREIRO/BARBEIRO
CORTAR/PENTEAR
DEPILAR/DEPILAÇÃO
FAZER A BARBA/O BIGODE
FAZER O CABELO/PERMANENTE/ESCOVA
MANICURE (ESMALTE, LIXA...)
MAQUIAR (MAQUIAGEM)...

psiu!

ainda = todavía

10 Leia a história da vida de Patrícia, contada por ela mesma. Complete os espaços com os verbos no tempo correto.

Eu _nasci_ (nascer) em Sorocaba, uma cidade do interior de São Paulo. Não me _lembro_ (lembrar-se) muito da cidade, porque quando _tinha_ (ter) 3 anos, meus pais _mudaram-se_ (mudar-se) para São José dos Campos. Agora, São José dos Campos _é_ (ser) uma cidade grande, desenvolvida, com muitos shoppings, mas antigamente, _havia_ (haver) muitas árvores e rios limpos. (Nós) _podíamos_ (poder) brincar nas ruas, *existem* sem problema de segurança. (Nós) _nadávamos_ (nadar) nos rios, hoje poluídos. Muitos dos rios já não _existem_ (existir) mais. Nos anos 80, muitas indústrias _instalaram-se_ (instalar-se) na cidade e ela _cresceu_ (crescer) de um dia para outro. Muita gente de fora _veio_ (vir) a São José em busca de trabalho.

Depois, com a crise do petróleo, tudo _mudou_ (mudar). Muitos _perderam_ (perder) o emprego. Como não _havia_ (haver) trabalho na cidade, muitos _foram_ (ir) buscar emprego em outras cidades, às vezes, bem distantes. Até hoje, muitos, inclusive eu, _moram_ (morar) em São José e _trabalham_ (trabalhar) fora.
moravam *trabalhavam*

11 Vamos praticar: observe o seguinte diálogo e exercite as estruturas conforme as instruções do professor.

MITIE: Oi, tudo bem?
JOÃO: Tudo bem, e você?
MITIE: Bem, obrigada. João, quero te apresentar José.
JOÃO: Muito prazer.
JOSÉ: Prazer.
MITIE: O José também nasceu no Rio de Janeiro. É carioca.
JOÃO: Verdade? Quanto tempo você morou lá?

JOSÉ: Fiz até a faculdade lá. Saí da faculdade e logo vim para cá. Estou aqui em São Paulo há dois anos.
JOÃO: Em que faculdade você estudou?
JOSÉ: Na Federal do Rio.
JOÃO: Que coincidência! Eu também. Você estudou o quê?
JOSÉ: Engenharia Química.

JOÃO: Não é possível! Eu também! Em que ano você se formou?
JOSÉ: Em 95. Você também?
JOÃO: Ah, não! Eu me formei em 92. É por isso que não nos conhecemos.
JOSÉ: Vamos tomar um cafezinho?
MITIE: Vamos! Seu Manoel faz um café delicioso no bar da frente.

12 COINCIDÊNCIAS
Ande pela sala e, indagando, procure pessoas que tenham os mesmos hábitos (se você tem este hábito pode colocar o seu nome também):

Sempre lêem antes de dormir _____Patrick_____ _____
Jantam assistindo à televisão _____Jacob_____ _____
Rabiscam desenhos enquanto ouvem explicações ou atendem telefonemas _____Jacob_____ _____
Roem as unhas quando estão nervosos _____ _____
Não tomam líquidos durante as refeições _____ _____

ANIMAIS

BOI
CACHORRO
CARNEIRO
CAVALO
COBRA
COELHO
GATO
MACACO
PORCO
TARTARUGA...

PULGA

psiu!

UNIDADE 4

Home Work

Make conversation

13 Leia o pensamento de Luís e escreva o que ele fará nos próximos anos:

> comprar uma linda mansão 6
>
> estudar francês 1
>
> fazer dieta e emagrecer 2
>
> ir à França 3
>
> participar das Olimpíadas 5
>
> ser um atleta 4

Você vai sair de férias e quer viajar. Trabalhe em pares.

Escolha um país e conte seus planos ao seu colega/professor.
Se desejar, use as dicas abaixo:

> **ONDE / QUANDO / COM QUEM / O QUE LEVAR
> DE QUE / ONDE SE HOSPEDAR / O QUE FAZER, ETC.**

14  Ouça parte de uma estória. Como você acha que a estória continua?

15 Faça 3 perguntas para cada uma das seguintes respostas:

REVISÃO

A. Márcia está estudando Engenharia na USP.

_____
_____
_____

B. Ontem Cláudio viajou para a França a negócios.

_____
_____
_____

C. Quando adolescentes, Antonio e Estela eram excelentes jogadores de tênis.

_____
_____
_____

D. NO FUTURO, o computador ajudará a administrar as casas.

_____
_____
_____

psiu!

AVES (1)

ANDORINHA
ARARA
BEIJA-FLOR
BEM-TE-VI
CANÁRIO
PAPAGAIO
PERIQUITO
PICA-PAU...

16 Leia as MANCHETES abaixo e discuta os acontecimentos com seu colega e/ou professor.

GUGA: NOVO CAMPEÃO DE ROLAND GARROS

MERCOSUL JÁ ESTÁ TRAZENDO NOVOS NEGÓCIOS À AMÉRICA LATINA

CÂNCER TEM CURA

CARROS ELÉTRICOS SÃO UMA REALIDADE

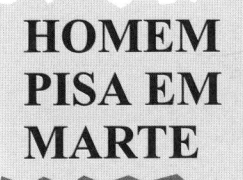
HOMEM PISA EM MARTE

ENTREGA DO OSCAR FOI ADIADA

17 Fale-nos sobre uma (duas) etapa(s) da sua vida, usando o verbo indicado na forma adequada:

Exemplo:
ESTUDAR

(se você sempre faz):
Estudo depois do jantar.
(se você é estudante):
Estou estudando Direito na Universidade de São Paulo.
(se você se formou):
Eu *estudei* Direito na Universidade de São Paulo.
(se você quer falar sobre uma determinada época passada):
Eu *estudava* e trabalhava quando tinha 18 anos.
(se o estudo está nos seus planos futuros):
Eu *vou estudar* português porque vou viajar ao Brasil no próximo ano.
Estudarei mais para ser alguém na vida.
(se nunca fez):
Nunca *estudei* árabe.

Agora vamos praticar? Então comece!

1. TRABALHAR   3. SAIR COM OS AMIGOS   5. TOMAR CERVEJA   7. ANDAR A PÉ
2. PRATICAR ESPORTES   4. IR À PRAIA   6. FUMAR

AVES (2)

GAIVOTA
GALINHA
GALO
GARÇA
MARRECO
PATO
PINTINHO
POMBO
URUBU...

psiu!

UNIDADE 4

Gramática

FUTURO

REGULARES

	FALAR	ESCREVER	PARTIR
EU	FALAREI	ESCREVEREI	PARTIREI
VOCÊ	FALARÁ	ESCREVERÁ	PARTIRÁ
ELE/ELA	FALARÁ	ESCREVERÁ	PARTIRÁ
NÓS	FALAREMOS	ESCREVEREMOS	PARTIREMOS
VOCÊS	FALARÃO	ESCREVERÃO	PARTIRÃO
ELES/ELAS	FALARÃO	ESCREVERÃO	PARTIRÃO

	FALAR	ESCREVER	PARTIR
TU	FALARÁS	ESCREVERÁS	PARTIRÁS
VÓS	FALAREIS	ESCREVEREIS	PARTIREIS

IRREGULARES

	DIZER	FAZER	TRAZER
EU	DIREI	FAREI	TRAREI
VOCÊ	DIRÁ	FARÁ	TRARÁ
ELE/ELA	DIRÁ	FARÁ	TRARÁ
NÓS	DIREMOS	FAREMOS	TRAREMOS
VOCÊS	DIRÃO	FARÃO	TRARÃO
ELES/ELAS	DIRÃO	FARÃO	TRARÃO

	DIZER	FAZER	TRAZER
TU	DIRÁS	FARÁS	TRARÁS
VÓS	DIREIS	FAREIS	TRAREIS

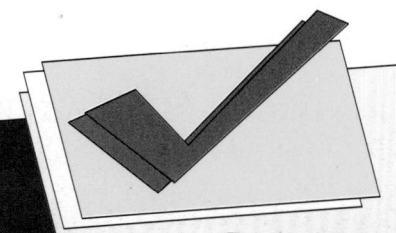

FUTURO

Eu **VOU FALAR** com o professor amanhã.
Você **VAI ESCREVER** para a sua amiga?
Nós **VAMOS FAZER** um bolo para mamãe, no aniversário dela.
Vocês **VÃO DIZER** a verdade, ou não?
Elas **VÃO AJUDAR** meu irmão a trazer os pacotes.

UNIDADE 5
MINHAS EXPECTATIVAS

APRENDA

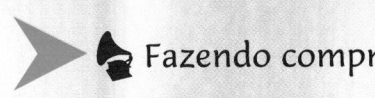 Fazendo compras

NO SUPERMERCADO

Pois não?

Quero 250 gr. de presunto!

E eu 300 gr. de mortadela.

1/2 QUILO (Kg.) de carne

500 GRAMAS (gr.) de queijo

1 GARRAFA de cerveja

1 PACOTE de açúcar

1 LATA de sardinha

1 LITRO (ℓ.) de água mineral

NA FEIRA

O que vai hoje, freguesa?

Hoje vou levar 1 PÉ de alface e 2 MAÇOS de espinafre.

Só isso?

Só isso, obrigada.

Já escolheu dona?

Sim, dê-me meia DÚZIA de laranjas.

Mais alguma coisa?

Vou levar também 3 CACHOS de uvas e 2 CAIXAS de morangos.

1 PÉ de alface   2 MAÇOS de espinafre   1 CAIXA de morangos   meia DÚZIA de laranjas   1 CACHO de uvas

OUTROS

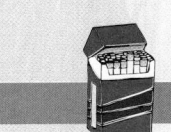

1 MAÇO de cigarro

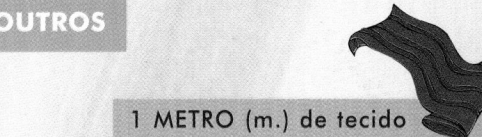

1 METRO (m.) de tecido

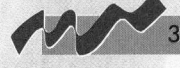

30 CENTÍMETROS (cm.) de fita

PARA MEDIR
INGREDIENTES DE RECEITAS

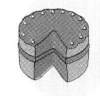

Você quer fazer um bolo? Então, você vai precisar de:

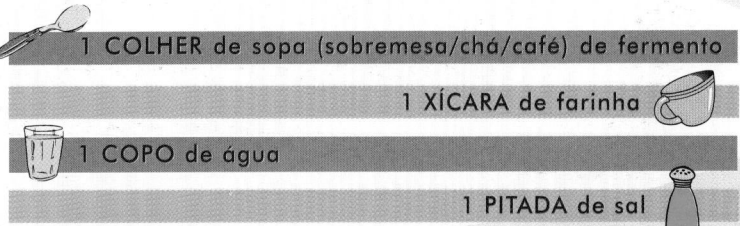

1 COLHER de sopa (sobremesa/chá/café) de fermento

1 XÍCARA de farinha

1 COPO de água

1 PITADA de sal

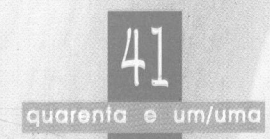

 **ACENTUAÇÃO** - PARTE I

RECORDANDO:

SÍLABA TÔNICA é aquela que é pronunciada com **maior intensidade**.

REVISÃO

Identifique as **SÍLABAS TÔNICAS** no quadrinho ao lado e depois confira suas respostas.

PO LÍ CIA   ES TÃO   A TI RAN DO

Observe que a **PALAVRA** pode ser:

a. OXÍTONA - a sílaba tônica é a última da palavra:
vo-**cê**, ca-**fé**, tal-**vez**
b. PAROXÍTONA - a sílaba tônica é a penúltima da palavra:
ca-**der**-no, po-**lí**-cia
c. PROPAROXÍTONA - a sílaba tônica é a antepenúltima da palavra:
má-gi-ca, **ár**-vo-re

Os **MONOSSÍLABOS (palavras de uma só sílaba) TÔNICOS** terminados em **a, e, o**
são <u>sempre</u> acentuados:

pá, pé, pó, lá, nós, dó

Importante: **1) PREPOSIÇÕES NÃO são acentuadas:**
Gosto **de** você.   O cabelo **da** menina está preso.
2) dê / de — dá / da — pôr / por

✏ = ACENTO AGUDO - utilizado nas vogais abertas (tônicas): vovó, saída, régua

∧ = ACENTO CIRCUNFLEXO - utilizado nas vogais fechadas (tônicas): câmera, vovô, pêssego

~ = TIL - usado para marcar a vogal nasal: irmã, lã, amanhã, põe, mãe, irmão

◣ = ACENTO GRAVE (CRASE) - usado na contração da preposição <u>a</u> com o artigo <u>a</u>, <u>as</u> ou com o demonstrativo <u>aquele</u>, <u>aquilo</u>...:
às vezes, à noite, às escuras, àqueles

▮▮ = TREMA - só deve ser colocado sobre o <u>u</u> dos grupos <u>gue</u>, <u>gui</u>, <u>que</u>, <u>qui</u>, quando este <u>u</u> for pronunciado:
agüentar, lingüiça, freqüente, tranqüilo

UNIDADE 5

Presente do Subjuntivo
Futuro do Subjuntivo
Pronomes Oblíquos

READ p43

 BRASIL: MINHAS EXPECTATIVAS ✳ *My expectation*

Qual a imagem que você faz do Brasil? O que você sabe sobre ele? *What do you know about Brazil?*

Ouça as redações.
Há algo de _estranho_ nelas? *Student tells:*

what Doesn't make sense?

Na sala de aula

teacher

Prof.: Hoje eu *quero* que vocês escrevam uma pequena redação sobre o Brasil. *Quero* que me descrevam a imagem que vocês têm do país. Coloquem tudo o que vocês acham que vão encontrar lá. Vocês entenderam? Podem começar.

Student **Aluno 1:** É a primeira vez que vou ao Brasil, mas me disseram que é um país tropical e que o povo é muito alegre. *É pena* que eu não *tenha* estudado espanhol para poder falar com eles. *Tomara* que eu *possa* comunicar-me através de gestos e de desenhos. Mas *receio* que não *consiga* fazer amigos, principalmente porque vou ficar apenas dois meses. Vou ficar na capital, Rio de Janeiro, famosa pelo Carnaval e pelas mulatas bonitas. Vou poder ver o Carnaval porque vou em abril para lá. *Espero* que alguma mulata bonita me *ensine* a sambar.

Aluno 2: A firma onde eu trabalho *exige* que eu *fique* um ano no Brasil, mas não gostaria de ficar tanto tempo separado de minha família.

    Receio que eu não *saiba* muita coisa sobre o Brasil. Sei que os brasileiros gostam muito de futebol, café e rumba. *Talvez* eu *goste* de morar lá, porque adoro futebol e dança. Mas quase nunca tomo café. *Quem sabe* eu me *acostume* com a bebida. *Talvez seja* mais saudável do que cerveja, que eu tomo sempre. Será que eles não tomam cerveja?

    Ouvi dizer que é proibido fumar dentro de casa. *Tomara* que *seja* verdade para que eu possa deixar de fumar.

E você? Que outra informação teria a acrescentar sobre o Brasil?

✳ **1 Leia o texto acima e responda ou complete.**

Answer

1. O que o professor quer que os alunos façam? _____
    A fraid |FEAR
2. Quais são os receios e as expectativas do aluno 1? _____
_____
    Sorry for ...
3. O aluno 1 sente pena de que... _____
4. Quais são os receios e as expectativas do aluno 2? _____
_____
5. O que a firma do aluno 2 exige dele? _____
    company of (2) demands from him?

firma-empreza, companhia

TIPOS DE LOJAS

BUTIQUE
DROGARIA/FARMÁCIA

LOJA DE ⟨
  CALÇADOS (SAPATARIA)
  CONVENIÊNCIA
  DEPARTAMENTOS
  ELETRODOMÉSTICOS
  MÓVEIS

PAPELARIA/LIVRARIA...

psiu!

UNIDADE 5

 O que você diria a um colega nas situações que você vai ouvir agora?

Exemplo: (ambulância)

Espero que eles cheguem a tempo no hospital.
Tomara que não seja nada grave.

ESPERO QUE
_____
_____

DESEJO QUE
_____
_____

É UMA PENA QUE
_____
_____

TALVEZ
_____
_____

DUVIDO QUE
_____

LAMENTO QUE
_____
_____
_____

TOMARA QUE
_____
_____

 Coloque os verbos na forma adequada e complete o texto:

REVISÃO

Ontem Carla ___foi___ (ir) ao supermecado da esquina. ___Era___ (ser) sábado à tarde, por isso o supermercado ___estou___ (estar) muito cheio. ___Comprou___ (comprar) um monte de coisas.

Ela sempre ___faz___ (fazer) suas compras semanais neste supermercado por duas razões: uma porque ___é___ (ser) barato; outra porque ___ficava___ (ficar) perto de sua casa. A partir da semana que vem ___haverá___ (haver) uma terceira razão: ele ___abrirá___ (abrir) aos domingos também. Agora ela ___pode___ (poder) deixar as compras de supermercado para domingo.

Ela ___aproveitará___ (aproveitar) o sábado para outras coisas.

Em que seção do supermercado Carla comprou cada um dos seguintes produtos? (ver PSIU no rodapé)

leite _____
presunto _____
latas de ervilha _____
flocos de milho _____
1 vinho tinto _____
1 kg. de carne _____
detergente _____
sabonete _____
condicionador _____

SEÇÕES DE UM SUPERMERCADO

psiu!

BEBIDAS
CARNES E AVES
CEREAIS
ENLATADOS
FRIOS
LATICÍNIOS
MATERIAL DE (LIMPEZA/HIGIENE...)
PEIXES
VERDURAS E FRUTAS...

 Escreva mensagens nos seguintes cartões:

| Exemplo: |
| Aos noivos pelo casamento: |

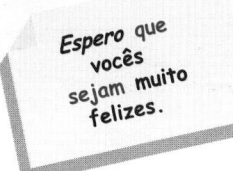
Espero que vocês sejam muito felizes.

a. A um amigo pelo aniversário;
b. A uma amiga que está internada; *está doente*
c. A uma colega que foi promovida;
d. A um amigo que não poderá participar de um encontro de ex-formandos.

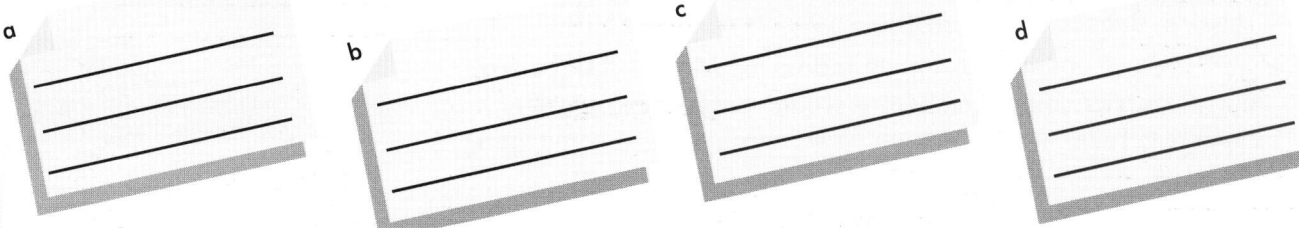

a

b

c

d

Trabalhe com seu colega.
 Ouça a fita. UM de vocês anota o que Raquel diz e o OUTRO anota o que Pedro diz. Compare as duas partes do diálogo.
Há alguma semelhança no futuro dos dois?

PEDRO
_____
_____
_____
_____

RAQUEL
_____
_____
_____
_____

RAQUEL e PEDRO
_____
_____
_____
_____

No exercício anterior Pedro disse que:

Os pais dele querem <u>que ele</u> viaje para os E.U.A.
O pai dele quer <u>que ele</u> estude inglês.
Mas
Ele <u>quer</u> estudar espanhol.
Ele <u>quer</u> ganhar muito dinheiro.

E você?

Eu quero...   Todos querem que eu...
Meu marido/minha esposa quer que eu...
Minha família e eu queremos...   Eu quero que meu filho...

INSTRUMENTOS MUSICAIS

BATERIA
BERIMBAU
FLAUTA
GUITARRA
ÓRGÃO
PIANO
SAXOFONE
VIOLÃO
VIOLINO...

PERCUSSÃO

psiu!

→ future

Quando eu chegar ao Brasil, a primeira coisa que eu vou fazer é procurar um apartamento. Não quero viver num hotel por muito tempo.

→ Future

Quando eu tiver minha própria casa, vou me sentir mais à vontade. Além disso, *talvez* eu tenha que comer sempre fora, mas *quando* sentir saudades de casa e quiser comer a comida do meu país, vou poder prepará-la eu mesmo.

subjunctive

Em segundo lugar, *quando* eu já estiver acostumado à vida no Brasil, vou comprar um carro. *Penso que* um carro seja necessário para poder viajar e conhecer melhor o país.

present subj.

Se tiver tempo e puder viajar, quero conhecer o Rio de Janeiro, Brasília e Foz do Iguaçu. *(irreg. verbs)*

Se o trabalho não tomar todo o meu tempo, quero fazer muitas outras coisas também: estudar português, praticar esportes, fazer amigos (quem sabe, arranjar uma namorada?...), etc.

→ who knows!

E você? O que você gostaria de fazer *quando for* ao Brasil (ou a algum outro país)? Comente em classe, usando as expressões:
EM PRIMEIRO LUGAR, EM SEGUNDO LUGAR, QUANDO, SE...

6 Pratique o **FUTURO DO SUBJUNTIVO** completando as frases:

eu vou xingar (to curse) no "vai"

a. Quando o pneu do carro furar ___ *eu vou* ___

Curtir goes flat

___ *telefonar (telefonarei) para mecanico* ___

b. Quando for despedido ___ *eu vou xingar* ___

If I got fired ___ *eu vou procurar outro trabalho,* ___

c. Quando ganhar uma fortuna na loteria ___

___ *eu vou comprar um carro. Morar em* ___

d. Quando um brasileiro começar a conversar comigo em português ___ *eu vou falar em Português.* ___

7 Pense em 5 pré-requisitos para a felicidade.
Exemplo:
Você será feliz *se tiver* muitos amigos.

8 Você vai ouvir uma cigana lendo a mão de Mauro. Escute com atenção e depois preencha os dados abaixo:

Qual é o futuro de Mauro?

1. Ele precisa aproveitar _____ futuro.

2. Quando estiver em dificuldade _____.

3. Quando fizer um negócio _____.

4. Quanto às viagens, se _____.

5. No amor, se _____.

6. Quanto à saúde, se _____.

psiu!

RELIGIÕES

BUDISTA
CATÓLICA
ESPÍRITA
JUDAICA
MUÇULMANA
PROTESTANTE...

ATEU/ATÉIA

Formar - se

9 Todos sonham em ter um futuro melhor. Veja o desenho e escreva o que os personagens estão pensando. Comece as frases por SE ou QUANDO.

Better Future

EXEMPLO:

Se eu vencer esta corrida, serei o campeão da temporada.

1. Se ele fizer exercícios, ele se tornará um astron.

Ele vai

2. Se eu praticar exercísio, eu vou fazer uma astronauta

ELA VAI

Quando ganhar uma fortuna na loteria eu vou comprar uma casa.

3.

Ela se formar na medicina, ela vai trabalhar

4. Quando ~~graduando~~ ~~escola de medicio~~, eu vou fazer uma ~~Medica~~. um bom trabalho.

Quando ~~eu~~ se-aposentar, eu vou viajar o mundo.

10 Veja em que situações as pessoas abaixo se encontram e diga o que elas estão fazendo agora.

Se eu me - aposentar

REVISÃO

Exemplo: Pedro (tem uma prova amanhã): **Ele deve estar estudando.**
Eu acho que ele está estudando.
Talvez ele esteja estudando.

Jaime (vai viajar amanhã de manhã) ______________________

Cíntia (sua mãe está doente) ______________________

Dalva (seu pai perdeu o emprego) ______________________

Elza (vai dar uma festa na casa dela hoje à noite) ______________________

Fátima (começou a namorar Josias) ______________________

Maurício (a professora dele devolveu a prova com nota 3) ______________________

Se eu me aposentar em Vancouver, eu vou terei (mais dias feliz.) uma vida mais feliz.

Se ele se aposentar
se eles se aposentarem
Se nós nos aposentarmos
se

HORÓSCOPO

CAPRICÓRNIO
AQUÁRIO
PEIXES
ÁRIES
TOURO
GÊMEOS
CÂNCER
LEÃO
VIRGEM
LIBRA
ESCORPIÃO
SAGITÁRIO

psiu!

UNIDADE 5

11 Leia o diálogo e complete os espaços em branco com os verbos do quadro abaixo.

estar	ter	precisar	chegar	sentir-se	poder	ir	faltar
am / have	*need*		*Arrive*	*Feel*	*can*	*go*	*miss*

Mãe: Já colocou tudo nas malas? *luggage*

Filho: Sim, mãe.

Mãe: Se você ___*sentir*___ *medicine* mal na viagem, tome este remédio.

Filho: Sim, mãe.

Mãe: Quando ___*chegar*___ *dont forget* lá, não se esqueça de me telefonar, está bem? Você está me ouvindo? *hear*

Filho: Sim, mãe.

Mãe: Se sua tia não ___*chegar / estiver*___ *Airport* no aeroporto, pegue um táxi e vá direto pra casa dela, está me ouvindo?

Filho: Estou, mãe.

Mãe: Quando não ___*tiver*___ aula e sua tia ___*precisar*___ *to help* de ajuda, ajude-a, ok?

Filho: Claro, mãe. Quando ___*poder*___, vou ajudá-la. *school principal*

Mãe: Quando ___*for*___ se apresentar ao diretor da escola, vá bem vestido, está bem?

Filho: Sim, mãe. Não se preocupe. Já sou quase um adulto!

Mãe: Será...? *Don't worry*

Filho: E... uma coisa importante: se _____ dinheiro... o que eu faço?

Mãe: ...

Responda às perguntas de acordo com o diálogo acima.

> 1. Explique a situação das duas personagens.
> 2. Por que a mãe está tão preocupada?
> 3. Qual seria a sua resposta para a última pergunta do filho?

12 Faça comentários para as situações seguintes, conforme o exemplo.

EXEMPLO: Mauro perdeu o emprego ontem.
- **Espero que** ele consiga arranjar um novo emprego logo.
- **Se** ele falar com o gerente, eu acho que ele consegue o emprego de volta.

1. Meu relógio pifou!
- Talvez...
- Se...

2. Eu me esqueci de tirar o visto de entrada no país!
- Espero que...
- Quando...

3. Minha viagem vai durar só três dias.
- É uma pena que...
- Quando...

4. Vou viajar a trabalho, mas vou ter tempo para me divertir também.
- Estou contente...
- Se...

5. Vou revelar as fotos da viagem.
- Tomara que...
- Se...

I help you to look after your daughter.
my mother
Eu a ajudo a cuidar dela.
need "de"

🎵 **EXPRESSÕES**

DROGA!
EU, HEIN!
LEGAL!
MAS QUE COISA!
MEU DEUS!
NOSSA!
PUXA!
PUXA VIDA!
VIRGEM MARIA!...

psiu!

in direct / direct - object

13 Preencha os espaços com um dos pronomes abaixo.

~~COMIGO~~ ~~LO~~ ~~O~~ NOS ~~CONOSCO~~ ~~LO~~ LHE
~~ME~~ ~~EU~~ LOS ~~ME~~

Clara: Você viu Pedro?

Marta: Sim, eu ___O___ vi na lanchonete. Por quê?

Clara: Parece que ele me telefonou e queria falar ___comigo___ . (com eu)

Marta: Ah, sim. Ele ___me___ telefonou (para mim) também. Ele queria conversar ___conosco___ (com nós) sobre a viagem para a Argentina.

Clara: O que será que ele quer ___nos___ falar? (para nós)

Marta: Ele quer pedir sugestões e dicas sobre os lugares turísticos de lá. Vamos procurá-___los___ na lanchonete? Talvez ainda esteja lá.

Clara: Vamos. Acho que ___eu___ vou ___lhe___ emprestar meu guia de viagem. Espere-___me___ um pouco. Vou pegá-___lo___ no quarto.

Marta: Boa idéia! Tenho diversos mapas e endereços. Vou levá-___los___ para ele, também.

Responda as perguntas de acordo com o diálogo acima. Utilize PRONOMES do caso reto ou do caso oblíquo em suas respostas.

1. Por que Pedro quer falar com Clara e Marta?
_____

2. Como Pedro entrou em contato com as duas? _____

3. Como Clara pretende ajudar Pedro? _____

4. Como Marta quer ajudar Pedro? _____

14 Reescreva as frases substituindo as palavras indicadas por pronomes.

EXEMPLO: **Enviei (a) o pacote (b) aos meus pais, por via aérea.**
a) Enviei-**o** aos meus pais por via aérea.
b) Enviei-**lhes** o pacote por via aérea.

1. Talvez eu mostre (a) as fotos (b) aos professores.

a) _____
b) _____

2. Eles entregaram (a) o documento (b) para mim.

a) _____
b) _____

3. Ela contou (a) a verdade (b) para nós.

a) _____
b) _____

4. Compramos (a) um presente (b) para as crianças do orfanato.

a) _____
b) _____

5. Sempre peço (a) dinheiro (b) a meus pais.

a) _____
b) _____

SENTIMENTOS

AMOR
ANSIEDADE
DÚVIDA
IMPACIÊNCIA
MEDO
NERVOSISMO
RAIVA
SAUDADE...

psiu!

Gramática

PRESENTE DO SUBJUNTIVO (1)

REGULARES

VOLTAR		ESCOLHER	DIVIDIR
QUE EU	VOLTE	ESCOLHA	DIVIDA
QUE VOCÊ	VOLTE	ESCOLHA	DIVIDA
QUE ELE/ELA	VOLTE	ESCOLHA	DIVIDA
QUE NÓS	VOLTEMOS	ESCOLHAMOS	DIVIDAMOS
QUE VOCÊS	VOLTEM	ESCOLHAM	DIVIDAM
QUE ELES/ELAS	VOLTEM	ESCOLHAM	DIVIDAM

QUE TU	VOLTES	ESCOLHAS	DIVIDAS
QUE VÓS	VOLTEIS	ESCOLHAIS	DIVIDAIS

Formação dos Verbos Irregulares

1ª pessoa presente indicativo — 1ª pessoa presente subjuntivo

eu tenho — que eu tenha
faço — faça
trago — traga
venho — venha
leio — leia

Verbos que não seguem esta regra

eu quero — que eu queira
sei — saiba
sou — seja
estou — esteja
vou — vá

FUTURO DO SUBJUNTIVO

REGULARES

VOLTAR		ESCOLHER	DIVIDIR
QUANDO EU	VOLTAR	ESCOLHER	DIVIDIR
QUANDO VOCÊ	VOLTAR	ESCOLHER	DIVIDIR
QUANDO ELE/ELA	VOLTAR	ESCOLHER	DIVIDIR
QUANDO NÓS	VOLTARMOS	ESCOLHERMOS	DIVIDIRMOS
QUANDO VOCÊS	VOLTAREM	ESCOLHEREM	DIVIDIREM
QUANDO ELES/ELAS	VOLTAREM	ESCOLHEREM	DIVIDIREM

QUANDO TU	VOLTARES	ESCOLHERES	DIVIDIRES
QUANDO VÓS	VOLTARDES	ESCOLHERDES	DIVIDIRDES

Formação dos Verbos Irregulares

1ª pessoa pretérito perfeito indicativo — 1ª pessoa futuro subjuntivo

eu tive — quando eu tiver   eu trouxe — quando eu trouxer
estive — estiver   disse — disser
soube — souber   quis — quiser
pude — puder   pus — puser
fiz — fizer

Verbos que não seguem esta regra

eu vim — quando eu vier
fui — for
dei — der

UNIDADE 6
MEUS SONHOS *e desejos*

APRENDA

NA RECEPÇÃO DE UM HOTEL

A. *Por favor, eu fiz uma reserva ontem, pelo telefone...*
B. Seu nome, por gentileza?
A. *Miguel Sanchez.*
B. Um momento!...Sr. Miguel Sanchez. Sim, uma reserva para o senhor, com estadia prevista até dia dezessete, certo?
A. *É isso mesmo.*
B. Então, preencha esta ficha, por favor.
A. *Pois não. Só o nome, o endereço e o número de telefone?*
B. Poderia mostrar-me também algum documento de identidade, por favor?
A. *Aqui está o meu passaporte.*
B. Obrigado. Aqui está a chave. O carregador irá acompanhá-lo.
A. *Obrigado. A que horas é o café da manhã?*
B. Das 7h às 10h. O senhor pode escolher entre o restaurante do primeiro e o do segundo andar.

NO QUARTO

C. Aqui estamos. Onde quer que coloque sua bagagem?
A. *Pode deixá-la no chão que eu mesmo me encarrego.*
C. Pois não. Vou abrir as cortinas e mostrar-lhe o quarto. Aqui, na parede, em cima da cama, estão os controles para ligar a TV, o ar condicionado, o rádio e para controlar a intensidade das luzes. Aqui dentro está o frigobar e aqui está a lista de bebidas e salgadinhos. Caso necessite, há uma máquina que fornece gelo em cada andar, perto das escadas. As instruções para o uso do telefone estão embaixo do aparelho. No banheiro o senhor pode encontrar xampu, sabonetes, secador de cabelos, e as demais coisas costumeiras.
A. *O café da manhã pode ser servido no quarto?*
C. Sim, nesse caso o senhor deve preencher este formulário e pendurá-lo do lado de fora da porta até as 24 horas do dia anterior.
A. *Como funciona o serviço de lavanderia?*
C. O serviço de lavanderia recolhe as peças que devem ser lavadas ou passadas duas vezes ao dia. Caso necessite do serviço com maior urgência, por favor entre em contato com a governança. Mais alguma informação?
A. *Não, está ótimo, obrigado. Aqui está uma 'cervejinha'.*

VOCABULÁRIO RELEVANTE

GERENTE
RECEPCIONISTA
TELEFONISTA
SERVIÇO DE DESPERTADOR
CAMAREIRA/ARRUMADEIRA
PORTEIRO
ASCENSORISTA
CARREGADOR
SERVIÇO DE TRASLADO
MANOBRISTA
MENSAGEIRO

RESERVA
DIÁRIA
ESTADIA
LAVANDERIA (PASSADEIRA)
SERVIÇO DE QUARTO
COPA e COZINHA
STANDARD
DUPLO
SUÍTE
GORJETA

CAMA DE SOLTEIRO
CAMA DE CASAL
CAMA EXTRA
BERÇO
LENÇOL
COBERTOR
TRAVESSEIRO
FRONHA

> ## ACENTUAÇÃO - PARTE II

 Aqui estão algumas regras para você memorizar!

1. Acentuam-se todas as **oxítonas** terminadas em: **á, é, ê, ó, ô** (seguidas ou não de **S**),**em**, **ens**.

Exemplos: Amap**á**, Pel**é**, buqu**ê**, cip**ó**, cap**ô**, ref**ém**, parab**éns**

2. Acentuam-se todas as **paroxítonas** terminadas em: **i, u, en, l, r, x, ia, ua, ie, ea, io**

(seguidas ou não de **S**).

Exemplos: júr**i**, bôn**us**, híf**en**, ági**l**, repórte**r**, tóra**x**, políc**ia**, líng**ua**, sér**ie**, ár**ea**, exercíc**io**

3. Acentuam-se todas as **proparoxítonas**.

Exemplos: **lâ**mpada, **cá**lice, **bá**sico, **có**digo

4. Acentuam-se os **hiatos** em **i, u** sozinhos na sílaba.

Exemplos: sa-**ú**-de, sa-**í**-da

5. Acentuam-se os **ditongos abertos** éi, ói, éu

Exemplos: id**éi**a, c**éu**, her**ói**

CUIDADO: A palavra "ra-i-**nha**" **NÃO** É ACENTUADA!

 Acentue as palavras abaixo (quando necessário) e justifique a acentuação.

labio caju ninguem Itu pes ceu suíço

viuvo faisca cair caqui pontape relogio

familia biologo agradavel escolher

telegramas

Acentos diferenciais

Algumas palavras recebem acento excepcional para que sejam diferenciadas, na escrita, de seus homônimos (palavras que têm a mesma forma, embora o sentido e a origem sejam diferentes).

É, por exemplo, o caso do acento que diferencia a terceira pessoa do singular da terceira pessoa do plural do presente do indicativo dos verbos **ter** e **vir**:

EXEMPLO: ele **tem** - eles **têm**   ele **vem** - eles **vêm**

Mas quanto aos derivados desses verbos, a terceira pessoa do singular do presente do indicativo leva acento agudo enquanto a terceira pessoa do plural leva acento circunflexo:

EXEMPLO: ele **mantém** - eles **mantêm**   ele **obtém** - eles **obtêm**

Mais alguns exemplos de acentos diferenciais:

pôde (verbo - 3ª pes. sing. pret. perf. ind.)   **pode** (verbo - 3ª pes. sing. pres. ind.)

pôr (verbo pôr)   **por** (preposição)

pára (verbo para)   **para** (preposição)

pêlo (substantivo)   **pélo** (verbo pelar)   **pelo** (contração de preposição e artigo)...

UNIDADE 6

Imperfeito do Subjuntivo
Futuro do Pretérito
Preposições (1)

Ontem sonhei que estava sozinha numa ilha deserta e, assim como nos filmes, encontrei uma lâmpada, esfreguei-a e ... eis que me aparece um gênio! Sonhos são sonhos!! É claro que o meu gênio, como todos os outros, me pediu *para* que eu fizesse três pedidos mas, já que não estava num filme, o despertador tocou!!!!

Fiquei muito tempo deitada imaginando o que pediria a um gênio *caso* encontrasse um.

Meu primeiro desejo seria ter tempo e dinheiro para viajar, viajar muito.
Se eu tivesse tempo e dinheiro para viajar muito, daria a volta ao mundo. Sim, viajaria de trem, de ônibus, de avião, de navio (ah!! faria muitos cruzeiros), a cavalo, de bicicleta... conheceria o mundo!

Para que pudesse me comunicar bem nas viagens, precisaria falar muitos idiomas. Esse seria então meu segundo desejo... falar vários idiomas fluentemente.

Pensei e pensei... não tem graça viajar sozinha! Assim, meu terceiro desejo seria poder viajar com mais gente. Se pudesse escolher, viajaria com meu noivo! Não seria romântico? Agora só falta achar um noivo...

1. E você? Se encontrasse uma lâmpada mágica, o que você pediria?
2. Se você pudesse mudar algo em sua vida, o que você gostaria de mudar?

1 Responda as perguntas de acordo com o texto.

1. Ela conseguiu fazer os três pedidos? Por quê?

2. Quais foram os três pedidos? Por que/para que ela fez estes três pedidos?

3. Se ela conseguir realizar os três pedidos, o que você acha que ela fará em seguida?

4. Imagine-se fazendo os pedidos. Siga o exemplo.

Em primeiro lugar, eu pediria tempo, não só para o trabalho, mas também para o lazer, a família e os amigos. Se tivéssemos tempo, não haveria pessoas estressadas.

Em segundo lugar, eu pediria harmonia, para que todas as pessoas vivessem em paz. Se houvesse paz no mundo, não haveria guerra e todos seriam felizes.

Em terceiro lugar, eu pediria trabalho, para que todo mundo tivesse alguma atividade que o deixasse feliz e, ao mesmo tempo, ganhasse dinheiro suficiente para sentir-se satisfeito.

PRINCIPAIS PRODUTOS EXPORTADOS PELO BRASIL

BÁSICOS (MINÉRIO DE FERRO, SOJA, CAFÉ, FUMO, FRANGO)
SEMIMANUFATURADOS (DE FERRO E AÇO, ALUMÍNIO, CELULOSE, COUROS E PELES, FERRO-LIGAS)
MANUFATURADOS (CALDEIRAS E APARELHOS MECÂNICOS, CALÇADOS, PRODUTOS QUÍMICOS, TÊXTEIS, LAMINADOS DE FERRO E AÇO, PLÁSTICOS E BORRACHA, PAPEL)...

2 Imagine-se dando desculpas ou explicações pelos seus erros ou fraquezas. Comece a sua frase com SE.

> **EXEMPLO:** **Perdeu a reunião.**
> - **Se** alguém tivesse me acordado, teria chegado a tempo para a reunião.

1. Contou mentiras.

Se _____

2. Voltou bêbado para casa.

Se _____

3. A entrega do relatório está atrasada.

Se _____

4. Desobedeceu às ordens do chefe.

Se _____

5. Perdeu a paciência e brigou com os subordinados.

Se _____

 Discuta as situações abaixo com um/uma colega. O que você faria se:

- Alguém deixasse uma criança na porta da sua casa?

- Você esquecesse o aniversário de sua esposa/marido?

- Alguém roubasse sua roupa enquanto você estivesse tomando banho nu em um riacho?

- Seu irmão lhe pedisse muito dinheiro emprestado para pagar a dívida de um jogo?

FORMAS POLIDAS

Use *poderia* para pedir um favor.
Exemplo:
Você *poderia*, por favor (ou: por gentileza), fechar a porta?

Use *gostaria* para oferecer algo a alguém e/ou fazer um convite.
Exemplo:
Vocês *gostariam* de tomar mais um cafezinho?
Você *gostaria* de almoçar conosco?

3 Use PODERIA para fazer pedidos e GOSTARIA (de) para fazer convites. Veja os desenhos e faça com que uma das personagens (A) faça pedidos ou convites. A outra personagem (B) deve responder.

 **psiu!**

PRINCIPAIS PRODUTOS IMPORTADOS PELO BRASIL

BENS DE CONSUMO (ÓTICA, CINE-FOTO E SOM, PESCADO, LATICÍNIOS...)
BENS DE CAPITAL (AUTOMÓVEIS, TRATORES E PEÇAS, APARELHOS MECÂNICOS, MATERIAL ELÉTRICO...)
COMBUSTÍVEIS (PETRÓLEO BRUTO E OUTROS)
MATÉRIAS-PRIMAS (QUÍMICOS ORGÂNICOS E INORGÂNICOS, TÊXTEIS, TRIGO, MALTE, PLÁSTICO, ADUBOS E FERTILIZANTES, FERRO FUNDIDO, BORRACHA, CEREAIS...)...

4 Escreva e discuta com seu colega:
em que pontos um concorda com o outro?

Três coisas que você faria para se tornar famoso.
_____
_____
_____

Três coisas que você faria se fosse demitido.
_____
_____
_____

Três coisas que você faria se soubesse que iria morrer amanhã.
_____
_____
_____

Três coisas que você faria antes de se mudar para um país estrangeiro/um lugar desconhecido.
_____
_____
_____

5 Coloque as palavras abaixo nos círculos corretos:

sala de jantar   agasalho   guarda-roupa   poltrona
computador   chinelos   secretária eletrônica   estante
varanda   casaco de pele   batedeira   quintal

VESTUÁRIO

MOBÍLIA

PARTES DA CASA

APARELHOS ELÉTRICOS

Quais dos itens do exercício anterior você tem?
Que itens você ainda não possui mas gostaria de adquirir?

Faça frases como as do exemplo:

Se eu não tivesse um computador em casa, teria que trabalhar mais horas no escritório.
Se eu tivesse um guarda-roupa maior, minhas roupas não ficariam fora do lugar.

FRASES POPULARES

BATER PAPO
CAIR DO CAVALO
CARA DE PAU
DAR O CANO
ESTAR COM DOR-DE-COTOVELO
FICAR DE CARA AMARRADA
PRA CHUCHU...

psíu!

UNIDADE 6

6  Você vai ouvir uma senhora ligando para um programa de rádio chamado CONSULTÓRIO ABERTO. Ela vai expor um problema e pedir conselhos.

Qual é o problema de Rita?

_____

_____

Quais conselhos ela recebeu?

_____

_____

_____

Discuta com seu/sua colega. Qual foi o melhor conselho? Que conselho você daria?

7 Como você cumprimenta as pessoas mais velhas no seu país quando você as vê pela primeira vez? E as pessoas de sua idade? Complete as questões abaixo e diga quais são consideradas "rudes" ou "educadas" para um primeiro encontro.

O QUE — QUANTO — ONDE — QUANTOS — O QUE
QUAL — QUANTOS — QUANDO — QUANTO — QUANTO

REVISÃO

1. _____ anos você tem?

2. _____ você faz?

3. _____ é sua religião?

4. _____ você ganha por mês?

5. _____ você mora?

6. Você é casado? _____ filhos você tem?

7. _____ sua esposa faz?

8. _____ você chegou ao Brasil?

9. _____ tempo você pretende ficar aqui?

10. Que relógio bonito! _____ custou?

8 Observe as figuras e escreva o que está acontecendo. Relacione, também, as frases abaixo com a expressão de cada pessoa.

1. Parece espantada/surpresa!

2. Parece concentrado!

3. Parecem admirados!

4. Parece aborrecido!

5. Parece tranqüila!

6. Parece preocupado!

psiu!

VESTUÁRIO FEMININO

BERMUDA
BLUSA
CALÇA
CASACO
MEIA
SAIA
SAIA-CALÇA
SHORT
VESTIDO...

Enquanto estava me preparando para minha viagem ao Brasil, soube que precisaria de um visto para poder entrar no país. Fui ao Consulado mais próximo onde me disseram que precisaria providenciar alguns documentos.

Quando estava tirando as fotografias para anexar aos documentos, encontrei Paula que estava retornando de uma viagem a Manaus. Ela me contou que foi ver a Pororoca e que ficou maravilhada! Me disse que, quando estava olhando o encontro das águas, houve uma surpresa: ao lado do barco, alguns botos estavam pulando e brincando!

 Estas atividades ESTAVAM ACONTECENDO ao mesmo tempo. Descreva-as:

Exemplo: Enquanto Ricardo estava telefonando, Marta estava digitando uma carta.

1. Enquanto _____ , _____

2. Enquanto _____ , _____

3. Enquanto _____ , _____

Estas atividades ESTAVAM ACONTECENDO quando foram interrompidas. Descreva-as:

Exemplo: Quando Bento e Luís estavam gravando o disco, faltou luz.

1. Quando nós _____ , o telefone _____

2. Ele _____ na rede quando o coco _____ da árvore ao seu lado.

3. Quando _____ em férias, _____ uma linda

garota e _____ !!!

VESTUÁRIO MASCULINO

BERMUDA
BLUSÃO
BONÉ
CALÇA
CAMISA
CAMISETA
CHAPÉU
SHORT
SUÉTER
TERNO...

psíu!

UNIDADE 6

10 Escolha uma palavra de cada coluna para formar frases.

VOU	PELA	CARRO	NA	BICICLETA
PRECISEI	AO	AV. BRASIL	PARA	BIBLIOTECA
ESTUDEI	DO	RIO DE JANEIRO	COM	DESCANSAR
PARTICIPEI	DE	A PROVA	PARA	VIAJAR
PASSEI	PARA	UMA REUNIÃO	DE	A DIRETORIA DA EMPRESA

11 Você está no Brasil há uma semana. Este é o seu DIÁRIO. Complete-o.

1- Coloque as palavras na FORMA GRAMATICAL ADEQUADA;
2- Obrigatoriamente, separe as sílabas quando necessário.

Querido Diário

Finalmente chegamos ao Brasil. A viagem foi mais _____ _____ (longo) do que eu esperava. O navio estava cheio e nós todos nos _____ _____ (divertir) muito durante a viagem.

Quando o capitão_____ _____ (anunciar) a chegada, nossos corações bateram forte. O dia estava lindo! Meus tios nos esperavam no porto. A emoção era tanta que não os víamos. A viagem até a casa deles levou duas horas e assim _____ _____ (poder) ver algumas praias que eu queria conhecer. Se eu_____ _____ (poder) moraria na praia. Durante a semana _____ _____ (conhecer) o interior do Rio Grande do Sul. Fomos _____ _____ (visitar) alguns vilarejos tipicamente alemães. Após esta semana de férias, segunda-feira começarei a trabalhar. Ainda não visitei o escritório em Porto Alegre. Estou _____ _____ (escrever) e imaginando: "Será que todos os meus colegas _____ _____ (gostar) de CHIMARRÃO?"

psiu!

ACESSÓRIOS

BIJUTERIA (ANEL/BRINCO/BROCHE/COLAR/PULSEIRA)
BOLSA
BONÉ
CHAPÉU
CINTO
GRAVATA...

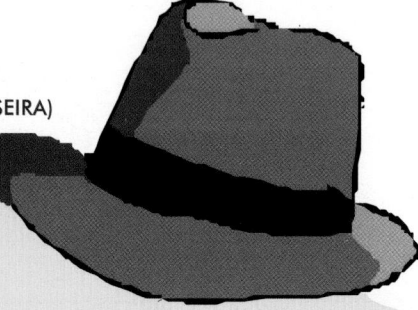

 Preste atenção aos tempos dos verbos, ordene as frases abaixo e numere-as:

O ÍNDIO POTI

( ) Seu pai sempre lhe dizia: nunca fale com os homens brancos e nunca se aproxime da cidade grande.

( ) O índio Poti mora na floresta perto da grande cidade. Nasceu e cresceu na floresta e nunca saiu de lá. Sempre ouvia coisas horríveis sobre os homens brancos.

( ) Poti quer que os índios e os homens brancos sejam amigos. Embora Poti não conheça nenhum homem branco, sente que eles não podem ser tão ruins quanto lhe dizem.

( ) Quando criança, Poti gostava de ver, de longe, a grande cidade. Seu pai lhe explicava sobre o perigo de se aproximar do homem branco.

( ) Mas hoje Poti já é adulto e faz planos para o futuro. Sonha em ir para a cidade grande e lá fazer amigos. Quem sabe até trabalhar com eles?

( ) Quando isso acontecer, Poti será, provavelmente, o índio mais feliz da floresta.

( ) Se pudesse viver entre eles, poderia demonstrar que é possível uma convivência amistosa.

 Agora ouça a fita e verifique a ordem correta.

 Leia os cartões-postais recebidos por Lilian e responda:

1. Que tipo de cartão Lilian recebeu de cada um?
2. De onde eles escreveram?
3. Que tipo de relacionamento Lilian tem com cada um deles?

Olá Lilian! Tudo bem?

Sinto informá-la que não viajei a parte alguma porque fiquei doente. Estou "de molho", só dando trabalho à minha mãe.
Enfim, peço que me desculpe por não poder trazer-lhe o que prometi.
Fica para uma próxima vez, OK?

Abraços a todos os colegas da faculdade.
                                    Gina

Oi Lilian, tudo bem?

Hoje chegamos a Cuiabá, de onde pretendemos viajar para o Pantanal, cercado pela Natureza ainda preservada. Acho que será emocionante! Só espero que não tenha muitos borrachudos lá!
Em uma semana tenho que voltar ao trabalho mas pretendo aproveitar ao máximo esta semana com minha família.
Abraços a todos os colegas, com muito carinho.

*Até Breve!   Lúcia.

Querida Lilian, como estão todos vocês?
Eu e Jorge visitamos duas fábricas de montagem de carros e ficamos muito impressionados com a tecnologia americana utilizada em todo o processo de montagem. Para a próxima semana estão programadas visitas e estágios curtos em mais duas empresas. Estaremos levando muitas novidades para casa. Espero que estejam sentindo saudades de nós.
                            Beijos,
                                    Mauro

Estimada Lilian,
Enfim resolvi fazer aquela viagem que estava planejando há muito tempo. Acho que agora vou poder terminar aquela novela que ficou sem o final devido à falta de informações sobre o rio Nilo e as pessoas que vivem por aqui..
Nunca coloco informações falsas em meus livros, você sabe. Acho que vai ser uma viagem muito produtiva e quem sabe eu até comece a escrever um novo enredo? Se tudo der certo estarei voltando em 3 semanas.
                            Carinhosamente,
         Sua amiga e vizinha, Margarete

CALÇADOS

BOTA
CHINELO
GALOCHA
SANDÁLIA
SAPATO
TÊNIS...

psiu!

 Preste atenção aos tempos dos verbos, ordene as frases abaixo e numere-as:

O ÍNDIO POTI

( ) Seu pai sempre lhe dizia: nunca fale com os homens brancos e nunca se aproxime da cidade grande.

( ) O índio Poti mora na floresta perto da grande cidade. Nasceu e cresceu na floresta e nunca saiu de lá. Sempre ouvia coisas horríveis sobre os homens brancos.

( ) Poti quer que os índios e os homens brancos sejam amigos. Embora Poti não conheça nenhum homem branco, sente que eles não podem ser tão ruins quanto lhe dizem.

( ) Quando criança, Poti gostava de ver, de longe, a grande cidade. Seu pai lhe explicava sobre o perigo de se aproximar do homem branco.

( ) Mas hoje Poti já é adulto e faz planos para o futuro. Sonha em ir para a cidade grande e lá fazer amigos. Quem sabe até trabalhar com eles?

( ) Quando isso acontecer, Poti será, provavelmente, o índio mais feliz da floresta.

( ) Se pudesse viver entre eles, poderia demonstrar que é possível uma convivência amistosa.

 Agora ouça a fita e verifique a ordem correta.

 Leia os cartões-postais recebidos por Lilian e responda:

1. Que tipo de cartão Lilian recebeu de cada um?

2. De onde eles escreveram?

3. Que tipo de relacionamento Lilian tem com cada um deles?

Olá Lilian! Tudo bem?

Sinto informá-la que não viajei a parte alguma porque fiquei doente. Estou "de molho", só dando trabalho à minha mãe.
Enfim, peço que me desculpe por não poder trazer-lhe o que prometi.
Fica para uma próxima vez, OK?

Abraços a todos os colegas da faculdade.
Gina

Oi Lilian, tudo bem?

Hoje chegamos a Cuiabá, de onde pretendemos viajar para o Pantanal, cercado pela Natureza ainda preservada. Acho que será emocionante! Só espero que não tenha muitos borrachudos lá!
Em uma semana tenho que voltar ao trabalho mas pretendo aproveitar ao máximo esta semana com minha família.
Abraços a todos os colegas, com muito carinho.

*Até Breve!   Lúcia.

Querida Lilian, como estão todos vocês?
Eu e Jorge visitamos duas fábricas de montagem de carros e ficamos muito impressionados com a tecnologia americana utilizada em todo o processo de montagem. Para a próxima semana estão programadas visitas e estágios curtos em mais duas empresas. Estaremos levando muitas novidades para casa. Espero que estejam sentindo saudades de nós.
Beijos,
Mauro

Estimada Lilian,
Enfim resolvi fazer aquela viagem que estava planejando há muito tempo. Acho que agora vou poder terminar aquela novela que ficou sem o final devido à falta de informações sobre o rio Nilo e as pessoas que vivem por aqui.
Nunca coloco informações falsas em meus livros, você sabe. Acho que vai ser uma viagem muito produtiva e quem sabe eu até comece a escrever um novo enredo? Se tudo der certo estarei voltando em 3 semanas.
Carinhosamente,
Sua amiga e vizinha, Margarete

CALÇADOS

BOTA
CHINELO
GALOCHA
SANDÁLIA
SAPATO
TÊNIS...

psíu!

Gramática

IMPERFEITO + FUTURO DO PRETÉRITO

Se eu ganhasse na loto, compraria uma casa nova.
Se você tivesse tempo, poderíamos almoçar juntos.
Se ele/ela viesse cedo, a reunião terminaria ao meio-dia.
Se nós dividíssemos a sala, teríamos mais espaço.
Se vocês lessem mais, teriam mais vocabulário.
Se eles/elas jogassem bem, ganhariam o campeonato.
Se tu pudesses falar espanhol, me ensinarias.

IMPERFEITO DO SUBJUNTIVO

Formação dos Verbos Irregulares

1ª pessoa pretérito perfeito indicativo — 1ª pessoa imperfeito subjuntivo

eu pude — se eu pudesse
tive — tivesse
estive — estivesse
fiz — fizesse
trouxe — trouxesse
disse — dissesse
soube — soubesse
quis — quisesse
pus — pusesse

Verbos que não seguem esta regra

eu fui — se eu fosse
vim — viesse
li — lesse
vi — visse
dei — desse

FUTURO DO PRETÉRITO

ALGUNS IRREGULARES

DIZER		FAZER	TRAZER
EU	DIRIA	FARIA	TRARIA
VOCÊ	DIRIA	FARIA	TRARIA
ELE/ELA	DIRIA	FARIA	TRARIA
NÓS	DIRÍAMOS	FARÍAMOS	TRARÍAMOS
VOCÊS	DIRIAM	FARIAM	TRARIAM
ELES/ELAS	DIRIAM	FARIAM	TRARIAM

TU	DIRIAS	FARIAS	TRARIAS
VÓS	DIRÍEIS	FARÍEIS	TRARÍEIS

GERÚNDIO

Eu estava falando ao telefone quando a campainha tocou.

Maria estava escrevendo o relatório quando o chefe dela a chamou.

Nós estávamos saindo quando eles chegaram.

 **NO CORREIO**

A. Bom dia! Posso ajudá-la?

B. Gostaria de enviar esta carta para o México e este pacote ao Japão.

A. Preencha este formulário com o nome e endereço do remetente e o nome e endereço do destinatário, por favor. Escreva aqui o conteúdo do pacote e aqui, o valor aproximado do conteúdo.

B. Assim está bem?

A. Só falta assinar aqui embaixo. Vai enviar via aérea ou via marítima?

B. Quanto tempo demora de navio?

A. Uns três meses.

B. E de avião?

A. Uma semana, mais ou menos.

B. E o preço? A diferença é grande?

A. Com certeza. Se não tiver pressa é vantajoso enviar por via marítima.

B. Então via marítima, por favor.

A. Algo mais?

B. Ah, sim! Quero cinco selos nacionais e cinco internacionais.

A. Cinco nacionais e cinco internacionais.

B. Quanto fica?

A. Ao todo são 32 reais.

> **VOCABULÁRIO RELEVANTE**

CARTA
CARTÃO-POSTAL
CARTÃO DE NATAL
PACOTE
AEROGRAMA
TELEGRAMA (com aviso de recebimento)
FAX
SEDEX
IMPRESSO
ORDEM DE PAGAMENTO
SELO NACIONAL / INTERNACIONAL
ENVELOPE
REMETENTE
DESTINATÁRIO
VIA AÉREA
VIA MARÍTIMA
PACOTE
AR (Aviso de Recebimento)
CR (Carta Registrada)

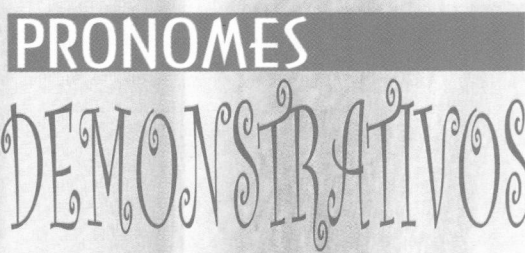

PRONOMES
DEMONSTRATIVOS

VARIÁVEIS	INVARIÁVEIS
este, esta, estes, estas	isto
esse, essa, esses, essas	isso
aquele, aquela,	aquilo
aqueles, aquelas	

PRONOMES
INDEFINIDOS

VARIÁVEIS	INVARIÁVEIS
algum, alguma, alguns, algumas	algo
nenhum, nenhuma,	alguém
todo, toda, todos, todas	tudo
muito, muita, muitos, muitas	nada
pouco, pouca, poucos, poucas	ninguém
certo, certa, certos, certas	cada
outro, outra, outros, outras	quem
quanto, quanta, quantos, quantas	mais
tanto, tanta, tantos, tantas	menos
vário, vária, vários, várias	demais
diverso, diversa, diversos, diversas	outrem
um, uma, uns, umas	
qual, quais	
bastante	
qualquer, quaisquer	

João é uma pessoa que nunca dá uma resposta definida.
Outro dia, tivemos a seguinte conversa:

Eu: Há quantos meses você está trabalhando?
João: Poucos.
Eu: Já se acostumou?
João: Um pouco.
Eu: Já fez amigos?
João: Alguns.
Eu: Que tipo de trabalho você faz?
João: Diversos.
Eu: O trabalho é difícil?
João: Uns são, outros não.
Eu: De qual trabalho você gosta mais?
João: Todos.
Eu: Alguém lhe ensinou o serviço?
João: Ninguém.
Eu: Quanto você está ganhando?
João: Bastante é que não é!
Eu: Quantas pessoas trabalham com você?
João: Várias.
Eu: Você trabalha aos sábados também?
João: Em alguns, sim; nos demais, não.
Eu: Você não quer ir ao cinema?
João: Algum dia, quem sabe.
Eu: Entendi (não entendi nada)!

Agora tente ser igual a João, isto é, responder às perguntas dos seus colegas, sem dar nenhuma informação exata. Trabalhe em pares.

Imperativo
Plural dos Substantivos

No avião

- Senhoras e senhores, apertem os cintos pois vamos aterrissar em alguns minutos. Esperamos que tenham feito uma ótima viagem. Agradecemos a preferência e esperamos vê-los em breve. Tenham todos um bom dia. Não esqueçam sua bagagem de mão.

Na polícia federal

A. Seu passaporte, senhor.
B. **Como? Não entendi.**
A. Mostre-me seu passaporte, senhor.
B. **Ah, pois não, aqui está.**
A. Tudo certo. Bem-vindo ao Brasil.

No duty-free

A. **Por favor, quanto custa esta caixa de chocolates?**
B. R$ 19,50. Gostaria de levá-la?
A. **Sim, dê-me duas caixas, por favor.**
B. Mais alguma coisa?
A. **Não, só isso. Obrigado.**
B. Então, por favor siga-me até o caixa.
CAIXA. Passaporte e passagem, por favor.
A. **Aqui estão.**
CAIXA. Obrigado.

Na alfândega

A. Por favor, coloque sua bagagem sobre o balcão e abra as malas maiores.
B. **Pois não.**
A. Qual é o conteúdo das malas?
B. **Trago apenas roupas e objetos de uso pessoal.**
A. Quanto tempo o senhor vai ficar no Brasil?
B. **Venho a trabalho mas vou morar aqui durante dois anos.**
A. Está bem, espero que goste do nosso país. Pode ir.
B. **Obrigado, até logo.**

Ainda no aeroporto

A. **Por favor, onde é a casa de câmbio?**
B. Vá em frente até a escada rolante e vire à esquerda. Não suba a escada.
O câmbio é feito no banco, ao lado da lanchonete.
A. **Obrigado.**
B. De nada.

ABREVIAÇÕES

Sr. (Senhor)
Sra. (Senhora)
Srta. (Senhorita)
V. Sa. (Vossa Senhoria)
V. Excia. (Vossa Excelência)
Ilmo. (Ilustríssimo)
Ilma. (Ilustríssima)
Exmo. (Excelentíssimo)
Exma. (Excelentíssima)...

psíu!

UNIDADE 7

Ao sair do aeroporto

A. Táxi!!
B. *Pra* onde, senhor?
A. Leve-me *pra* avenida Paulista. Dirija devagar, não tenho pressa.
B. Sim, senhor.
A. Quanto tempo (leva) até lá?
B. Se não tiver trânsito, uns quarenta minutos.

B. Já estamos na avenida Paulista. Onde vai descer?
A. Vá em frente até o Metrô Paraíso e vire a primeira à esquerda.
B. Chegamos. São 52 reais.
A. Aqui está. Fique com o troco.
B. Obrigado e até logo.
A. Tenha um bom dia.

  Ouça a fita e preencha o quadro abaixo:

VÔO	ORIGEM	DESTINO	HORÁRIO DECOLAGEM	HORÁRIO ATERRISSAGEM

 ## COMO FAZER UMA CHAMADA INTERURBANA?

Retire   o fone do gancho
Aguarde   zero + o número da operadora*
Tecle   o código DDD (Discagem Direta a Distância**) + o número do telefone
Disque   o tom
            o número do telefone

*No caso de chamadas internacionais, coloque mais um 0 (zero) antes do número da operadora.

**Para ligações internacionais, tecle o código do país ao invés do código de DDD.

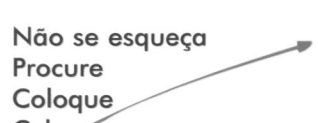

COMO ENDEREÇAR UM ENVELOPE CORRETAMENTE?

Não se esqueça   o selo no canto superior direito do envelope
Procure   o CEP antes do nome da cidade
Coloque   de colocar o endereço completo
Cole   o número do Código de Endereçamento Postal no Guia
             Postal à disposição nos Correios

VIAS

AVENIDA (PERPENDICULAR)
CALÇADA
CRUZAMENTO
ESQUINA
FAIXA DE PEDESTRE
PASSARELA
QUADRA/QUARTEIRÃO
RUA (PARALELA)
TRAVESSA
VIA EXPRESSA...

psiu!

sessenta e quatro

3 A flora brasileira é deslumbrante. Veja algumas das espécies de árvores que podem ser vistas nas ruas das nossas cidades, nos jardins e quintais. Leia o texto e faça três frases no IMPERATIVO dando instruções sobre como uma planta deve ser tratada.

Ipê	Resedá	Flamboyant	Chapéu-de-sol	Sibipiruna	Jabuticabeira
Crescimento lento. Perde as folhas no outono. Tem 15 metros de altura e a copa chega a 6 metros de diâmetro	Crescimento rápido, florada de cor rosa, altura de 6 metros e copa de até 5 metros de diâmetro	A sombra não é muito densa mas garante florada abundante e colorida. Mede 7 metros de altura e a copa pode chegar a 10 metros de diâmetro	Crescimento rápido e folhagem densa. Atinge 15 metros de altura e a copa chega a 15 metros de diâmetro	Folhagem verde-clara e miúda e o tronco ornamental. Mede 15 metros de altura e a copa, 7 metros de diâmetro	Atrai muitos pássaros mas tem crescimento lento. Altura de 8 metros e copa de 5 metros de diâmetro

Para garantir uma planta saudável e acelerar seu crescimento, devem-se tomar alguns cuidados com o solo. Uma muda de 2,5 metros de altura, por exemplo, necessita de um espaço de 60 centímetros de comprimento por 60 centímetros de largura e uma cova de 0,5 metro de profundidade. É preciso adicionar, pelo menos, 20 litros de adubo orgânico, além de 300 gramas de calcário para corrigir deficiências do solo.

Fonte: Revista Veja - 2002

4 Uma das grandes tradições culinárias do estado de Minas Gerais é a goiabada cascão. Há que se tomar uma série de cuidados para fazê-la com sucesso. Leia o texto e identifique quais instruções dentre as mencionadas abaixo são verdadeiras (V) e quais são falsas (F).

O tacho, enorme, de puro cobre, não pode ser limpo por fora: está sempre pretíssimo, queimado do fogo forte de lenha. Por dentro, brilha, de tão limpo, pois é areado logo depois de se tirar a tachada. Para arear, limão-galego maduro, bem vermelho. Ao cortar a goiaba, bem no meio, nada de metal, que só se pode usar faquinhas de madeira, que não 'pretejam' a fruta. As faquinhas são usadas também para o corte da 'carne' da goiaba em pedaços, com casca e tudo — daí o nome 'cascão'. O tacho na fornalha recebe de 10 a 20 quilos de pedaços de goiaba e de açúcar cristal, na mesma quantidade. Daí é o eterno remexer com uma enorme colher de pau bem leve.

Fonte: Adaptado do texto de Miguel Jorge na revista Ícaro - 2002

1. Deixe o tacho em que é feita a goiabada cascão sempre preto por fora. (   )

2. Nunca areie a parte interna do tacho. (   )

3. Não use facas de metal para o corte da goiaba. (   )

4. Use fogo a lenha para fazer uma boa goiabada. (   )

5. Coloque mais açúcar do que goiaba para fazer uma goiabada sólida. (   )

SINAIS DE TRÂNSITO (1)

PARADA OBRIGATÓRIA

DÊ A PREFERÊNCIA

SENTIDO PROIBIDO

PROIBIDO VIRAR À DIREITA

PROIBIDO RETORNAR

PROIBIDO ESTACIONAR

PROIBIDO VIRAR À ESQUERDA

psiu!

UNIDADE 7

5 2002 foi o ano de centenário de vários brasileiros ilustres. Escolha a opção de PRONOMES DEMONSTRATIVOS e INDEFINIDOS que melhor completa os textos abaixo.

Carlos Drummond de Andrade (1902 - 1987)

_____ (Este; Esse) foi o Ano Nacional de Carlos Drummond de Andrade. _____ (Vários; Várias) homenagens foram prestadas ao escritor mineiro. _____ (Alguns; Algumas) foram: o escritor foi tema do IV Concurso Nacional de Ensaios do Ministério da Cultura/ Nestlé e do estande do Brasil no 22º Salão do Livro de Paris. _____ (Muitos; Muitas) jornais e revistas dedicaram páginas especiais a Drummond e instituições como a Biblioteca Nacional e a Casa de Rui Barbosa dedicaram-lhe momentos especiais.

Juscelino Kubitschek de Oliveira (1902 - 1976)

_____ (Diversos; Diversas) homenagens ao ex-presidente JK se estenderam por todo o ano, com _____ (certos; certas) eventos realizados no Brasil e no exterior. _____ (Uns; Umas) iniciativas incluíram o lançamento de sites, livros, moedas, medalhas, e selo comemorativo. _____ (Outros; Outras) celebrações organizaram fóruns, seminários, concertos, espetáculos e exposições.

Lucio Costa (1902 - 1998)

_____ (Qualquer; Quaisquer) uma das celebrações teria sido importante, mas dentre _____ (essas; estas) mencionamos a do Iphan e do Conselho Consultivo do Patrimônio Cultural que realizaram uma sessão solene, a dos Correios que lançaram um selo comemorativo, e a da Casa do Brasil, em Paris, que promoveu um seminário sobre a obra do urbanista.

Sérgio Buarque de Holanda (1902 - 1982)

_____ (Nenhum; Nenhuma) brasileiro desconhece-lhe o nome! Em julho, foi realizada uma homenagem no Palácio do Itamaraty, em Brasília, com a presença de _____ (todos; todas) os parentes e amigos mais próximos. _____ (Outros; Outras) encontros e seminários abordaram a obra do historiador.

Fonte: Cultura Hoje, ano 7, nº 147-148

6 Termine as orações abaixo:

REVISÃO

1. Admiro pessoas que _____
2. Não gosto de filmes que _____
3. Gosto da lição que _____
4. Sinto pena daqueles que _____
5. Eu sempre digo que _____

7 Transforme os pedidos em orações imperativas:

Você poderia me trazer um copo d'água?
_____

Você não gostaria de sentar-se?
_____

Você se importaria em falar mais baixo?
_____

Eu gostaria muito de que você fizesse estes relatórios para hoje.
_____

Você poderia, por gentileza, dar prioridade às minhas necessidades?
_____

SINAIS DE TRÂNSITO (2)

psiu!

INTERSECÇÃO EM CÍRCULO

SENTIDO OBRIGATÓRIO

CONSERVE-SE À DIREITA

SIGA EM FRENTE

MÃO DUPLA

VELOCIDADE MÁXIMA PERMITIDA

PARADA OBRIGATÓRIA À FRENTE

UNIDADE 7

Pedindo informações pelo telefone:

A: Alô! Gostaria de pedir informações sobre o seminário da próxima semana.
B: Pois não?
A: Quantas pessoas(1) vão participar?
B: Temos 25 pessoas confirmadas até agora.
A: Quantos homens(2) e quantas mulheres(3)?
B: 18 homens e 7 mulheres.
A: Todos vão ficar no mesmo hotel?
B: Não. Só conseguimos fazer reserva em dois hotéis(4) diferentes(5).
A: E os hotéis ficam perto do local do seminário?
**B: Não exatamente, mas são os hotéis mais próximos.
Ficam a 15 minutos(6) de carro.**
A: Haverá facilidade de transporte?
B: Sim. Já providenciamos dois ônibus(7) para os participantes(8).
A: E quanto ao local? Como são as instalações(9)?
**B: É um local muito popular para seminários, palestras,
mesas-redondas, etc. Está equipado para qualquer necessidade.
Tem 2 computadores(10) conectados a uma super-tela,
equipamentos(11) de som e iluminação completos.**
A: Obrigado.
B: Seu nome, por favor.
A: Luís Roberto Guimarães, da Universidade de Brasília.

8 No diálogo acima as palavras sublinhadas e numeradas estão no plural.
Coloque-as no singular.

1. _____   7. _____

2. _____   8. _____

3. _____   9. _____

4. _____   10. _____

5. _____   11. _____

6. _____

9 Estude o item PLURAL DOS SUBSTANTIVOS COMPOSTOS na página 70 e complete
as frases com o plural dos substantivos abaixo:

> vice-diretor   beija-flor   segunda-feira
> caneta-tinteiro   banana-maçã   cirurgião-dentista

1. As crianças preferem _____ a qualquer outro tipo, pois essas são bem docinhas.

2. Alguns dos presentes mais caros doados à instituição foram estas _____ banhadas a ouro

e prata.

3. Todas as _____ são feitas reuniões com os _____ de cada área

para o agendamento das atividades semanais.

4. Foram convidados todos os _____ da Universidade de São Paulo para o 10º Congresso

Brasileiro de Odontologia.

5. É deslumbrante admirar tantos _____ enfeitando as varandas e sacadas dos hotéis, com

suas cores e encanto.

SINAIS DE TRÂNSITO (3)

ESTACIONAMENTO REGULAMENTADO
PROIBIDO {
TRÂNSITO DE VEÍCULOS AUTOMOTORES
ULTRAPASSAR
MUDAR DE FAIXA DE TRÂNSITO

CURVA À ESQUERDA
CURVA À DIREITA
SALIÊNCIA OU LOMBADA

psiu!

10. Passe as palavras sublinhadas para o plural.
Algumas frases necessitarão também de outras mudanças.

a. Aquele <u>homem</u> é um <u>cidadão</u> <u>alemão</u>.

_____

b. Eu vi um <u>pardal</u> azul no bosque.

_____

c. <u>Ele</u> tem uma <u>plantação</u> de milho e uma <u>criação</u> de galinhas.

_____

d. O <u>freguês</u> comprou pão e feijão para o <u>irmão</u>.

_____

e. O professor passou uma <u>lição</u> muito difícil.

_____

f. O <u>rapaz</u> vivia feliz na cidade tranqüila.

_____

g. O <u>camponês</u> tomou o ônibus, foi para a cidade e ficou no hotel.

_____

h. O <u>equipamento</u> é útil para detectar vírus.

_____

i. O <u>hospital</u> recebeu uma vistoria da equipe de fiscalização.

_____

OUTROS MEIOS DE TRANSPORTE

Además

Além da possibilidade de viajar de avião, existem em todos os países, outros meios de transporte tão eficientes quanto as viagens aéreas. Para quem tem tempo, não tem muito dinheiro, tem medo de avião e não quer dirigir seu próprio carro, recomenda-se viajar de ônibus, de trem ou de navio. Inúmeras pessoas, especialmente quando estão em férias, preferem ir à Estação Rodoviária e optar por um ônibus para ir de um lugar a outro. De ônibus, elas sabem que terão a oportunidade de conhecer melhor o país vendo por onde passam. Já outras, optam pelo trem. Como o trem é um meio de transporte dos mais antigos, muitas vezes as Estações Ferroviárias são edificações velhas, verdadeiros marcos históricos. Já para viajar de navio precisamos ir ao Porto. Apesar de se situarem na costa, muitas vezes os portos são lugares feios e, com freqüência, perigosos.

Se você fosse viajar durante as <u>férias</u>, que meio de transporte utilizaria? Por quê? Se você fosse à praia, além dos <u>óculos-escuros</u>, o que mais levaria? O que você acha que deveria haver nos <u>arredores</u> da sua "residência de férias"? Que tipo de pessoa você é? Do tipo caseiro que, mesmo nas férias, fica em casa, ajudando nos <u>afazeres</u> domésticos? Do tipo artístico que gosta de <u>belas-artes</u> e passa as férias visitando museus? Do tipo festeiro que passa as férias dando festas na sua casa porque gosta de receber os <u>parabéns</u> pelas maravilhosas festas que você realiza?

* NÃO SE ESQUEÇA: As palavras acima sublinhadas são SEMPRE usadas NO PLURAL!

PARTES DO CARRO (1)

1. DIREÇÃO
2. PÁRA-BRISA
3. FREIO (BREQUE)
4. MAÇANETA
5. FREIO DE MÃO
6. CÂMBIO
7. ACELERADOR
8. BUZINA
9. EMBREAGEM
10. RETROVISOR
11. CINTO DE SEGURANÇA
12. LIMPADOR DE PÁRA-BRISA

psiu!

UNIDADE 7

11 Ouça como Peter, Edna e seus amigos planejaram sua viagem de férias ao Brasil de modo a conhecer o máximo possível do país. Escreva as informações solicitadas considerando que parte da viagem foi em grupo mas que em alguns momentos os amigos resolveram visitar lugares diferentes:

EDNA
DIA:_____

ORIGEM:_____

DESTINO:_____

MEIO DE TRANSPORTE:_____

DURAÇÃO:_____

OPINIÃO:_____

ATIVIDADES DURANTE A VIAGEM:_____

PONTOS NEGATIVOS:_____

PETER
DIA:_____

ORIGEM:_____

DESTINO:_____

MEIO DE TRANSPORTE:_____

DURAÇÃO:_____

OPINIÃO:_____

ATIVIDADES DURANTE A VIAGEM:_____

PONTOS NEGATIVOS:_____

KAREN e MARTHA
DIA:_____

ORIGEM:_____

DESTINO:_____

MEIO DE TRANSPORTE:_____

DURAÇÃO:_____

OPINIÃO:_____

ATIVIDADES DURANTE A VIAGEM:_____

PONTOS NEGATIVOS:_____

JOHN, LUCAS e PHILIPPE
DIA:_____

ORIGEM:_____

DESTINO:_____

MEIO DE TRANSPORTE:_____

DURAÇÃO:_____

OPINIÃO:_____

ATIVIDADES DURANTE A VIAGEM:_____

PONTOS NEGATIVOS:_____

TODOS JUNTOS
DIA:_____

ORIGEM:_____

DESTINO:_____

MEIO DE TRANSPORTE:_____

DURAÇÃO:_____

OPINIÃO:_____

ATIVIDADES DURANTE A VIAGEM:_____

PONTOS NEGATIVOS:_____

E você? Você já conhece algum lugar turístico do Brasil? Que (outros) lugares do Brasil você gostaria de visitar? Por quê? Quais são os locais turísticos do Brasil mais conhecidos pelas pessoas do seu país? Além de viajar, o que mais você gostaria de fazer no Brasil?

PARTES DO CARRO (2)

1. PORTA-MALAS
2. FAROL
3. PÁRA-CHOQUE
4. PLACA
5. RODA
6. CAPÔ
7. LANTERNA
8. PNEU (ESTEPE)

psíu!

Gramática

IMPERATIVO

FALAR
(você)   Fale mais baixo.
(vocês)   Falem mais alto.
(nós)   Falemos dos nossos problemas.

DAR
(você)   Dê uma olhada!
(vocês) Dêem uma olhada!

CORRER
Corra!
Não corram!
Corramos juntos!.

FAZER
Faça como quiser!
Não façam barulho!
Façamos tudo outra vez.

IMPRIMIR
Imprima 2 cópias.
Não imprimam novamente.
Imprimamos mais uma vez.

PÔR
Ponha a mesa!
Ponham os casacos!

PLURAL DE SUBSTANTIVOS

terminados em	acrescenta-se	exemplo
vogal	s	casa - casas
r, z	es	cor - cores / vez - vezes
s (monossílabos e oxítonos)	es	gás - gases

terminados em	troca-se	exemplo
al, el, ol, ul	l por is	hotel - hotéis
il (oxítonos)	il por is	fuzil - fuzis
il (paroxítonos)	il por eis	projétil - projéteis
m	m por ns	homem - homens

terminados em		exemplo
s (não oxítonos)	invariáveis	o ônibus - os ônibus
x (shees)	invariáveis	o tórax - os tórax

terminados em	plural em	exemplo
ão	ãos	mão - mãos
ão	ães	cão - cães
ão	ões	anão - anões

* algumas palavras admitem mais de uma forma de plural		
ancião	anciãos	anciões
vulcão	vulcãos	vulcões

PLURAL DOS SUBSTANTIVOS COMPOSTOS

1. Quando o substantivo composto não é separado por hífen, o plural se faz normalmente por meio de **s**.
   Exemplo: o vaivém   - os vaivéns
            o passatempo - os passatempos
2. Quando o substantivo composto é separado por hífen, temos os seguintes casos:
   a) Variam todos os elementos se eles forem substantivos, adjetivos ou numerais.
      Exemplo: o cartão-postal   - os cartões-postais
               a terça-feira   - as terças-feiras
      Obs.:quando o 2º elemento indica característica ou qualidade do 1º, geralmente só este vai para o plural.
      Exemplo: o salário-família - os salários-família
   b) Apenas o 2º elemento vai para o plural quando:
      o 1º elemento é um verbo ou palavra invariável
      Exemplo: o alto-falante   - os alto-falantes
               o guarda-roupa - os guarda-roupas
      o substantivo é composto de palavras repetidas ou onomatopaicas
      Exemplo: o tico-tico - os tico-ticos
      o 1º elemento é **grão**, **grã**, **vice** ou **ex** seguido de substantivo
      Exemplo: o grão-fino   - os grão-finos
               o vice-presidente - os vice-presidentes
   c) Apenas o 1º elemento vai para o plural quando eles forem ligados por preposição.
      Exemplo: a dona-de-casa   - as donas-de-casa
               o chapéu-de-sol - os chapéus-de-sol
   d) Os dois elementos ficam invariáveis quando o substantivo é composto de verbos de sentidos opostos ou de palavras que não admitem flexão.
      Exemplo: o leva-e-traz - os leva-e-traz
               o bota-fora   - os bota-fora

APRENDA

 NO RESTAURANTE

Garçom: Quantas pessoas?
A: Duas.
G: Fumantes ou não fumantes?
A: Não fumantes.
G: Por aqui, por favor. Estejam à vontade.
(Entregando o cardápio)
A: Qual é o prato do dia?
**G: Hoje temos arroz, feijão, peito de frango,
purê de batatas e salada mista.**
A: Para mim está ótimo. E você, Laura, o que você vai pedir?
B: Bem, eu prefiro bife no lugar de frango. O que o
senhor me sugere? *sugerir*
**G: Temos bife à milanesa com fritas ou com
maionese e salada de alface.**
B: Maionese, por favor.
G: Algo para beber?
A: Para mim, um guaraná.
B: Um suco de laranja, sem gelo e sem açúcar, por
favor.
**G: Um guaraná e um suco de laranja. Desejam
couvert?**
A: Não, não é necessário.

tranquilo/minha casa é sua

G: Sobremesa? — *doces*
A: Pudim de leite, por favor.
B: Para mim somente um cafezinho. Tem creme?
G: Não, não trabalhamos com creme.
A: A conta pode vir junto, por favor.

A: Vocês aceitam cartão de crédito?
G: Sim, todos.
A: O serviço já está incluído? *10%*
G: Não, não está.

VOCABULÁRIO RELEVANTE

Couvert
Aperitivo
Entrada
Sobremesa
Maître
Garçom/Garçonete
Cardápio
Lista de vinhos
Talheres (garfo, faca, colher)
Toalha de Mesa
Guardanapo
Pratos (raso, fundo, de sobremesa)
Conta
Gorjeta

EXPRESSÕES PARA USO DIÁRIO NO RESTAURANTE

Uma mesa para...........pessoas, por favor.
Com licença, esta mesa está ocupada? (tem alguém aqui?)
Quanto tempo de espera?
O que vai pedir? O que deseja?
Eu quero o bife bem passado (mal passado).
Um canudinho, por favor.
Uma colherzinha (colher, garfo, faca), por favor.
Um cafezinho, por favor.
Açúcar/adoçante, por favor.

RESTAURANTES e AFINS
rodízio, churrascaria, pizzaria, cantina,
self-service, (por) quilo, lanchonete, fast-food,
café, boteco, padaria, bar, trattoria

UNIDADE 8

AUMENTATIVO
ão   ona

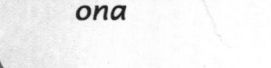

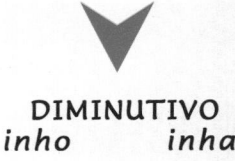

DIMINUTIVO
inho   inha

Muitas vezes os <u>AUMENTATIVOS</u> e <u>DIMINUTIVOS</u> dão sentido

AFETIVO e *CARINHOSO* e outras *PEJORATIVO* ou *IRÔNICO*

 Ela mora sozinha numa <u>casona</u>!

Eles compraram um <u>carrão</u>, último modelo!

 O relatório deu um <u>trabalhão</u>...

Colhemos muitas <u>florzinhas</u> no campo.

 Vocês aceitam um <u>cafezinho</u>?

Eles têm uma <u>fazendinha</u> no interior do Mato Grosso.

 Ele é um <u>amorzinho</u>!

Ele é um <u>velhinho</u> simpático!

 Que <u>menininha</u> chata!

Ô <u>transitozinho</u>!

UNIDADE 8

Voz Passiva

O PAÍS E O IDIOMA

Esta imensidão cercada pelo Oceano Atlântico, pelas Guianas, pelo Suriname, pela Venezuela, pela Colômbia, pelo Peru, pela Bolívia, pelo Paraguai, pela Argentina e pelo Uruguai tem um nome imponente: REPÚBLICA FEDE-RATIVA DO BRASIL. É um país bom para nós, brasileiros, e para todos que nos visitam ou que mudam para cá: não temos guerras nem grandes catástrofes naturais. Muitos de nós, contudo, passam por muitas dificuldades financeiras mas é da nossa gente enfrentá-las sempre com otimismo e alegria. O Brasil é dividido em 5 regiões e cada qual é conhecida dentro e fora do país por algumas características bem marcantes. O *Norte* abrange a Amazônia com seu grande rio, afluentes, sua linda e rica floresta, seus índios, seus botos-cor-de-rosa e demais lendas. É num estado *Nordestino* que se fala o português mais correto do Brasil: no Maranhão. É também no *Nordeste* que se encontram algumas das praias mais famosas e tão bonitas que atraem turistas do mundo inteiro. Na Região *Sudeste* está uma das cidades mais conhecidas do mundo, verdadeiro cartão-postal do Brasil: o Rio de Janeiro com sua belíssima vista, a estátua do Cristo Redentor e... suas mulheres bonitas. A capital do país, Brasília, se situa no Distrito Federal que está na Região *Centro-Oeste*. Já boa parte dos imigrantes italianos, japoneses e alemães optou por habitar na Região *Sul* onde provavelmente o clima se aproxima mais ao das suas terras de origem. Um grande elo de união do nosso povo é que em todas as regiões do Brasil fala-se português!

No decorrer desta unidade você terá oportunidade de conhecer muito, muito mais sobre esta linda terra *onde canta o sabiá*!!

L pajaro

1 Ouça a fita, preencha os espaços em branco e pratique o diálogo:

A: *Você já estudou para a sua prova de conhecimentos gerais de amanhã?*
B: Já. Estudei ontem e hoje o dia inteiro.
A: *Vamos ver! Vou fazer algumas perguntas pra você...*
B: Tudo bem. Pode começar.
A: *Quando a presidência do Brasil foi assumida por Fernando Henrique Cardoso?*
B: Em _____, com mandato até o fim de 1998. Foi então reeleito para novo mandato.
A: *Certo! Quando o Muro de Berlim, na Alemanha, foi derrubado?*
B: Em _____. O muro separava a Alemanha Ocidental da Oriental.
A: *Exato! Quando a Estátua da Liberdade, em Nova Iorque, foi inaugurada?*
B: Em _____ . E foi um presente dos franceses para os americanos.
A: *Qual foi o único presidente do Brasil deposto pelo processo de 'impeachment'?*
B: Fernando Collor de Melo, em _____ .
A: *Muito bem. Agora uma última questão. Quando a Torre Eiffel foi concluída?*
B: Ah, esta é fácil também. Ela foi construída para comemorar os cem anos da Revolução Francesa. A Torre Eiffel ficou pronta em _____ .
A: *Parabéns! Você acertou todas as questões. Sua prova vai ser moleza!*

A BANDEIRA BRASILEIRA

VERDE = MATAS
AMARELO = OURO
AZUL = CÉU
BRANCO DAS ESTRELAS = ESTADOS

psíu!

UNIDADE 8

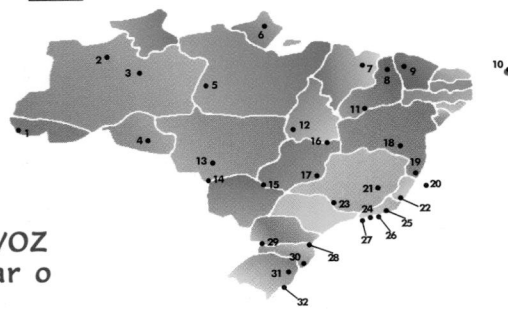

2 🎵 São muitos os parques nacionais brasileiros que você pode visitar. Ouça a fita e circule no mapa os números referentes aos parques mencionados.

3 Leia o parágrafo abaixo formulando frases na VOZ PASSIVA utilizando as **dicas** de maneira a tornar o texto coerente.

PROJETO USP NO TIMOR

Jovens de todo o Brasil (**convocar**) para ajudar na reconstrução do Timor Leste. Em pouco tempo, a Língua Portuguesa (**divulgar**) através de aulas originais que misturam músicas de artistas antigos e modernos. O projeto (**conceber**) para que haja uma contribuição para o renascimento do português no Timor, proibido durante 24 anos de ocupação Indonésia. Por intermédio da universidade, a sociedade civil (**convocar**) para uma nova fase de solidariedade internacional. A cada seis meses (**montar**) uma nova turma de jovens graduandos ou pós-graduandos.

Fonte: Site da AGAL - Associaçom Galega da Língua - 2003

4 Olhe os desenhos e diga o que aconteceu:

EXEMPLO: *a) O cachorro mordeu o menino.*
b) O menino foi mordido pelo cachorro.

_____

_____

(O marceneiro/consertar)

_____

_____

(carro/atropelar)

_____

(João/escrever)

_____

(polícia/prender)

_____

(diretor/despedir)

5 🎵 Ouça a fita e marque nas frases abaixo as palavras que NÃO correspondem às que você vai ouvir.

1- Em 22 de abril de 2000, o navio, que será construído em Valença (BA), vai levantar suas velas decoradas com a Cruz da Ordem de Cristo para navegar até Porto Seguro e jogar âncora na baía de Santa Cruz Cabrália.

2- ... nasceu de um trabalho feito pelo engenheiro português Ivo Gouveia, 44 anos, e pelo médico paulista Marcello de Ferrari, 38 anos...

3- Diante do problema, Gouveia e Ferrari resolveram basear sua nau do descobrimento na São Gabriel, com a qual Vasco da Gama chegou à Índia em 1948.

4- ... onde foi feita a cópia da Nina, caravela de Cristóvão Colombo usada no seriado 1492 — a conquista do paraíso, de Ridley Scott.

5- Fica pronta em dezembro de 1999 e, depois das celebrações dos 500 anos da descoberta, vira um museu flutuante viajando do Amapá ao Chuí.

🎵 Agora ouça a fita novamente e corrija as informações.

🎵 *O HINO NACIONAL*

OUVIRAM DO IPIRANGA ÀS MARGENS PLÁCIDAS
DE UM POVO HERÓICO O BRADO RETUMBANTE,
E O SOL DA LIBERDADE, EM RAIOS FÚLGIDOS,
BRILHOU NO CÉU DA PÁTRIA NESSE INSTANTE.

SE O PENHOR DESSA IGUALDADE
CONSEGUIMOS CONQUISTAR COM BRAÇO FORTE,
EM TEU SEIO, Ó LIBERDADE,
DESAFIA O NOSSO PEITO A PRÓPRIA MORTE!

Ó PÁTRIA AMADA,
IDOLATRADA,
SALVE! SALVE!...

psíu!

Ouça o áudio e indique o número de vezes em que se ouvem verbos na VOZ PASSIVA: _____ .

Leia partes do discurso pronunciado pelo Senhor Embaixador João Augusto de Médicis ao assumir o cargo de Secretário Executivo da CPLP. Nos espaços sublinhados, coloque os verbos em itálico no PARTICÍPIO PASSADO.

A COMUNIDADE DOS PAÍSES DE LÍNGUA PORTUGUESA (CPLP)
SEDE: LISBOA/PORTUGAL

Senhores,

Desde sua criação, a Comunidade dos Países da Língua Portuguesa tem _____ (*crescer*) e _____ (*afirmar-se*), mobilizando nossos Governos e nossas sociedades. A solidariedade de uma língua compartilhada e de culturas em tantos aspectos comuns cria perspectivas inéditas para o diálogo político e para a cooperação com vistas à paz e ao desenvolvimento. Muito já foi o que se fez nesses seis anos de vida da CPLP. A originalidade de sua criação, o vigor de seu amadurecimento, sua geografia especialíssima, a diversidade de seus objetivos e os avanços já _____ (*obter*) são prova de sua vitalidade. (...)

Fiel aos três objetivos gerais _____ (*fixar*) em nosso Estatuto, é dever da Secretaria Executiva:

Promover um diálogo cada vez mais intenso entre os países membros e uma interação constante não apenas entre os Governos, mas igualmente com a Sociedade civil em todos os seus segmentos, possibilitando, assim, uma nova dimensão no relacionamento entre nossos povos;

Consolidar os progressos _____ (*alcançar*) na área de cooperação com a participação dos Pontos Focais e redobrar esforços para identificar financiadores e parceiros internacionais de maneira a viabilizar novos projetos e prosseguir na execução dos que estão em curso, com vista à reconstrução e desenvolvimento dos Estados membros;

Comprometer-se com as atividades de promoção da Língua Portuguesa, em particular por meio do Instituto Internacional da Língua Portuguesa, dando-lhe suporte político e financeiro para que possa coordenar programas de difusão, consolidação e fortalecimento do português, possibilitando que o lastro desta língua comum seja instrumento eficaz para programas de cooperação, especialmente nas áreas educacionais e de treinamento profissional. (...)

Fonte: www.cplp.org

DE ONDE SOMOS? (1)
(Canções em português pelo mundo)

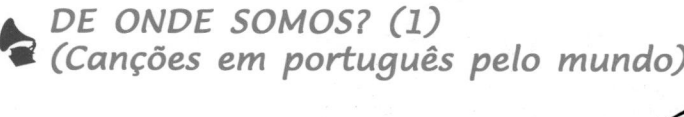

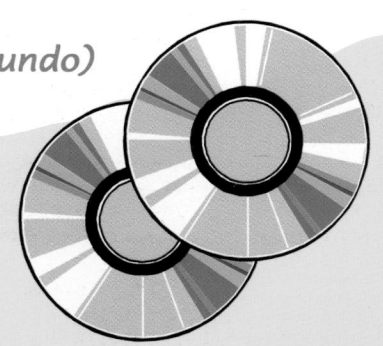

psíu!

As frases abaixo estão em português de Portugal. Detecte as diferenças e transforme-as em português do Brasil.

1. Como Passageiro da TAP Air Portugal certamente já se apercebeu de que temos vindo a melhorar, em muitos aspectos, o serviço que lhe prestamos a bordo e em terra. Não me estou a referir apenas a horários...

(Revista de bordo Atlantis - 2002)

_____

_____

2. Com o serviço de Domiciliação de Pagamentos... o pagamento das suas despesas correntes é efectuado com a maior comodidade...

(Folheto promocional de uma rede bancária portuguesa)

_____

_____

3. Fale connosco. Vai valer a pena.

(Folheto de divulgação de uma empresa de Consultoria)

_____

4. Via Verde já com € 11,47 de portagens incluídas.

(Folheto de divulgação do serviço Via Verde)

_____

5. A Avis acaba de criar um programa de tarifas especiais para si...

(Publicidade da empresa de locação de veículos Avis)

6. Grão e grão enche a galinha o papo...

(Ditado popular)

7. Em qualquer país, a partir de qualquer telefone, basta marcar o número de acesso.

(Propaganda da empresa de comunicação internacional Marconi)

_____

8. Fazer renascer a arte do fabrico da porcelana...

(Publicidade da empresa de porcelana Oficina Real)

_____

7 Treinando o aumentativo e o diminutivo. Transcreva os trechos abaixo usando as palavras sublinhadas no AUMENTATIVO ou DIMINUTIVO. Indique por meio dos coraçõezinhos (ver ESTUDO DE...) se o uso é AFETIVO/CARINHOSO ou PEJORATIVO/IRÔNICO :

1. Era uma vez um <u>menino</u> chamado <u>Polegar</u>. Ele era tão <u>pequeno</u> que cabia numa <u>caixa</u> de fósforos!

_____

2. Você não conhece o Ricardo? Ele é super rico! Mora numa <u>casa</u> <u>grande</u> e na garagem dele tem três <u>carros</u> último modelo!!!!

_____

3. Você viu a Ângela ontem na festa? Estava com uma <u>saia</u> tão <u>curta</u> que chamava a atenção de todo mundo!

_____

PORTUGUÊS DO BRASIL - PORTUGUÊS DE PORTUGAL (1)

psiu!

APOSENTADO	REFORMADO
BONITO	GIRO
CAFÉ DA MANHÃ	PEQUENO ALMOÇO
FILA	BICHA/FILA
GRAMA	RELVA
ÔNIBUS	AUTOCARRO
PICOLÉ	GELADO
VASO SANITÁRIO	PIA/SANITA

 PORTUGUÊS, LÍNGUA OFICIAL DO TIMOR LESTE?

O Timor Leste, a mais jovem nação do mundo adotou o português como língua oficial, juntamente com o tétum, a principal língua local. No total, a antiga colônia portuguesa tem cerca de 30 línguas e dialetos. Essa opção pelo mundo da língua portuguesa foi concretizada no dia 31 de julho de 2002, em Brasília, quando o Timor — até então com o estatuto de observador, entrou oficialmente para a Comunidade dos Países de Língua Portuguesa — CPLP — durante a IV Cúpula da entidade. (...)

Segundo Eládio Faculto, presidente da Organização dos Jovens do Timor Leste, além da identidade, existem outras razões para escolher o português como língua oficial do Timor. 'A língua portuguesa é muito importante porque ela é falada em outros países, em vários continentes, é um língua internacional, uma abertura pora o mundo.' A Assembléia Constituinte do Timor Leste, democraticamente, acabou escolhendo o português e o tétum como línguas oficiais.

Fonte: Portal da AGAL - Associaçom Galega da Língua

 Escolha a alternativa correta:

REVISÃO

a) (Nós, Ela) viu Carlos na esquina e (lhe, o) chamou, mas ele não (lhe, a) ouviu.

b) (Eu, Nós) escolhemos o presente que vamos (lhe, o) dar no aniversário.

c) Marta e a irmã (sua, dela) vão viajar para a Europa para visitar (seus, sua) avó.

d) (Ele, Eles) encontraram (nosso, nossa) livro no ônibus.

e) (Eu, Nós) gosto de estudar no (minha, meu) quarto.

f) Eu (lhe, me) sentei e esperei que o doutor (lhe, me) chamasse.

g) (Nós, Eles) vamos (lhes, nos) encontrar em frente à casa (dela, sua).

h) (Sua, Dela) bagagem já está no táxi, senhor!

i) Vamos (a, nos) encontrar no restaurante para discutir a (delas, nossa) programação.

 **Usando as informações contidas nos PSIUS das páginas 76 e 77, passe o texto abaixo que está escrito em português de Portugal, para o português do Brasil.**

"Um autocarro atropelou um reformado que, após o pequeno almoço, estava em uma bicha para comprar um gelado. Atropelou também uma rapariga em fato de banho."

PORTUGUÊS DO BRASIL - PORTUGUÊS DE PORTUGAL (2)

CALCINHA	CUECA
CHUVEIRO	DUCHE
DIRIGIR (GUIAR)	CONDUZIR
GOL	GOLO
LEVANTAR VÔO	DESCOLAR
MAIÔ	FATO DE BANHO
MENINA	RAPARIGA
MENINO	PUTO

psíu!

UNIDADE 8

 O QUE VOCÊ SABE SOBRE O MERCOSUL?????

O Mercosul, Mercado Comum do Sul, foi criado oficialmente em março de 1991, tendo como integrantes o Brasil, a Argentina, o Paraguai e o Uruguai. Os primeiros acordos para o início do Mercosul foram assinados pelo Brasil e pela Argentina em julho de 1986. O Mercado tem como meta acabar com as fronteiras econômicas e estabelecer uma "tarifa zero" entre os países-membros. Além dos países-membros, foram feitas negociações para a adesão parcial de alguns países como o Chile e a Bolívia. Foram assinados acordos de Livre Comércio com eles.

 10 Leia o diálogo abaixo. Em pares, monte diálogos semelhantes para desculpar-se por não aceitar os convites. Cuidado, seu amigo tentará convencê-lo a acompanhá-lo.

R: Ôi, Antônio.
A: Roberto, que bom que você telefonou.
R: Queria agradecer-lhe o convite...
A: Você vai, não vai?
R: Desculpe, mas, infelizmente, não vai dar.
A: Mas por quê?
R: Tenho um trabalho para entregar na 2ª-feira.
A: Você não poderia levar o trabalho pra fazer lá?
R: Acho que não vai dar mesmo. Senão nem me divirto, nem faço um bom trabalho.
A: Acho que tem razão.
R: Numa próxima oportunidade talvez.
A: Está bem.
R: Tchau.
A: Tchau.

1. Seu amigo brasileiro o convida para o tradicional 'chopinho', mas você já tinha marcado para levar a sua esposa ao teatro.

2. Seus novos vizinhos têm um apartamento na praia. Eles convidam sua família para passar o Carnaval por lá. Você não sabe bem como proceder nessa situação e prefere não aceitar o convite.

3. A mãe de uma colega da escola de sua filha gostaria de levá-la para passar as férias na fazenda. Sua filha é muito tímida e você acha que ela não aproveitará as férias.

4. Haverá um torneio de futebol no clube do seu colega de trabalho. Você acaba de iniciar suas aulas e preferiria esperar um pouco antes de participar de uma competição.

5. A esposa do seu diretor está organizando uma reunião para apresentar sua esposa às amigas. Sua esposa já tem uma viagem planejada para o mesmo dia.

11 Você foi convidado para passar um fim de semana em algum lugar. Escreva uma pequena carta agradecendo o convite e desculpando-se por não poder ir. Explique o motivo seguindo o exemplo abaixo:

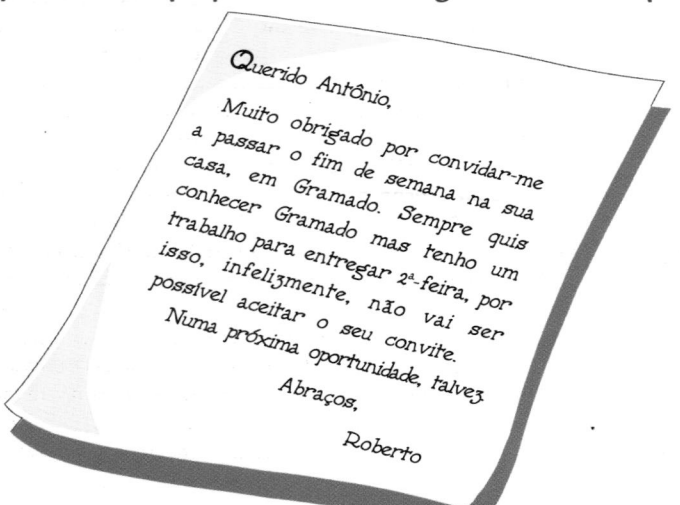

Querido Antônio,

Muito obrigado por convidar-me a passar o fim de semana na sua casa, em Gramado. Sempre quis conhecer Gramado mas tenho um trabalho para entregar 2ª-feira, por isso, infelizmente, não vai ser possível aceitar o seu convite. Numa próxima oportunidade, talvez.

Abraços,

Roberto

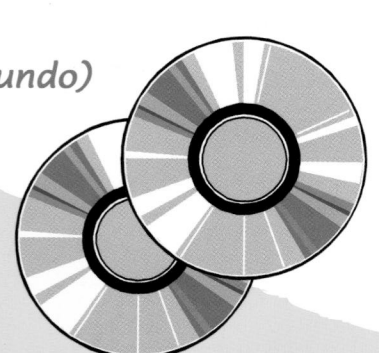

DE ONDE SOMOS? (2)
(Canções em português pelo mundo)

psiu!

12 A Professora de história pediu que seus alunos da 8ª série fizessem uma pesquisa sobre a Argentina, o Uruguai, Portugal e Angola. Cada grupo apresentou um trabalho sobre as características do país escolhido. Ouça o áudio e complete o quadro apenas com as informações que ouvir.

	ANGOLA	ARGENTINA	PORTUGAL	URUGUAI
PAÍS				
MOEDA				
COMIDA				
FESTIVIDADE				
POPULAÇÃO				
RELIGIÃO				
LÍNGUA				
OUTROS				

13 Leia os textos abaixo, adaptados do jornal Gazeta Mercantil de 2003.

FORTALEZA TEM A PRIMEIRA CASA *HIGH TECH*
A moradia, de 56 metros quadrados, construída pela Veneza Construção e Planejamento no loteamento Cidade Ecológica, pode ser erguida em até cinco dias. O projeto volta-se à moradia social, e permite variações com o uso de chapas de alumínio, ou mesmo PVC na estrutura, podendo atingir diferentes graus de sofisticação.

TÉCNICA ITALIANA PARA COMBATER PÁSSAROS
Com o objetivo de proteger suas parreiras plantadas em Bagé, no Rio Grande do Sul, a Vinhos Salton foi buscar na Itália técnicas de combate aos pássaros. Pequenas pirâmides, cobertas por espelhos são espalhadas pelos parreirais para refletir a luz do sol e dessa forma espantar as aves.

 Aí estão dois momentos mais ou menos complexos em que a imaginação humana funciona para buscar idéias, apresentar soluções, e assim evoluir. Com certeza você tem algum conhecimento sobre uma idéia brilhante ou curiosa para compartilhar com o seu colega.

14 Leia o texto adaptado do artigo *Do Brasil para o mundo, agora até com certificado de rabino* e preencha os espaços com os verbos entre parênteses conjugados nos tempos adequados.

Há alguns anos a cachaça _____ (cruzar) as fronteiras do Brasil e _____ (ganhar) o status de nobreza que sempre mereceu. Hoje na Alemanha, por exemplo, _____ (haver) mais gente _____ (brindar) com a caninha brasileira do que com Steinhäger, o destilado nacional. Mais do que isso. A cachaça _____ (ser) a segunda bebida mais consumida no país de Goethe, logo depois da cerveja. Não _____ (ser) só na Alemanha que a cachaça _____ (conquistar) adeptos. Também _____ (haver) uma legião de fãs na Itália, França, Portugal e Espanha. _____ (tranformar) em caipirinha, o sucesso _____ (ser) indiscutível. Esse reconhecimento externo _____ (estar) também aliado a uma valorização da aguardente nacional em solo pátrio. Talvez em nenhuma outra região do Brasil se _____ (ter) tanto empenho em produzir cachaça artesanal como em Minas Gerais. Minas _____ (possuir) cerca de 8,5 mil produtores, dos quais 500 _____ (estar) registrados no Ministério da Agricultura. A Ampaq _____ (ser) a entidade que _____ (criar) em 1990 o Programa de Garantia de Qualidade e _____ (lançar) o Selo de Qualidade do produto. Para se enquadrar nos critérios que _____ (possibilitar) a obtenção do selo, o produtor _____ (ter) de _____ (ser) sócio da entidade por no mínimo seis meses, _____ (queimar - neg) a cana-de-açúcar, _____ (usar - neg) fermento químico na fabricação do aguardente, _____ (utilizar) apenas alambique de cobre, e _____ (estar) totalmente legalizado. A sede pela caninha dos brasileiros das mais diversas ascendências e de estrangeiros espalhados no planeta _____ (ser) tão grande que também _____ (acaba) de chegar ao mercado a primeira versão *kosher* da aguardente, cuja fabricação _____ (acompanhar) por um rabino.

Fonte: Jornal Gazeta Mercantil - 2002

 DE ONDE SOMOS? (3)
(Canções em português pelo mundo)

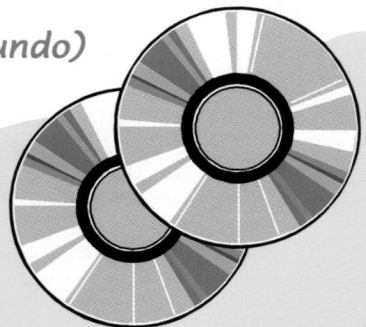

psíu!

Gramática

VOZ PASSIVA

VERBO SER + PARTICÍPIO PASSADO

A casa da praia É ALUGADA nos fins de semana.
O carro FOI VENDIDO por 15.000 dólares.
Os cantores FORAM APLAUDIDOS de pé pela platéia.
As casas VÃO SER POSTAS à venda na próxima semana.

ATENÇÃO !!!

A casa É ALUGADA —— As casas SÃO ALUGADAS
O carro FOI VENDIDO —— Os carros FORAM VENDIDOS

ATENÇÃO !!!

Esta forma de voz passiva constrói-se com o verbo na
3ª pessoa (singular/plural), seguido do pronome apassivador se:

VENDE-SE uma casa na praia — ALUGAM-SE apartamentos
PROCURA-SE um cão perdido — CONSERTAM-SE geladeiras

PARTICÍPIO PASSADO

REGULARES

Alugar — alugada (s)   alugado (s)
Aplaudir — aplaudida (s)   aplaudido (s)
Vender — vendida (s)   vendido (s)

IRREGULARES

abrir - aberto	fazer - feito	pôr - posto
cobrir - coberto	ganhar - ganho	ver - visto
dizer -dito	gastar - gasto	vir - vindo
escrever - escrito	pagar - pago	

ATENÇÃO !!!
ESTES VERBOS SÃO IRREGULARES APENAS NA VOZ PASSIVA:

aceitar - aceito	expulsar - expulso	prender - preso
acender - aceso	limpar - limpo	salvar - salvo
eleger - eleito	matar - morto	soltar - solto
entregar - entregue		

ATENÇÃO !!!
SEMPRE NO PLURAL:

OS AFAZERES	OS ARREDORES
OS ÓCULOS	OS PÊSAMES
BELAS-ARTES	OS PARABÉNS
AS FÉRIAS	

APRENDA

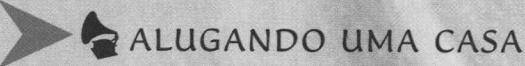

► ALUGANDO UMA CASA

NA IMOBILIÁRIA

C = Corretor   S = Sílvio

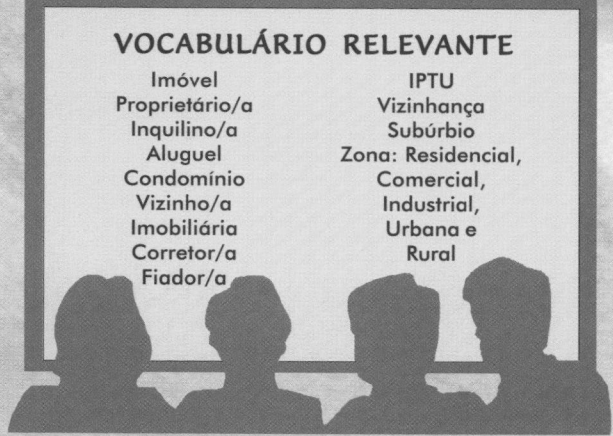

VOCABULÁRIO RELEVANTE

Imóvel	IPTU
Proprietário/a	Vizinhança
Inquilino/a	Subúrbio
Aluguel	Zona: Residencial,
Condomínio	Comercial,
Vizinho/a	Industrial,
Imobiliária	Urbana e
Corretor/a	Rural
Fiador/a	

C: Bom dia, posso ajudá-lo?

S: Bom dia, estou procurando uma casa para alugar. *alquilar*

C: Em que zona o senhor gostaria de alugar?

S: Na Zona Sul, de preferência num lugar de fácil acesso, perto de alguma estação do metrô. Se for possível, numa região bem servida.

C: Que tipo de casa está procurando?

S: Tem que ter no mínimo três dormitórios, um deles suíte. A cozinha pode ser pequena mas a sala de visitas e a sala de jantar devem ter um tamanho razoável.

C: Então acho que vai gostar desta aqui. Tem três dormitórios com uma suíte, sala de visitas, sala de jantar e cozinha grandes. Tem também lavanderia e dependências de empregada.

S: E garagem?

C: Naturalmente. Tem uma garagem para dois carros.

S: Onde fica?

C: Perto da estação Vila Mariana. É um local bem servido, em todos os sentidos. Perto tem padaria, supermercado, restaurantes, posto de gasolina, etc. Além do Metrô, passam ônibus para todos os lugares.

S: Já está mobiliada?

C: Tem armário embutido em todos os cômodos, inclusive na cozinha.

S: É acarpetada?

C: Não, o assoalho é de madeira. Por isso, é fresco no verão e quentinho no inverno.

S: Tem quintal?

C: Sim, não é muito grande mas dá pras crianças brincarem. Tem até uma mangueira que agora deve estar cheia de mangas.

S: De quando é a construção?

C: Não é muito nova mas é muito bem conservada. Foi construída há quinze anos.

S: E a vizinhança? É um lugar seguro?

C: Os vizinhos são muito legais. Quanto à segurança, nunca ouvi falar de assalto nesta região.

S: Quanto é o aluguel?

C: São oitocentos reais.

S: Parece ótimo! Quando posso vê-la?

C: Se quiser, agora mesmo! Em todo caso, tenho mais algumas coisas que talvez possamos discutir para otimizar nosso dia.

S: Está certo.

C: Tenho uma casa de vila num lugar privilegiado do Planalto Paulista. É uma vila com apenas 5 casas num lugar seguro, com portão automático na entrada.

S: Quantos quartos?

C: Não é muito grande, apenas dois dormitórios mas tem uma dependência nos fundos, separada da casa, com mais um dormitório e um banheiro.

S: Tem jardim?

C: Sim, e há uma pequena churrasqueira no quintal. Temos ainda um sobrado geminado não longe daqui. Tem três quartos e o aluguel está bem em conta porque o proprietário está apertado e precisa alugá-lo logo. Poderíamos ir visitá-lo já que no aluguel de oitocentos reais está incluído o telefone. Que tal?

S: Sim, vamos vê-lo.

C: Acho que são três boas opções, as melhores que tenho a oferecer no momento.

S: Como funcionaria o fiador?

C: Basta que você tenha alguém com um imóvel na cidade. O proprietário da casa da vila pede um fiador com dois imóveis mas acho que podemos negociar algo melhor com ele. Antes de mais nada vamos fazer as visitas. Você pode deixar o carro na garagem da imobiliária e podemos ir no meu carro, está bem?

ADVÉRBIO DE LUGAR

Exemplos

Vá <u>adiante</u>! Eu sigo logo <u>atrás</u>.
O jogo está acontecendo <u>dentro</u> do estádio.
O sítio fica <u>longe</u> daqui.

abaixo, acima, adiante, além, ali,
aqui, cá, atrás, dentro, fora, lá,
perto, longe, etc.

LOCUÇÃO ADVERBIAL DE LUGAR

à esquerda, à direita, de
longe, de perto, para dentro,
por aqui, etc.

LOCUÇÃO PREPOSITIVA DE LUGAR
(sempre seguida por uma preposição)

perto de, antes de, dentro de, fora de,
à esquerda de, à direita de,
longe de, em cima de,
embaixo de, na frente de, atrás de, etc.

Exemplos

A: Onde ele está?
B: Ele estava <u>por perto</u>. (locução adverbial)
C: Ele estava <u>perto da</u> janela. (locução prepositiva)

ADVÉRBIO DE MODO

adjetivo		advérbio de modo	
calmo	com calma	calmamente	assim, bem, devagar, depressa,
rápido	com rapidez	rapidamente	mal, pior, melhor
carinhoso	com carinho	carinhosamente	
tranqüilo	com tranqüilidade	tranqüilamente	*Exemplos*
irônico	com ironia	ironicamente	Ele fez o trabalho <u>com</u> muita <u>facilidade</u>.
fácil	com facilidade	facilmente	Ande <u>depressa</u>, se não quiser perder o trem.
cuidadoso	com cuidado	cuidadosamente	Faça <u>assim</u>, como foi explicado.

LOCUÇÃO ADVERBIAL DE MODO

Exemplos

às pressas,
passo a passo,
de cor, em vão,
em geral,
frente a frente,
etc.

Eles se olharam <u>frente a frente</u> antes do jogo começar.
Eles fizeram a greve <u>em vão</u>: não conseguiram nenhum benefício a mais.
Não sabemos se isto vai funcionar: foi planejado muito <u>às pressas</u>.

UNIDADE 9

Advérbios (1)
Discurso Indireto

 Ouça a fita e acompanhe a descrição da planta do apartamento.

NUM STAND DE VENDAS

Corretor: Bom dia! Posso ajudá-los? Meu nome é Valdemar.
Guilherme: Sim, gostaríamos de dar uma olhadinha nos apartamentos e nas condições de pagamento.
C: Pois não, vamos sentar.
G. e Márcia: Obrigado, Obrigada.
C: Aceitam um cafezinho, água, refrigerante?
G: Um copo d'água sem gelo, por favor.
M: Nada, obrigada.
C: Bem, aqui estão as plantas dos apartamentos tipos A e B. Os apartamentos tipo A são do bloco de apartamentos de 4 dormitórios e os do tipo B de três. Alguma preferência?
M: Sim, precisamos de 4 quartos. São suítes?
C: Dois são suítes.
G: Vamos ver!
C: Bem, aqui está a entrada da sala. São dois apartamentos por andar servidos por um elevador social e um de serviço.
G: Qual é a área total?
C: São 350 m² de área total e 200 m² de área útil. É um bom apartamento! Voltando à planta... a sala está dividida em dois ambientes. Aqui, à esquerda, logo na entrada, há um pequeno lavabo e aqui está a varanda com uma churrasqueira. Nesta parede será construída uma lareira. *fireplace*
M: Aqui é a entrada para a cozinha?
C: Sim, como a senhora pode ver, ela é bem iluminada pois a porta que dá para a área de serviço é de vidro e a janela da área é enorme. Alguns compradores optaram por derrubar a parede entre a cozinha e o quarto de empregada para utilizar o espaço como copa.

G: Boa idéia, mas nós precisaremos do quarto para utilizar como despensa.
C: Também é uma excelente idéia. Bem, vamos ver o restante. Este é o banheiro que serve os quartos que não são suítes, estes dois, e aqui estão as suítes. A suíte do casal tem um closet ao lado do banheiro. No banheiro há uma *(banheira para)* **hidromassagem.**
M: E a área social?
C: O prédio tem um belo salão de festas com capacidade para 100 pessoas, uma piscina infantil e outra para adultos e uma quadra poliesportiva. A segurança é máxima com filmadoras espalhadas pelo muro que cerca a área. Todas as imagens são vistas pelo porteiro na guarita. *portão gate*
G: Quantas vagas na garagem?
C: Duas vagas mais área para estacionamento de visitantes. Gostariam de ver um apartamento mobiliado para ter uma idéia melhor de espaço? Depois poderemos voltar e ver as condições de pagamento.
G: Não, vamos ver as condições primeiro.
C: Certo. O valor total é de R$ 300.000,00 sendo 40% na assinatura do Contrato e os demais 60% financiados diretamente com a Incorporadora em condições a serem discutidas. Os juros são os de mercado, sem comprovação de renda, mediante aprovação de ficha cadastral. *porcento*
G: Excelente. Vamos dar uma olhada na área e no apartamento. Qual é o prazo de entrega?
C: Já estamos na fase de acabamento. A entrega das chaves será daqui a seis meses.

copa (sala) — dining room?

No Brasil, algumas pessoas possuem uma casa (ou apartamento) na praia, outras têm sítios, chácaras, fazendas... E no seu país, isto é comum?
Atualmente, no Brasil, são muito comuns os condomínios fechados.
E no seu país? Existem condomínios fechados?
Quais instalações há na área social dos apartamentos no seu país?
Entre as instalações citadas no texto acima, qual é a que não se vê em seu país?

TIPOS DE MORADIA

CASA TÉRREA/GEMINADA
SOBRADO
CONDOMÍNIO FECHADO
APARTAMENTO (CONDOMÍNIO)
CHALÉ
MANSÃO
COBERTURA
CASTELO
CASA DE TEMPORADA/DE CAMPO/DE PRAIA
FLAT/APARTHOTEL
KITNET
CABANA
FAVELA (BARRACO)...

psiu!

1  Agora ouça os compradores conversando com um arquiteto e desenhe na planta as mudanças a serem feitas:

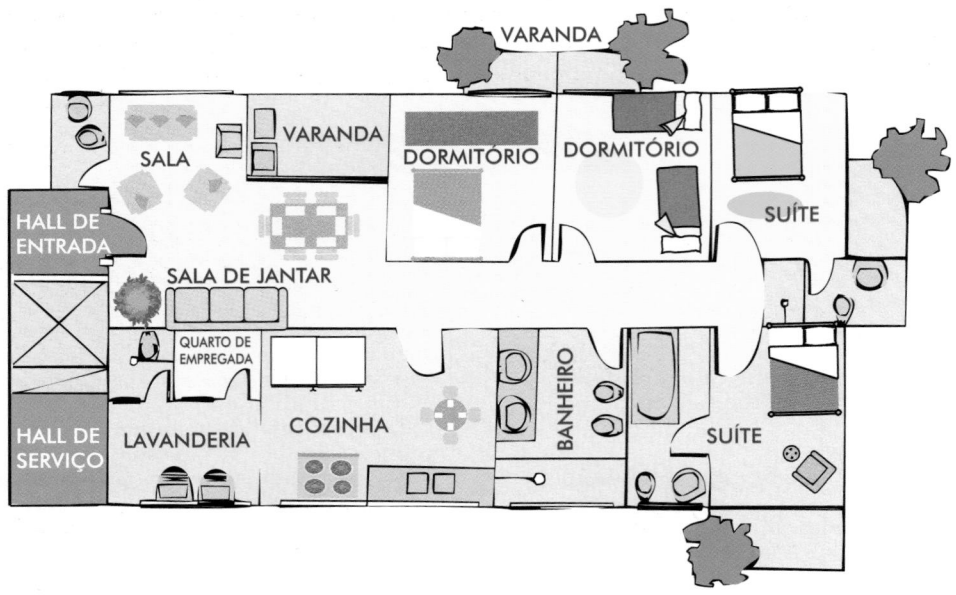

2 Desenhe a planta da sua casa/apartamento e discuta com seu/sua colega/professor as diferenças entre a sua casa e a dele/a.

Se você pudesse, que mudanças gostaria de fazer na sua casa? Por quê?

3

JOGO dos ADVÉRBIOS

Trabalhe em grupos: o jogo consiste em completar as frases que vocês ouvirão na fita, com os advérbios que estudamos na p. 82 (Estudo de...).
Ganha o ponto quem completar primeiro a frase com um advérbio adequado.

psiu!

ÁREAS COMUNS DE UM CONDOMÍNIO

CHURRASQUEIRA
GARAGEM
PISCINA
PLAYGROUND
QUADRA POLI-ESPORTIVA
SALÃO DE FESTAS...

UNIDADE 9

4 Muitas mudanças aconteceram em nossas vidas e em nossas comunidades devido ao avanço tecnológico e a novas idéias. Como as coisas mudaram desde o tempo em que você era mais jovem? Ou desde que seus pais ou avós eram jovens? Olhe os tópicos abaixo e fale sobre eles com seu professor ou colega. As mudanças são boas ou ruins? Por quê?

REVISÃO

EXEMPLOS

A: O que mudou em sua família até os dias de hoje?
B: *Antigamente* meus pais, meus irmãos e eu moràvamos no interior do Paraná, numa fazenda. *Quando eu tinha uns dez anos,* mudamos para a capital, onde moramos durante cinco anos numa casa pequena. Aí mudamos para um apartamento maior em um condomínio com muito verde, piscina, quadras e muita mordomia. *Hoje,* sou casado e moro com minha família em um apartamento no centro da cidade.

	COMO ERA ANTIGAMENTE	COMO É AGORA	MUDANÇAS BOAS ou RUINS
FAMÍLIA			
MORADIA			
TRANSPORTE			
DIVERSÃO			
TRABALHO			

5 Ouça a fita com os diálogos da p. 86. Tente descobrir qual foi o problema, em que cômodo ele ocorreu, qual foi a solução encontrada por João e finalmente, usando as opções mencionadas, QUAL É A PROFISSÃO DE JOÃO.

PEDREIRO   ENCANADOR   ELETRICISTA   PINTOR   TÉCNICO   ZELADOR

DIÁLOGO	PROBLEMA	CÔMODO	PROFISSIONAL	SOLUÇÃO
A				
B				
C				
D				
E				
F				

ELETRODOMÉSTICOS

APARELHO DE SOM (ESTÉREO, GRAVADOR, RÁDIO...)
ASPIRADOR DE PÓ
BATEDEIRA
CAFETEIRA
COMPUTADOR
FERRO ELÉTRICO
FOGÃO/FORNO (MICROONDAS)
GELADEIRA/CONGELADOR
LAVADORA/SECADORA
LIQÜIDIFICADOR
TELEVISÃO/VÍDEO...

psíu!

A

João: *Não tem jeito não senhora! Vamos ter que trocar o cano.*
Fernanda: *Mas é um vazamento tão pequeno! Não dá para consertar o cano?*
João: *Não dá não! Vamos ter que quebrar os azulejos e trocar o cano bem em cima da bacia sanitária.*
Fernanda: *Oh, Meu Deus! E se não acharmos azulejos iguais?*

B

João: *Nossa Dona! Essa instalação elétrica está um perigo!*
Cláudia: *E agora?*
João: *Vamos trocar os fios antes de instalar as luminárias. Vamos precisar de 5m. de fio vermelho e 3m. de fio branco.*
Cláudia: *Onde eu encontro isso?*
João: *Ah, em qualquer loja de material elétrico ou de construção!*

C

João: *Que cor vai ser a sala?*
Jorge: *A patroa quer pérola com o teto na mesma cor. De quantos galões de tinta o senhor vai precisar?*
João: *Um de massa corrida porque há muitas marcas de pregos e três de tinta porque vou dar duas demãos.*

D

Claudete: *Corre Maria, corre que está saindo água por baixo, corre e desliga que eu vou pegar um pano...*
João: *Foi a mangueira, Dona Claudete... Vou ter que voltar outro dia pra trazer uma nova.*
Claudete: *Não posso ficar sem usá-la... quando o senhor volta?*
João: *Vou ter que ver na autorizada mas acho que só daqui a uns três dias.*

E

João: *Vai derrubar mesmo?*
Bruno: *Vou, a sala é muito pequena...assim abrimos mais espaço. Está certo que vamos perder um quarto mas por enquanto basta um.*
João: *O senhor quer que eu traga o cimento, a areia e os tijolos ou o senhor mesmo compra?*
Bruno: *Estou sem tempo. Confio no senhor.*

F

João: *Tô subindo...*
Daniela: *Já tentei de tudo mas não adianta! Não consigo abrir a porta...e o pior é que Carlinhos está preso lá dentro. E agora?*
João: *No segundo andar tem um apartamento vazio. Vou pegar a chave do banheiro de lá pra ver se serve nesta porta daqui. Agüenta aí um pouquinho Dona Daniela, vai dar certo, se Deus quiser!!*

LOUÇAS e TALHERES

BANDEJA
BULE
COPO/TAÇA
PRATO: FUNDO/RASO/DE SOBREMESA
PIRES
TALHERES: FACA/COLHER/GARFO
TRAVESSA/SOPEIRA/VASILHA
XÍCARAS DE CAFÉ/CHÁ...

psiu!

6 Esta é a sala de estar de um casal sem filhos que há alguns meses resolveu adotar uma criança. A boa notícia é que ela chegará nos próximos dias. Juliana tem 1 ano e já se movimenta sozinha. Que mudanças o casal precisará fazer na sua sala para garantir a segurança de Juliana? Discuta as adaptações com seu colega usando as expressões apresentadas na p. 82.

7 Você vai ouvir Camila descrevendo o quarto dela. Coloque os objetos menciona-dos nos lugares indicados por ela:

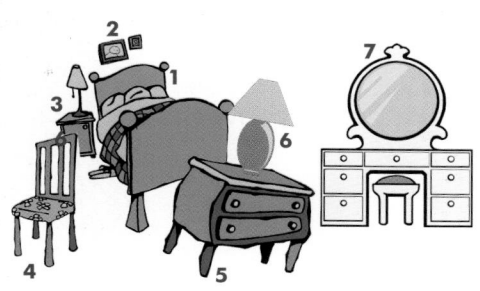

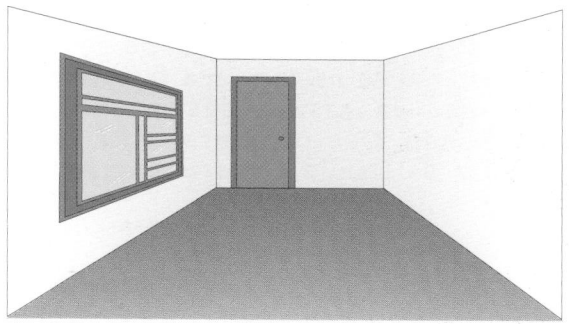

8 Guilherme não conhece bem a cidade. Siga o traçado e veja o caminho que ele fez para ir do ponto A ao ponto B. Discuta com seu colega que caminho Guilherme poderia ter feito para otimizar a sua caminhada.

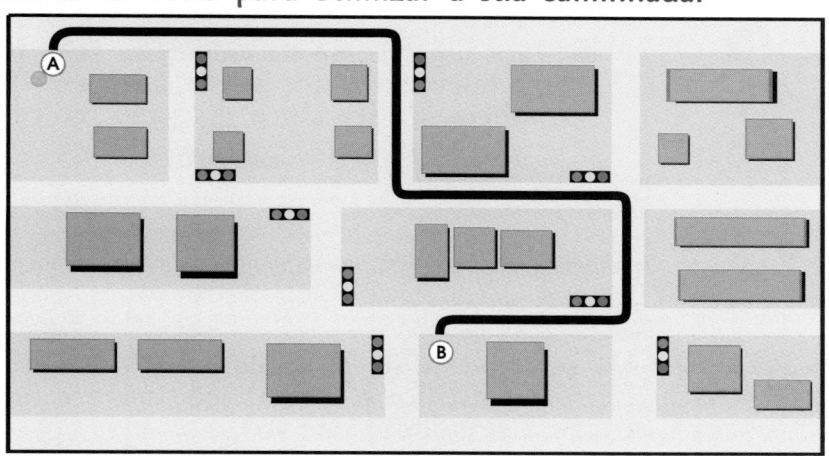

MOBÍLIA

ARMÁRIO
BELICHE
CADEIRA
CAMA
ESCRIVANINHA
ESTANTE
MESA DE CANTO/DE CENTRO
MESA DE CABECEIRA (CRIADO-MUDO)
POLTRONA
SAPATEIRA
SOFÁ...

psiu!

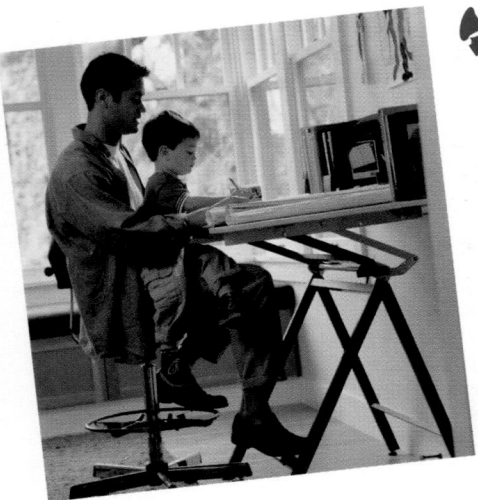

*U*m dos maiores problemas encontrados por casais em que tanto o homem quanto a mulher trabalham fora é com quem deixar os filhos. Assim, duas das profissões mais importantes nos dias de hoje são a de empregada doméstica e a de babá. Infelizmente esses profissionais normalmente não passam por cursos preparatórios e todo o aprendizado é feito em suas próprias casas ou nos locais de trabalho onde, muitas vezes, começam a trabalhar ainda muito jovens. Nas grandes cidades brasileiras, com alguma freqüência, as empregadas domésticas e as babás dormem 'no serviço' e têm a grande responsabilidade de cuidar totalmente das casas e muitas vezes até da educação das crianças.

 Discuta com seu colega/professor:

Danilo é pesquisador na área de Informática de uma grande universidade e Patrícia é responsável por um novo Programa de Treinamento de uma Empresa Multinacional e precisa viajar muito. Eles acabam de ter um casal de gêmeos e precisam, com urgência, entrevistar uma babá e uma faxineira que terão a responsabilidade de cuidar da casa e das crianças enquanto o casal estiver trabalhando. Que perguntas você faria às candidatas se estivesse no lugar de Danilo e Patrícia quanto a:

SEU PASSADO

SEU PRESENTE

SUAS OCUPAÇÕES FUTURAS NA CASA DO CASAL

POSSÍVEIS PROBLEMAS A SEREM ENFRENTADOS

10 Faça um resumo da entrevista feita por uma rede de televisão a um ladrão pego em flagrante pela polícia, utilizando o <u>discurso indireto</u>:

EXEMPLO:

Elza - "<u>Quero</u> viajar nas férias." — Elza disse que <u>queria</u> viajar nas férias.
João - "<u>Vou comprar</u> uma casa nova." — João disse que <u>ia comprar</u> uma casa nova.
Aldo - "<u>Termine</u> o relatório, hoje!" — Aldo disse <u>para terminar</u> o relatório hoje.

 O que você faria se estivesse no lugar de João?
Você acha que a fome justifica o roubo? João merece ficar preso?
Você acha que João é orgulhoso demais?

psiu!

CAMA e MESA

COLCHÃO
TRAVESSEIRO
LENÇOL/FRONHA
COBERTOR
COLCHA/EDREDON
TOALHA DE MESA/DE BANHO/DE ROSTO
GUARDANAPOS
TAPETE (DE BANHEIRO)...

 Leia as situações à esquerda e, após entender bem o seu significado, responda as perguntas da coluna da direita.

1. Jaqueline esfregou as meias várias vezes, mas foi *em vão*: as manchas não saíram.

2. Quando André e o técnico da TV viram-se *frente a frente*, não houve saída: André precisou admitir ter ligado a TV na voltagem errada.

3. Edson não titubeou: *em geral* ele se via tendo que tomar decisões difíceis e essa não fugia à regra.

4. Carla cozinha muito *bem*. São raras as vezes em que necessita consultar uma receita. Na sua casa a parada é dura, seu marido cozinha ainda *melhor*.

5. Siga as instruções do fornecedor *passo a passo*, *devagar*, não faça nada *às pressas* e não arrisque perder a garantia.

6. Paulinho sabia o poema *de cor*, mas na hora de declamá-lo ficou nervoso e esqueceu algumas partes.

1. Pense nos últimos dias. O que você fez com muito esforço mas revelou-se *em vão*?

2. Qual foi a última vez em que você se viu *frente a frente* com uma situação desagradável?

3. *Em geral* as casas no Brasil não têm aquecimento. E no seu país, elas são mais preparadas para as temperaturas frias?

4. Pense em uma coisa que você saiba fazer *bem*, mas que alguém do seu relacionamento faça ainda *melhor*.

5. Tente lembrar-se de alguma tarefa que tenha feito *às pressas* recentemente com resultado negativo. Descreva, *passo a passo*, como ela poderia ter sido feita mais *devagar* para trazer um resultado bom.

6. Para você, *decorar* informações é uma tarefa fácil ou difícil?

 Use *bastante, meio, muito, super, extremamente* para dar ênfase ao adjetivo sugerido para descrever sua possível reação perante as situações abaixo. Caso não concorde com a sugestão de adjetivo, use um outro que, na sua opinião, se adapte melhor à situação.

1. Seu filho mexeu em sua coleção de caixinhas de fósforos e rasgou algumas delas. (*furioso*)

2. A lavanderia estragou uma de suas roupas preferidas. (*aborrecido*)

3. Após anos de investimento em treinos, financeiro, em acompanhamento de perto, sua filha é convocada para fazer parte da equipe de natação dos Jogos Panamericanos. (*recompensada*)

4. Sua filha mais velha não quer continuar os estudos e prefere começar a trabalhar ao terminar o Ensino Médio. (*preocupada*)

5. Sua esposa decide que toda a família deve tornar-se vegetariana. (*chocado*)

 Leia o diálogo abaixo e explique a origem das expressões (ONOMATOPÉIAS) em *itálico*:

Outro dia fui a uma festa e bebi um pouco demais. Lá pelas tantas, o *blablablá* ficou demais e o *zunzunzum* começou a me deixar tonto. Fugi para uma das salas da casa onde havia algumas crianças assistindo à TV. Era um filme de *bangue-bangue* que só piorou meu estado. Fui então para a garagem onde outras tantas crianças jogavam *pingue-pongue* e me deixaram completamente tonto. Ouvi então o *tique-taque* do relógio de parede batendo como um tambor na minha cabeça e decidi: não dá, preciso ir embora!

sair

CASAS DE ASSISTÊNCIA SOCIAL

ALBERGUE NOTURNO
ASILO
CASA DE DETENÇÃO
CASA DE RECUPERAÇÃO DE MENORES
CRECHE
MANICÔMIO
ORFANATO...

psíu!

UNIDADE 9

História do Brasil (1)

Do Descobrimento à Independência

Pedro Álvares Cabral chegou à Bahia de Todos os Santos em 1500, porém muitos anos antes Portugal já havia assegurado direitos sobre essas terras através do Tratado de Tordesilhas (1494) assinado entre Espanha e Portugal. Os colonizadores impuseram seu domínio sobre as populações indígenas e comercializaram o pau-brasil, madeira utilizada para tingimento nas fábricas têxteis européias. O perigo dos franceses se apoderarem do Brasil precipitou sua colonização definitiva. A exploração do pau-brasil foi substituída pela do açúcar, usando-se inicialmente mão de obra indígena. A grande sensibilidade dos indígenas às enfermidades transmitidas pelos europeus incentivou a decisão portuguesa de usar mão-de-obra africana nos trabalhos agrícolas da colônia.

Calcula-se que entre 1532 e 1585, aproximadamente 3,5 milhões de escravos foram trazidos ao Brasil. Milhares deles, desafiando o sistema colonial, fugiram das plantações da costa para as selvas congregando-se com indígenas e mestiços formando povoados chamados 'quilombos' ou 'mucambos'. No nordeste brasileiro ficaram famosos os quilombos de Palmares (1630-1695) e a figura

de Zumbi, líder da luta contra as expedições militares coloniais. Até hoje comemora-se o dia 20 de novembro, dia da morte, em combate, de Zumbi, como o Dia da Consciência Negra.

A utilização de escravos africanos não parou a dominação sobre as populações indígenas já que os portugueses que não podiam comprar escravos promoviam as incursões 'bandeirantes' a territórios espanhóis, especialmente às missões jesuítas de Guaíra, onde os índios guaranis já estavam relativamente imunizados às doenças e acostumados com as formas de trabalho agrícola coletivo. As devastações humanas foram tão grandes que as missões foram obrigadas a mudar-se cada vez mais para o sul, até o atual Estado do Rio Grande do Sul.

A incorporação de Portugal ao Reino Espanhol em 1580, teve conseqüências importantes para o Brasil. De um lado, as fronteiras impostas pelo Tratado de Tordesilhas desapareceram, facilitando assim a penetração cada vez maior dos bandeirantes, e por outro lado, com os Países Baixos passando também à coroa espanhola, os holandeses se estabeleceram em Pernambuco entre 1630 e 1654.

A crise do açúcar obrigou a busca

de meios substitutivos. Em 1696 os bandeirantes encontraram os primeiros filões de ouro no hoje Estado de Minas Gerais e no século XVIII alcançou-se o maior índice de produtividade do metal. O ciclo do açúcar foi assim substituído pelo do ouro. De certa maneira, a expansão da economia exportadora beneficiou a classe dominante local que cada vez mais manifestava seu desejo de prescindir da mediação de Portugal em seu comércio com a Europa. No fim do século XVIII surgiram os primeiros movimentos em favor da independência e o maior símbolo de liberdade dos brasileiros, Tiradentes, executado em 1792 devido a seu destaque na Conjuração Mineira.

A invasão da Península Ibérica por Napoleão, em 1808, determinou a decisão do rei de Portugal de mudar a corte para o Brasil colocando assim o país numa situação de quase independência. Assim, o Brasil passava a comercializar diretamente com seu maior cliente, a Grã Bretanha. Com a volta do rei à metrópole em 1821, a burguesia comercial brasileira declarou a independência do país em 7 de setembro de 1822, com o príncipe regente, D. Pedro I, passando a ser Imperador.

Fonte: Guía del Mundo 1998

UNIDADE 10

O BAIRRO

 ## AO TELEFONE

A: Alô, Marisa está?
B: Marisa?
A: É, queria falar com a Marisa.
B: Não tem ninguém com esse nome aqui, não senhor.
A: Então desculpe, foi engano.

A: Alô, Marisa está?
B: Quem gostaria?
A: Aqui é Andréa, colega dela da escola.
B: Um momento, por favor. Vou chamá-la.
C: Alô, quem fala?
A: Ôi Marisa, é Andréa!
C: Ôi Andréa, tudo bem?
A: Tudo. Você está ocupada nesta sexta à noite?
C: Nesta sexta? Acho que não. Por quê?
A: Ganhei duas entradas para o teatro. Não quer ir comigo?
C: Claro que sim! Você sabe que eu adoro teatro!
   Que peça é?
A: *Master Class*, com Marília Pera.
C: Nossa! Que legal!
A: Está no Cultura Artística.
C: Que ótimo! Fica bem pertinho da minha casa!
   Você não quer dar uma passadinha aqui antes de irmos? Você nunca veio me visitar!
A: Também, você nunca me convidou antes!

A: É do banco?
B: Pois não, com quem gostaria de falar?
A: Com o gerente.
B: Qual deles?
A: Tanto faz, qualquer gerente.
B: Um minutinho só, por favor.
C: Valter.
A: Bom dia, seu Valter, meu nome é Aldo. Gostaria de fazer um resgate de aplicação.
C: Pois não, senhor Aldo. Qual o número da sua conta?
A: 414058. Tenho duas aplicações vencendo hoje.
C: Um minutinho só, vou verificar. Acho que há um engano. Uma das aplicações, a mais alta, o CDB de 60 dias, vence só amanhã. A aplicação que vence hoje é a de 30 dias. Gostaria de saber o valor?
A: Não, acho que já sei aproximadamente. Pode desaplicá-la. A aplicação que vence amanhã é reaplicada automaticamente?
C: Sim, a menos que o senhor deseje solicitar o resgate.
A: Não, pode reaplicar.
C: Pois não, senhor Aldo. Mais alguma coisa?
A: Não, muito obrigado pela atenção. Até logo.
C: Até mais.

A: Alô!
B: Supermercado Souza, bom dia!
A: Bom dia! Gostaria de falar com o gerente, por favor!
B: Ele está em reunião. Seria só com ele ou eu poderia ajudar?
A: Obrigada, mas gostaria de falar com ele mesmo.
B: Gostaria de deixar algum recado?
A: Diga-lhe, por favor, que Elza, da Castro e Companhia, telefonou e que se ele puder dar um retorno ainda hoje eu ficarei agradecida. Gostaria de conversar com ele sobre um produto novo que estamos lançando no mercado e gostaria de saber se ele estaria interessado em conhecer e comercializar mais esse novo produto.
B: Pois não. O recado será dado assim que a reunião terminar. Pedirei ao gerente para que dê um retorno ainda hoje. Posso ajudá-la em mais alguma coisa?
A: Não, por enquanto é só isso. Obrigada pela atenção.

UM POUCO MAIS SOBRE OS ADVÉRBIOS

 AFIRMAÇÃO - sim, realmente, certamente, etc.

 DÚVIDA - talvez, etc.

 INTENSIDADE - bastante, bem, demais, mais, menos, meio, muito, quase, tão, etc.

 NEGAÇÃO - não, jamais, nunca, nada, absolutamente, etc.

 TEMPO - agora, ainda, amanhã, cedo, tarde, nunca, jamais, depois, já, logo, sempre, outrora, antes, etc.

LOCUÇÃO ADVERBIAL

AFIRMAÇÃO	TEMPO
por certo, sem dúvida, etc.	de noite, de dia, de vez em quando, à tarde, hoje em dia, nunca mais, etc.

LEMBRE-SE! USAM-SE OS ARTIGOS DEFINIDOS:

A) Com pronomes possessivos:

- é facultativo antes de possessivo que acompanha um substantivo (meu carro, o meu carro)
- substitui o possessivo quando usado antes do nome de partes do corpo, peças de roupa, objetos de uso pessoal, etc.: mexeu os braços (**e não** mexeu **seus** braços), vestiu a camisa...

B) Com nomes geográficos:

- usa-se normalmente com nomes de países, regiões, continentes, montanhas, vulcões, desertos, constelações, rios, lagos, oceanos, mares e grupos de ilhas: o Brasil, o Triângulo Mineiro, a Europa, os Andes, o Cruzeiro do Sul, o Tietê, o Titicaca, o Atlântico, o Mediterrâneo. Exceção: alguns países e regiões rejeitam o artigo: Portugal, Macau...
- não se usa, em geral, com nomes de cidades, de localidades e da maioria das ilhas: São Paulo, Cuba...
Exceção: nomes de cidades que se formaram de substantivos comuns **conservam o artigo**: o Recife, o Rio de Janeiro, o Porto..., assim como algumas ilhas: a Madeira, a Groenlândia...

C) Com nomes próprios:

- não se usa com nomes próprios: chegou com Maria; mas se usa para indicar intimidade com a pessoa, apelido ou qualificativo de pessoas: meu amigo, o João; Isabel, a Redentora.
- usa-se em títulos que indicam profissão, cargo ou condição: o professor Carlos, o doutor Gomes.

ATENÇÃO

A maioria dos nomes de
CIDADES e ESTADOS
NÃO leva artigo:

Minas Gerais
São Paulo
Paris
Nova Iorque...

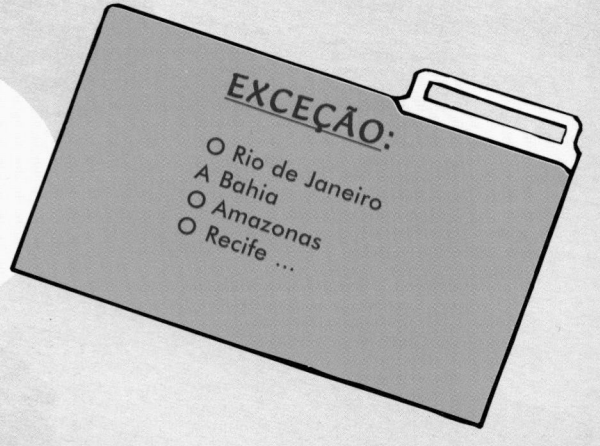

EXCEÇÃO:

O Rio de Janeiro
A Bahia
O Amazonas
O Recife ...

UNIDADE 10

Advérbios (2)
Artigos Definidos

 OS BAIRROS

No Brasil, as cidades estão divididas em BAIRROS. Nas grandes metrópoles, os bairros acabam se tornando nossa 'pequena cidade' dentro de um universo maior. Cada vez mais, os bairros se organizam para tornar a vida de seus habitantes mais humana e agradável. Já existe o Jornal do Bairro, a Festa Junina das ruas tal e tal, a Oktoberfest tal, a Festa Italiana tal, etc. As Igrejas também promovem reuniões das suas comunidades trazendo assim as famílias mais para perto das organizações de bairros. Muitas vezes, povos da mesma origem se concentram neste ou naquele bairro. Assim, há bairros conhecidos pela sua comunidade japonesa, alemã, italiana, etc.

Uma das imagens mais comuns nos bairros é a feira de rua que consiste de um mercado de frutas, verduras, aves abatidas, peixes, flores, etc. montado uma vez por semana em determinada rua do bairro. Aos poucos, os feirantes vão conhecendo todos os fregueses e assim sabendo também os seus gostos.

A arte de ser feirante é muito interessante pois normalmente eles/elas são pessoas muito bem humoradas, com um linguajar todo próprio e com expressões e piadas que só eles sabem fazer. As feiras são montadas bem cedo e normalmente vão até as 13 ou 14 horas. Geralmente as que acontecem aos sábados ou domingos são as que vão até mais tarde. Toda feira que se preze tem um ou mais vendedores de pastel e de caldo de cana!!!

As padarias, açougues, farmácias, bancas de jornais, etc. também são pontos em que aos poucos as pessoas vão ficando conhecidas no bairro.

Algumas Prefeituras já implantaram a Polícia Comunitária: são policiais que estão sempre prestando serviço na mesma área e que, aos poucos, vão conhecendo o movimento dos habitantes e se acostumando com a rotina do lugar. Alguns bairros têm ainda seu próprio policiamento particular feito por meio de vigias que circulam em viaturas especiais, de moto ou de bicicleta.

 O que você gosta de encontrar perto da sua casa?
Qual é a sua definição de BAIRRO ideal para se morar?

1 Releia o texto passando-o para o IMPERFEITO.
Neste exercício, ALGUMAS PALAVRAS PRECISARÃO SER EXCLUÍDAS enquanto OUTRAS DEVERÃO SER SUBSTITUÍDAS.
Comece assim:

REVISÃO

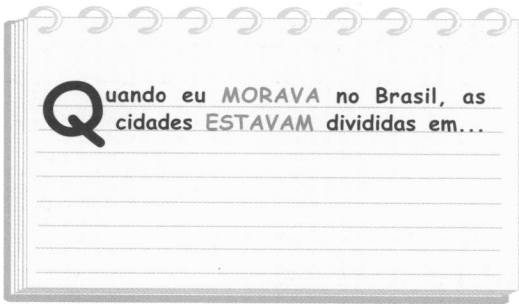

Quando eu MORAVA no Brasil, as cidades ESTAVAM divididas em...

SEGUROS

DE CARRO
DE CASA
DE INVALIDEZ
DE VIAGEM
DE VIDA...

psiu!

2 Compare os dois desenhos de um bairro como era há 30 anos e como é hoje. Faça sete frases sobre as mudanças que FORAM FEITAS nesse período. REVISÃO

3 Cada dia mais nossos hábitos, nossas cidades e o desenvolvimento nos levam a compartilhar espaços com mais pessoas. Nas grandes cidades provavelmente moramos em edifícios residenciais ou em condomínios fechados. Desenvolva uma lista de dez itens descrevendo um guia de etiqueta para se viver em comunidade.

4 Leia o texto de Ivan Angelo, abaixo, em voz alta.

REVISÃO

Minha primeira experiência como condômino foi apartamento de último andar, de frente para Cemitério da Consolação. Gostava paisagem, falando sério. Apartamento de baixo tinha varandão, tipo cobertura, de fora a fora. Quando eu dava alguma reunião, meu tormento era impedir que fumantes atirassem tocos de cigarro janela. Invariavelmente tinha de pedir desculpa vizinhos de baixo – jovem casal americano – e oferecer minha faxineira para limpeza. Se eu fosse alguma mãe moralista de filhos adolescentes, quem iria agüentar reclamação era americana, que costumava tomar banho de sol pelada varanda. Como eu disse, gostava da paisagem. (...) Minha mulher de então resolveu criar um cão. Em nosso favor, devo dizer que escolhemos raça que late raramente, afghan hound. Chamava-se Assur, nome pretensioso, reconheço. Ninguém prédio desconfiou que havia cão em casa. Mas filhote é problema. Tem de aprender força lugar necessidades, a não roer sofás nem móveis. Dona o educava como ensinaram: enrolava jornal, levava bicho até lugar da travessura e fazia escândalo, batendo jornal chão e gritando: "Não, Assur!" E pá! "Não, Assur!" E pá! "Não, Assur!" Pá! Que pensaria vizinhança daquele berreiro? Resposta veio do vizinho de baixo, ao encontrar-me elevador: " – Boa tarde, seu Assur.".

Fonte: Revista Veja - 2003

Você sentiu falta de alguma coisa? Releia o texto preenchendo-o com artigos definidos ou indefinidos. Percebeu a diferença?

ATENÇÃO!

Em alguns casos você precisará fazer contrações dos artigos com preposições.

5 Ouça Fábio, Solange e Leonardo falar sobre o que eles estão tentando aprender. Como estão praticando? Que problemas estão encontrando?

	Atividade	Técnicas para praticar	Problemas que estão tendo
Fábio			
Solange			
Leonardo			

ACIDENTES GEOGRÁFICOS

LAGOA/LAGO
MAR/OCEANO
MONTE/MONTANHA
PÂNTANO
PLANALTO
PLANÍCIE
RIACHO/RIO
VALE...

psiu!

U N I D A D E 10

 **Estude o exemplo e faça frases semelhantes para as demais situações usando os verbos indicados:**

REVISÃO

**Exemplo: Eles não *estudaram* para o vestibular mas a lição valeu!
Com certeza *estudarão* para o próximo!!!**

BEBER

OBEDECER

PASSAR PROTETOR SOLAR

ESTUDAR O MAPA

 Dona Marta arrumou o quarto de Pedrinho. Observe as figuras e diga o que foi feito.

ANTES

REVISÃO

DEPOIS

Ouça a fita e faça uma lista das VANTAGENS e das DESVANTAGENS de se morar em cada um dos 4 BAIRROS ABAIXO:

BAIRRO A

vantagens	desvantagens

BAIRRO B

vantagens	desvantagens

BAIRRO C

vantagens	desvantagens

BAIRRO D

vantagens	desvantagens

DISCUTA COM SEU PROFESSOR: que tipo de informação passam os cartazes abaixo? Onde você esperaria vê-los?

ALUGAM-SE CASAS

COBREM-SE BOTÕES

VENDEM-SE MUDAS

REVISÃO

FAZEM-SE TRADUÇÕES

LÊEM-SE BÚZIOS

ENCAMINHAM-SE RECEITAS

SIGLAS DE ESTADOS

psíu!

 SAINDO DE FÉRIAS

Dona Zilda e seu Nelson estão
saindo de férias para a Argentina
por três semanas. O casal tem dois
filhos: Joel, de 20 anos, e Célia, de
18. Ambos vão prestar vestibular na
próxima semana, por isso não
poderão viajar com seus pais.
D. Zilda é uma senhora muito
organizada. Vejam a lista de
recomendações que ela deixou para
seus filhos antes de viajar:

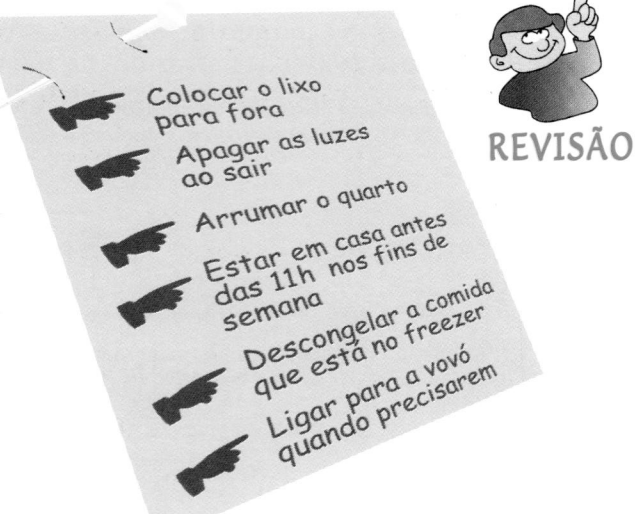

REVISÃO

Observando a lista de dona Zilda, complete as orações abaixo e acrescente uma
nova informação. Veja o exemplo:

Quando estiverem com fome, Joel e Célia **VÃO DESCONGELAR** a comida ou **VÃO PEDIR** uma pizza.

1. Antes de ir à escola, pela manhã, eles _____ ou _____

2. Quando se levantarem, Joel e Célia _____ ou _____

3. Antes de dormir, eles _____ ou _____

4. Se saírem no final de semana, _____ ou _____

5. Se tiverem algum problema, _____ ou _____

Nas grandes cidades brasileiras cresce, cada dia mais, o serviço de
acompanhamento de pessoas da terceira idade a teatros, restaurantes,
passeios, viagens, às mais diversas atividades. Dona Olga é a cabeça de
um grupo de senhoras que vêm se encontrando para fazerem vários
programas juntas há vários anos. Hoje é dia de irem assistir ao último
show de Maria Bethânia, 'Brasileirinho', e então de continuarem a
noitada em um restaurante. São dez senhoras ao todo, o número
suficiente para lotar a mesma van alugada sempre que o grupo
organiza uma saída.

REVISÃO

11 Imagine ser um neto de dona Olga. Use as expressões abaixo para
desejar um bom divertimento a sua avó.

Espero que...   Lembre-se de...   Tomara que...

Não deixe de...   Desejo que...   Cuidado ao...

PARTES DO CORPO HUMANO

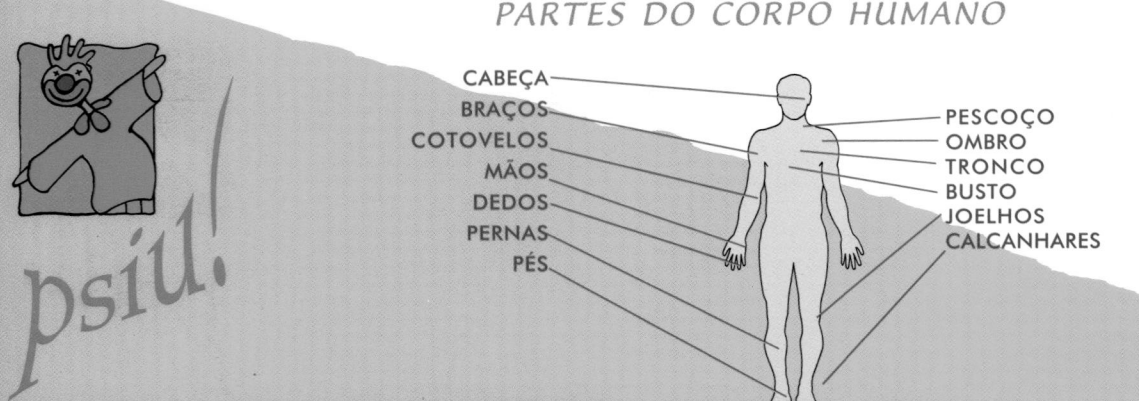

CABEÇA
BRAÇOS
COTOVELOS
MÃOS
DEDOS
PERNAS
PÉS

PESCOÇO
OMBRO
TRONCO
BUSTO
JOELHOS
CALCANHARES

psiu!

 O telefone toca na casa dos Silva. É Tomás, o caseiro da chácara em Campos do Jordão...
O que você *faria* caso *tivesse* que resolver estes problemas?

REVISÃO

A: Seu Edson, a piscina tá com vazamento...Já tentei consertar mas não sei não...a água já baixou uns dois palmos!

SE _____ EU_____

B: Desculpe incomodar, seu Edson, mas estourou o gerador e assim a bomba que puxa a água para a horta não funciona...!

SE_____ EU_____

C: Seu Edson, não está dando! Preciso de um aumento...a Josefa está doente e aqui os médicos não sabem o que está havendo com ela...tenho que levá-la para São Paulo.

SE_____ EU_____

D: O jardineiro não veio, seu Edson! O churrasco é na próxima semana, o senhor vai trazer aquele pessoal todo da Empresa e os jardins estão que é mato só...

SE_____ EU_____

E: Boa noite, seu Edson! Tô ligando porque o senhor pediu *pra* chamar o chaveiro *pra* fazer mais três chaves do cadeado do portão...achei meio caro e assim tô ligando *pra* pedir autorização...Vai ficar em cinqüenta reais, tudo bem?

SE_____ EU_____

Agora ouça a fita e dê a sua opinião sobre as soluções dadas para Tomás.

De acordo com estudo da Mercer Human Resource Consulting, as mães brasileiras têm benefícios acima da média mundial. Leia trechos da matéria e construa frases utilizando os advérbios apresentados na p. 92 para dar ênfase às suas idéias.

'Ao comparar a prática da licença-maternidade em 34 nações, o Brasil figura como segundo colocado nos rankings de remuneração semanal e benefício total dados à profissional após o nascimento de um filho'.

_____

'... o período de 24 semanas (120 dias) concedido por lei às contratadas brasileiras faz com que o país ocupe o nono lugar da lista de tempo disponível às funcionárias que se tornam mães.'

_____

'... o Brasil é o segundo em número de semanas com remuneração integral (24 semanas com 100% do salário), perdendo apenas para a Noruega, que mantém 100% dos rendimentos durante 42 semanas de afastamento.'

_____

'O fato de o Brasil estar entre os mais 'generosos' na concessão de licença-maternidade não significa que as profissionais de fato aproveitem o benefício: o retorno à labuta antes dos 120 dias tem sido cada vez mais comum.'

_____

Fonte: 'Licença-maternidade', jornal Folha de São Paulo - 2003

Emissoras de televisão de várias partes do mundo vêm desenvolvendo apresentadoras virtuais que se parecem com seres humanos. Utilize o vocabulário referente às partes do corpo humano e os adjetivos constantes nas páginas 96 e 26, respectivamente, para descrever como seria a sua apresentadora/o seu apresentador ideal.

EXPRESSÕES (1)

FAZER
- ANOS
- AS MALAS
- BEM
- CERIMÔNIA
- COMENTÁRIOS
- EXCEÇÃO
- FILA
- MAL
- QUESTÃO...

psíu!

 Relacione as falas abaixo com quem você acha que as diria.

REVISÃO

Sentem-se e abram seus livros na página trinta.

Uma jovem furiosa terminando o relacionamento com o namorado...

"Diga-me com quem andas que te direi quem és."

Um chefe aborrecido dando uma ordem a sua secretária...

Refaça os relatórios um a um e preste atenção na ortografia.

Um professor no início de sua aula...

Desculpe-me pelo atraso, mas o trânsito estava horrível.

Uma mãe preocupada com as amizades de seus filhos...

Não apareça mais na minha frente. Você traiu minha confiança.

Uma funcionária ao chegar no escritório...

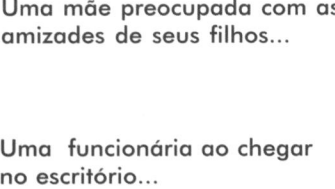

 Leia trechos da obra 'Memorando', de Geraldo Mayrink e Fernando Moreira Salles. São memórias de gerações brasileiras do passado, mas que podem muito bem ser consideradas memórias universais. Após cada lembrança, diga se você se identifica com ela e comente seus sentimentos. Em seus comentários, utilize os advérbios de afirmação, de negação, de dúvida, de tempo e de intensidade apresentados à p. 92.

Eu me lembro...

1. '... que a soma do quadrado dos catetos é o quadrado da hipotenusa e que meus professores diziam que conhecimentos como este seriam de grande utilidade pela vida afora.'

2. '... do Garrincha explicando por que só chutava com o pé esquerdo: "Se eu chutar com os dois eu caio."'

3. '... que era quase impossível entrar acompanhado num hotel sem mostrar a certidão de casamento.'

4. '... do tempo em que o Jornal do Brasil não tinha noticiário de polícia, que era considerado um assunto menor.'

5. '... de que vale o que está escrito.'

6. '... do Oiapoque ao Chuí.'

7. '... de a, ante, após, até, com, contra, de, desde, para, per, perante, por, sem, sob, sobre, trás...'

8. '... que nem tudo que reluz é ouro. Nem tudo que balança cai.'

9. '... do tempo que chuchu dava em cerca.'

10. '... que era preciso matar a cobra e, como se não bastasse, mostrar o pau.'

11. '... de que aprendi que saudade é uma palavra da língua portuguesa.'

psíu!

 EXPRESSÕES (2)

T
O
M
A
R

A LIBERDADE DE
CAFÉ (DA MANHÃ)
CONTA
CUIDADO
ÔNIBUS/TREM/METRÔ
PARTE
UMA MEDIDA

UNIDADE 10

16 Você é morador/a do Bairro X e sempre faz compras na vizinhança, principalmente num supermercado, perto de sua casa. Você é um/uma cliente assíduo/a e nunca teve motivos para reclamações. Mas hoje você comprou um PRODUTO Y que veio com ALGUM DEFEITO ou IRREGULARIDADE.
Escreva uma carta ao Gerente do Supermercado relatando o ocorrido e exigindo algum tipo de providência. Na carta INCLUA: seus dados, sua opinião sobre o supermercado, o dia da compra do produto, as especificações do produto, as irregularidades, etc.

COMECE A CARTA ASSIM:

Ao
Supermercado _____
<u>NESTA</u>

Prezado Sr..

_____
_____
_____
_____
_____
_____
_____
_____
_____
_____

Atenciosamente,

_____
(SEU NOME)

Alguma vez você já escreveu uma carta parecida com esta?
Se você comprasse algum produto com defeito, o que você faria:

1 - iria à loja onde você comprou o produto, devolveria o produto e pediria o seu dinheiro de volta;

2 - pediria para trocar por outro da mesma marca;

3 - escreveria uma carta diretamente ao fabricante;

4 - iria ao Procon e faria uma denúncia;

5 - não faria nada?

17 Ouça o diálogo e observe o uso das expressões: "dizem que ...", "falam por aí que...", "ouvi falar que...", "sabe-se que...". Construa diálogos semelhantes sobre:

Milton Nascimento	Outra pessoa qualquer (Pesquisar - Entrevistar)
Nascido em: 26/10/42, no Rio de Janeiro Mudou-se logo em seguida para Três Pontas-MG Aprendeu a tocar desde cedo violão, piano e acordeon Trabalhava na Rádio em Três Pontas 1ª música em público em 63- Malagueña 1º LP em 67- grandes sucessos: "Travessia", "Clube da Esquina" entre outros Seus discos são lançados em vários países	

EXPRESSÕES (3)

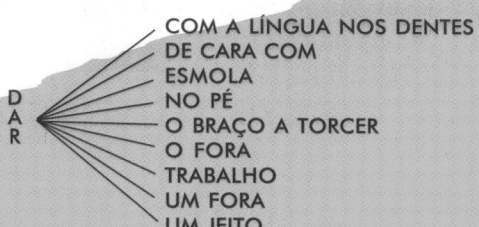

	COM A LÍNGUA NOS DENTES
	DE CARA COM
	ESMOLA
D	NO PÉ
A	O BRAÇO A TORCER
R	O FORA
	TRABALHO
	UM FORA
	UM JEITO...

psiu!

História do Brasil (2)

Do Império à República

O Império durou de 1822 a 1889 com o país ampliando suas fronteiras: a Província Cisplatina (mais tarde República Oriental do Uruguai) foi incorporada ao Brasil, a guerra da Tríplice Aliança contra o Paraguai deu ao Brasil mais 90.000 quilômetros quadrados de território e, já no fim do século, o Acre boliviano passa a ser brasileiro. A economia permaneceu latifundiária com a exportação de produtos agrícolas e a exploração de trabalho escravo abolido apenas em 1888.

O cultivo do café representou, durante um longo período, a atividade econômica predominante. O regime oligárquico baseado nessa economia modificou-se muito com o advento da república e foi questionado por inúmeras revoluções armadas. As rebeliões gaúchas do sul, como a Guerra dos Farrapos (1835-1845) por exemplo, contaram com a participação de combatentes dos países do Rio da Prata.

Em 1930 um golpe de Estado proclama presidente Getúlio Vargas (governo de ditadura com o Estado Novo - 1937 a 1945 voltando ao poder em 1950 como presidente constitucional) e a 'Revolução de 30' marca o fim do predomínio dos proprietários de terras, cujo poder havia sido corroído pela crise mundial de 1929 que arrasou a economia do café.

O 'trabalhismo' de Vargas inaugurou o modelo de substituição de importações, dando prioridade à produção industrial própria e, durante a Segunda Guerra Mundial, à siderúrgica.

Em 1953 estabeleceu-se o monopólio estatal do petróleo, com a criação da Petrobrás. Várias leis sociais foram promulgadas nesta etapa. Vargas se suicidou em 1954 deixando uma carta testamento em que acusa 'forças obscuras' (com alusão ao imperialismo e a seus aliados internos) de não permitirem um governo adequado às aspirações populares e nacionais.

Juscelino Kubitschek (1956-1961) traz ao país empresas estrangeiras que encontram no Brasil incentivos excepcionais. Durante o seu governo a capital muda-se da cidade do Rio de Janeiro para a recém construída Brasília, desenhada para marcar uma nova etapa no processo de desenvolvimento econômico do país.

Jânio Quadros e João Goulart sucedem Kubitscheck até a adoção do regime parlamentar com Tancredo Neves como primeiro ministro. Em 1963, após um plebiscito nacional, restabelece-se o presidencialismo em que Goulart tentou pôr em prática medidas como a reforma agrária e a transferência de dividendos de empresas estrangeiras ao exterior. No dia primeiro de abril de 1964 dá-se o golpe militar que permite ao novo governo promulgar o Ato Institucional nº 5 (AI-5) que aboliu a Constituição liberal de 1946. É uma época em que muitos líderes nacionais buscam o exílio.

Entre 1964 e 1983 houve uma sucessão de Atos Institucionais e o regime militar firmou-se no poder. Os últimos presidentes desta era, os generais Ernesto Geisel e João Baptista Figueiredo, governaram a fase de transição da abertura política. Em novembro de 1979, o Congresso aprovou um projeto amplo de anistia que possibilitou a liberação de presos políticos e o retorno de exilados. É neste período que o país vê o surgimento de sindicatos fortes, especialmente o dos metalúrgicos, liderado por Luiz Inácio da Silva (Lula).

No campo econômico-financeiro, os sucessivos governos militares aplicaram uma política monetarista que levou o país a um endividamento alarmante.

Fonte: Guia del Mundo 1998

A EDUCAÇÃO

FAZENDO UMA MATRÍCULA

A: Bom dia! *Pra* **que série?**
B: Primeira.
A: Já tem 7 anos?
B: Ainda não. Vai fazer 7 em março.
A: Então está bem. Trouxe todos os documentos?
B: Aqui estão: Certidão de Nascimento, Caderneta de Vacinações, 2 fotos e o formulário preenchido.
A: Trouxe o original da Certidão de Nascimento?
B: O original e uma cópia.
A: Ótimo! Agora, por favor, entre naquela fila para fazer o pagamento da taxa de matrícula.
B: Meu Deus! Outra fila? E depois?
A: Traga o comprovante de pagamento e venha retirar a lista do material escolar que a sua filha deverá trazer no primeiro dia de aula. Aqui está também o calendário escolar, onde aparecem a data do início e do término das aulas e todas as atividades programadas durante o primeiro e o segundo semestres do ano.
B: E o uniforme, onde posso conseguir?
A: Pode comprar aqui na escola mesmo.
B: Onde?
A: Lá, naquele balcão. *(help desk)* **Está vendo?**
B: Nossa, mas que fila!

NO DIA DA MATRÍCULA EM UMA FACULDADE

A: Ôi, Marcelo! Veio fazer a matrícula?
B: Não, estou só pedindo uma informação.
A: Vai pegar muitas matérias este semestre?
B: Bem, não sei se você está sabendo mas eu prestei vestibular outra vez e agora estou em outra área.
A: Então já não vai estudar mais com a gente?
B: É, sou calouro outra vez. Hoje eu vim pedir meu histórico acadêmico. Quero ver quais as matérias que eu já fiz que podem ser convalidadas. Afinal, eu já tinha conseguido muitos créditos...
A: É uma pena, mas se é isso que você realmente quer, lhe desejo boa sorte!
B: Obrigado. E você? Vai pegar muitas matérias?
A: O máximo que eu *puder,* **pra ir adiantando. No último ano não quero ficar correndo atrás de créditos não. No último ano a** *gente* **tem que fazer estágio e eu estou querendo me formar daqui a 3 anos, de qualquer maneira.**
B: Você pretende fazer pós-graduação?
A: Mestrado, talvez, mas doutorado não. Mas é muito cedo ainda *pra* **pensar nisso, né?...**
B: Tem razão. Você ainda mora no alojamento da faculdade?
A: Não, saí de lá no meio do ano. Agora estou numa república, com dois colegas que vieram da mesma cidade que eu.
B: República é melhor?
A: É, mas sempre aparecem probleminhas, já que cada um tem um caráter diferente. E você?
B: Estou morando na casa de um tio, mas estou tentando conseguir uma bolsa de estudos *pra* poder sair de lá e montar uma república, também.
A: É melhor, a gente tem mais liberdade.
B: É ... bem, já vou indo. Boa sorte *pra* você.
A: *Pra* **você também. A gente se vê por aí. Tchau!**
B: Tchau!

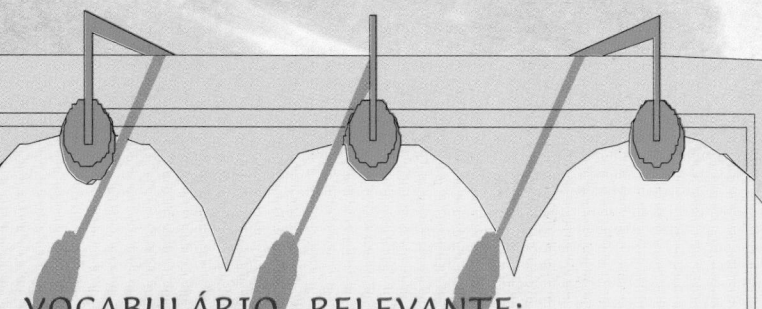

VOCABULÁRIO RELEVANTE:

Escola Pública (Estadual/Municipal/Federal)
Escola Particular/Privada
Escola de Educação Infantil (Maternal/Jardim/Pré)
Ensino Fundamental (Primeira a Oitava Séries)
Ensino Médio (Primeira a Terceira Séries)
Escola Técnica
Ensino Superior (Faculdade/Universidade)
Ensino de Pós-Graduação (Mestrado/Doutorado/PhD)
Cursinho (Escola Preparatória para o Vestibular)
Ingressar/Entrar na Faculdade *(↳ prova (SAT))*
Graduar-se/Formar-se/Sair da/Terminar a Faculdade
Calouro ≠ Veteran
Tese *(No Brasil = Doctorado)*
Bolsa de Estudos
Crédito
Matérias Básicas/Eletivas
Convalidação de Crédito/de Título *validação*
Alojamento/Moradia/República

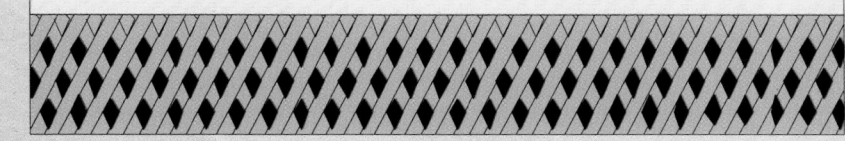

ESTUDO DE...

▶ PRONOMES RELATIVOS

INVARIÁVEIS	VARIÁVEIS
que quem onde	o qual, a qual, os quais, as quais cujo, cuja, cujos, cujas quanto, quanta, quantos, quantas

Exemplos:

O livro <u>que comprei ontem</u> é muito interessante.

O livro <u>do qual lhe falei</u> é este aqui. Não sei o <u>que aconteceu</u>.

A pessoa <u>de quem lhe falei</u> está ali, sentada.

Os amigos <u>a quem telefonei ontem</u> são todos ex-colegas de faculdade.

As pessoas <u>com quem me preocupo</u> são aquelas <u>que sempre se metem em encrencas</u>.

A casa <u>onde mora Maria</u> é antiga e parece um castelo medieval.

O livro, <u>cuja leitura foi recomendada pelo professor</u>, pode ser encontrado na biblioteca.

Ontem li um livro, <u>de cujos autores não me lembro agora</u>, me emocionei e chorei.

Vê-la feliz é tudo <u>quanto quero</u>.

▶ TEMPOS COMPOSTOS

	INDICA	EXEMPLO
Tenho estudado	Repetição ou prolongação de um fato até o momento em que se fala. Fato habitual.	<u>Tenho trabalhado</u> muito ultimamente.
Tinha estudado	Ação anterior a outra já passada.	Quando cheguei, ele já <u>tinha ido</u> embora.
Terei estudado	Ação completada em um determinado momento no futuro.	Até as 4 horas <u>terei terminado</u> de digitar este relatório.
Teria estudado	Afirmação em relação ao passado (geralmente depende de uma condição).	Se tivesse dinheiro <u>teria comprado</u> aquele carro.
Tenha estudado	Usada nas mesmas circunstâncias do Presente do Subjuntivo, porém para expressar uma ação no passado.	Eu duvido que ela <u>tenha feito</u> a tarefa.
Tivesse estudado	Usada nas mesmas circunstâncias do Imperfeito do Subjuntivo, porém para expressar uma ação no passado.	Eu teria ido à festa <u>se tivesse</u> sido convidado.
Tiver estudado	Uma ação terminada no passado ou que terminará num determinado tempo no futuro. Usada nas mesmas circunstâncias do Futuro do Subjuntivo.	Se nesse dia eu não <u>tiver viajado</u>, irei ao seu aniversário.

UNIDADE 11

Pronomes Relativos
Verbos Compostos

APRENDER SEMPRE

Era uma vez um tempo em que as pessoas gastavam uma dúzia de anos na formação básica, mais metade disso numa faculdade — quando chegavam lá — e pronto, não precisavam estudar mais. Cada um começava uma carreira profissional para os 30 ou 40 anos seguintes. Esse tempo se acabou. Nunca houve tanta informação, tão rápida e tão disponível para tanta gente. Depois da Internet, nos tornamos seres "informívoros".

Nesse admirável mundo que cabe na tela do computador, mesmo as instituições mais enraizadas sofreram abalos. "Antigamente a escola tinha a oferecer toda uma bagagem de conhecimento que não podia ser adquirida de outra forma. Representava um valor único, não só do ponto de vista dos conteúdos, mas também de ascensão social", analisa Bruno Dallari, especialista em Ciência da Cognição do Departamento de Lingüística da Pontífica Universidade Católica de São Paulo. "Hoje ela perdeu esse lugar e não pode mais repousar na especificidade de conhecimentos que só seriam conquistados lá".

Se a escola mudou, os alunos também. "O jovem de hoje é mais curioso e interessado do que o de antigamente, não desinteressado, como muitos dizem. Por ser menos ingênuo, ele questiona o professor. A maior oferta de informação também faz com que crie um percurso próprio na aquisição do conhecimento", afirma Dallari.

Fonte: Texto adaptado de artigo de Ricardo Prado na revista Nova Escola - 2003

 Encontre e assinale no texto um sinônimo para:

a. que está à disposição =

b. que possui uma base firme =

c. trepidação, grande transformação =

d. elevação =

e. trajeto, roteiro =

f. inocente, puro, em que não há maldade =

g. ato de adquirir =

2 Responda as perguntas de acordo com o texto.

a. Qual é a diferença entre os alunos de antes e os atuais?

_____

b. Qual é a diferença entre a escola de antes e a atual?

_____

c. Qual é a diferença entre os profissionais de antes e os atuais?

_____

d. O que significa "seres informívoros"?

_____

e. A partir de quando se iniciou todo este processo de mudança na educação?

_____

CURSOS COMPLEMENTARES

AUTO-ESCOLA
CURSINHO
REFORÇO

CURSO DE { ARTESANATO
CORTE E COSTURA
INFORMÁTICA
LÍNGUA ESTRANGEIRA
PIANO

ACADEMIA DE { ARTES MARCIAIS
NATAÇÃO
TÊNIS...

psíu!

3 Associe os desenhos às informações correspondentes, utilizando a primeira frase como uma oração explicativa (usando os pronomes QUE ou CUJO) e a segunda frase como oração principal.

EXEMPLO: Pelé, QUE é um ex-jogador de futebol muito famoso internacionalmente, trabalhou como Ministro da Secretaria de Esportes do Brasil.

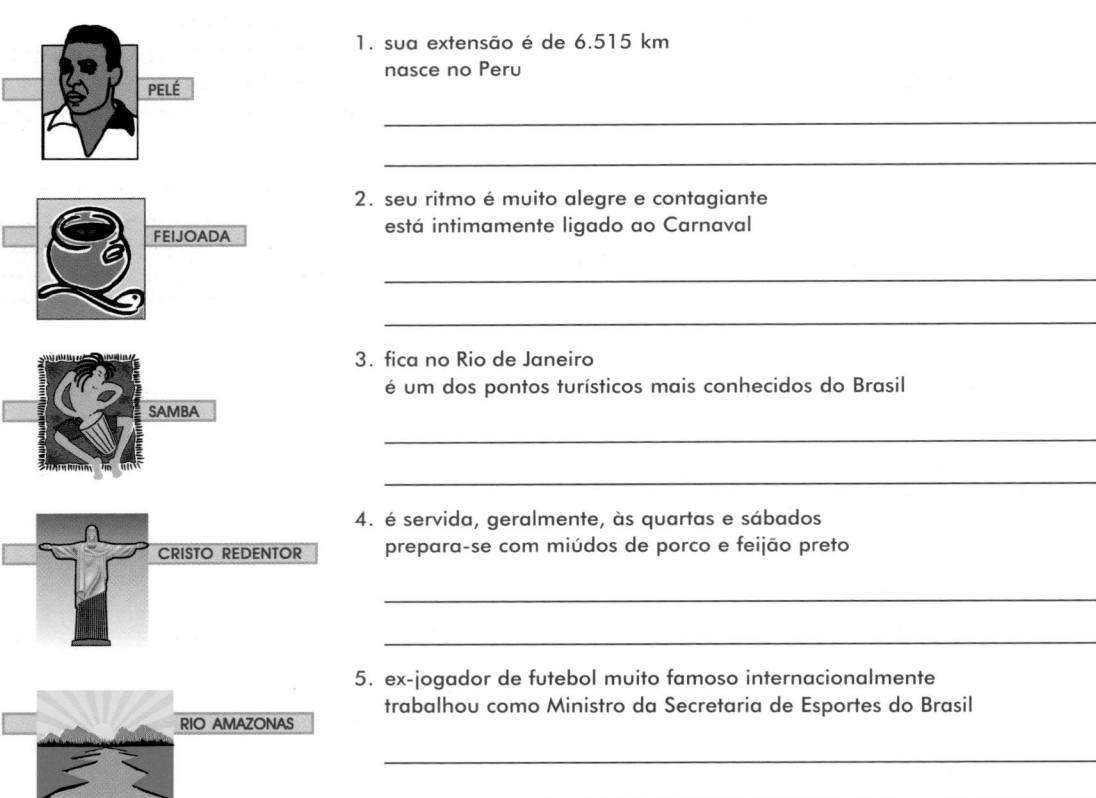

1. sua extensão é de 6.515 km
   nasce no Peru

   _____
   _____
   _____

2. seu ritmo é muito alegre e contagiante
   está intimamente ligado ao Carnaval

   _____
   _____

3. fica no Rio de Janeiro
   é um dos pontos turísticos mais conhecidos do Brasil

   _____
   _____

4. é servida, geralmente, às quartas e sábados
   prepara-se com miúdos de porco e feijão preto

   _____
   _____

5. ex-jogador de futebol muito famoso internacionalmente
   trabalhou como Ministro da Secretaria de Esportes do Brasil

   _____
   _____

4 Ouça a fita e escreva as palavras sendo ditadas. DESAFIO: Acerte pelo menos 80% das palavras — 80 ao todo — e... ganhe um brinde do seu professor. DICA: Peça ao seu professor que explique novamente as regras de ortografia das palavras que você errou.

5 Muitas vezes, no uso coloquial, certas palavras recebem abreviações. Tente adivinhar a forma completa das abreviações abaixo:

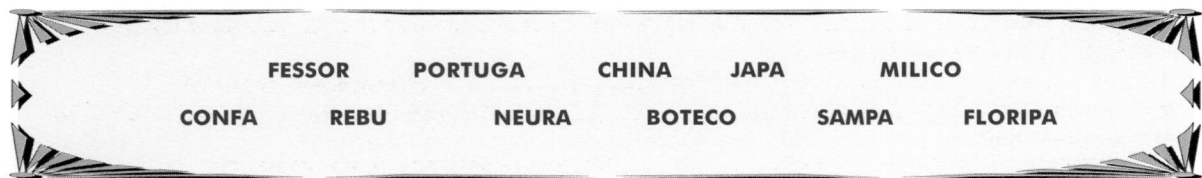

FESSOR   PORTUGA   CHINA   JAPA   MILICO

CONFA   REBU   NEURA   BOTECO   SAMPA   FLORIPA

psiu!

ESCOLAS e CURSOS ESPECÍFICOS

ACADEMIA MILITAR
APAE (ESCOLA DE ENSINO ESPECIAL)
ESCOLA TÉCNICA
SEMINÁRIO
SUPLETIVO...

VOCÊ SABIA QUE...

No Brasil, assim como em muitos outros países, há muitas escolas estrangeiras espalhadas pelas grandes cidades. Em São Paulo, por exemplo, filhos de estrangeiros podem continuar seus estudos exatamente como no seu país de origem nas Escolas Americanas, Suíças, Alemãs, Espanholas, Italianas, Japonesas, etc. Estas escolas estão abertas também para brasileiros mas normalmente exige-se que os alunos dominem o idioma do país. São escolas muito procuradas por estrangeiros que vêm ao país a trabalho por um determinado período de tempo, por diplomatas, etc., que um dia voltarão ao seu país de origem ou serão transferidos para outros países onde seus filhos precisarão continuar seus estudos.

6 Você está repassando a sua vida e imaginando como poderia tê-la mudado se as coisas tivessem sido diferentes ou se você tivesse feito coisas diferentes. Imagine 5 situações e suas conseqüências e as escreva abaixo, como no exemplo:

REVISÃO

> **Ex.: Se eu não tivesse ganhado a bolsa de estudos para ir estudar no exterior, nunca teria saído do Brasil.**

a.
_____

b.
_____

c.
_____

d.
_____

e.
_____

7 Complete o diálogo com os verbos no tempo composto, conforme o exemplo. Escolha a forma do verbo TER (tenho, tinha ou terei) adequada.

A: Oi, Márcia! Tudo bem?
B: Tudo. E, você, Paulo? Onde esteve ontem? Fui à sua casa de manhã, mas você _tinha saído_ (sair). O que _____ (fazer) ultimamente?

A: O de sempre: _____ (trabalhar) muito. Inclusive, _____ (fazer) horas extras nos fins de semana.

B: Por que você _____ (trabalhar) tanto?

A: É que preciso de dinheiro. Daqui a 6 meses, neste mesmo dia, já _____ (casar-se) com Ângela. Até lá, já _____ (quitar) meu apartamento e meu carro.

B: Puxa! Eu não sabia. Parabéns! Mas vê se não exagera, hein?

A: Obrigado, mas _____ (cuidar-se). Todas as manhãs _____ (malhar) na academia, pelo menos 1 hora.

B: A propósito, você _____ (ver) Bete? Você _____ (conversar) com ela?

A: Quando telefonei hoje de manhã ela _____ (ir) à faculdade. Parece que ela tinha uma prova difícil hoje.

B: É... nestas últimas semanas ela não _____ (ter) tempo para sair com a gente. Ela _____ (ficar) em casa estudando.

A: Acho que daqui a uma hora ela já _____ (terminar) a prova. Poderíamos pegá-la na faculdade e sair para almoçar, que tal?

B: Boa idéia!

DISCIPLINAS

CIÊNCIAS
EDUCAÇÃO FÍSICA
ESTUDOS SOCIAIS
FÍSICA
GEOGRAFIA
HISTÓRIA
INGLÊS
MATEMÁTICA
PORTUGUÊS
QUÍMICA...

psíu!

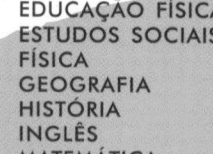

Leia os títulos a seguir e relacione-os a cada uma das áreas abaixo, colocando a letra correspondente a cada um no espaço entre parênteses.

a. Saúde	b. Economia	c. Educação	d. Segurança

1. Procon
( )

2. A que ponto chegamos
( )

3. O uso dos micros
( )

4. Um toque
( )

Agora leia os textos abaixo e relacione-os aos títulos acima, discutindo, depois, cada um dos artigos.

Depois da blindagem de automóveis, agora é a vez das roupas. A empresa brasileira Jenade Export Security, lançou recentemente modelos de roupas à prova de balas que podem ser usados no mundo corporativo. Desenvolvidas em Israel, as vestimentas são até 30% mais leves do que os coletes comuns e atendem às exigências do Ministério do Exército.

Fonte: Revista Melhor - 2002

Quando a informática começou a chegar às escolas, há dez anos, poucos sabiam lidar com os equipamentos. Isso fez com que a novidade passasse a ser encarada como uma disciplina a mais. Surgiram os laboratórios — espaço específico para aulas sobre o funcionamento da tecnologia. Hoje os professores sabem que os micros possibilitam a criação de um ambiente de aprendizagem e ajudam a ensinar temas curriculares. Chegou, então, a hora de levá-los para a sala de aula.

Fonte: Revista Nova Escola - 2003

A equipe responsável pela área de oncologia da Roche Brasil elaborou uma campanha de prevenção ao câncer de mama junto às funcionárias da empresa. Batizada de "Toque saudável", a iniciativa teve um slogan "Quem procura cura" e ofereceu exame de mamografia gratuito a todas as funcionárias com mais de 40 anos de idade, orientações para realização do auto-exame, além da distribuição de folhetos e palestras com especialistas.

Fonte: Revista Melhor - 2002

Este mês se realizará um curso gratuito sobre o Código de Defesa do Consumidor. O objetivo é trabalhar para a formação de consumidores e cidadãos conscientes por meio do trabalho preventivo de educação para o consumo. Durante a aula, os participantes terão exemplos e orientações práticas sobre os principais problemas e reclamações registrados pela fundação, além de tomar conhecimento dos direitos e deveres básicos dos consumidores.

Fonte: Jornal O Estado de S. Paulo - 2003

CARGOS ACADÊMICOS

MONITOR (TEMPO PARCIAL/TEMPO INTEGRAL)
AUXILIAR DE ENSINO
COORDENADOR DE ENSINO
DOCENTE
CATEDRÁTICO
PROFESSOR ORIENTADOR
MESTRE
DOUTOR...

$234,2 - 12,3 + 5,55 = 227,45$

psiu!

9 Um casal está sendo acusado de ter assaltado uma loja de sapatos no centro da cidade. Os policiais estão interrogando as duas pessoas separadamente. Ouça os depoimentos e marque as contradições das respostas.

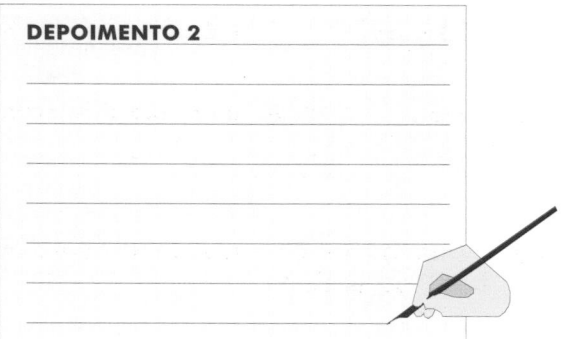

REVISÃO

DEPOIMENTO 1	DEPOIMENTO 2

10 Problemas do dia-a-dia (discutindo alternativas): faça uma pequena lista de problemas que você tem diariamente, como por exemplo:

Sempre esqueço a chave do escritório em casa, ou o relógio nunca desperta pela manhã e eu sempre perco a hora...

Agora comente a sua lista com os colegas de sala e discuta alternativas de como resolver seus problemas.

Exemplos: A: Sempre esqueço a chave do escritório em casa.
B: Se eu FOSSE você, FARIA mais uma chave reserva e a DEIXARIA sempre junto com a chave do carro ou em sua carteira.
C: Se eu FOSSE você, ESCREVERIA um lembrete na porta da sala para nunca esquecer a chave.

11 Analise a seguinte frase: '*Fui* ao zoológico e *fui* maltratada pelos macacos'. Nesta frase, o primeiro FUI é o Perfeito do verbo IR e o segundo o Perfeito do verbo SER. Veja se você consegue identificar o verbo IR e o verbo SER no texto abaixo. Quantas vezes cada um dos verbos está sendo usado?

DICA: se você puser a frase acima no Futuro, identificará a diferença com facilidade ('*Iremos* ao zoológico e *seremos* maltratadas pelos macacos').

Quarta-feira passada, no caminho para o trabalho, fui buscar minha amiga Dilene que não podia usar seu carro devido ao rodízio. Foi um pouco de contratempo porque ela mora numa rua muito movimentada que naquele dia foi fechada para os preparativos para uma festa junina do bairro. Enfim, no caminho para o trabalho, fomos pegos de surpresa por um programa de rádio que oferecia entradas para o teatro às primeiras pessoas que telefonassem respondendo a algumas perguntas sobre atualidades. Dilene tinha o seu celular e aproveitamos para participar da brincadeira. Foi muito interessante! Conseguimos completar a ligação e fomos respondendo às perguntas uma a uma... Que emoção! Ganhamos os ingressos. Eu mesmo fui buscá-los na quarta à noite. Pois bem, os ingressos eram para o sábado e eu e Dilene combinamos de nos encontrar na estação do metrô pois não conhecíamos o teatro e no ingresso o endereço indicava a estação de metrô mais próxima. Eu fui bem vestido pois há algum tempo queria convidar Dilene para um passeio mas não tinha tido coragem... Eis que, todos animados, fomos da estação do metrô ao teatro (!!!) a pé... Para nossa surpresa, nada de teatro e nada de peça... ninguém na vizinhança conhecia o teatro que procurávamos. Fomos olhar nas páginas amarelas de um bar ali perto e... nada!!! FOMOS enganados (mas eu pelo menos consegui convidar Dilene para jantar e depois para dançar!!!). Foi uma grande noite!!!

DOCUMENTOS ACADÊMICOS

COMPROVANTE DE MATRÍCULA
CARTEIRA DE ESTUDANTE
HISTÓRICO ESCOLAR
DIPLOMA
ATESTADO (CERTIFICADO) DE CONCLUSÃO
CARTA DE APRESENTAÇÃO...

psiu!

FUTURO PLANEJADO

Como atrair, reter e preparar funcionários para cargos de maior responsabilidade em gerências e diretorias? A resposta já foi apresentada a mais de 100 profissionais da ABB, empresa de tecnologia de energia e de automação, que participam do Programa de Desenvolvimento de Pessoas (PDP). "O objetivo é desenvolver o potencial de liderança de cada um. Prepará-los para assumirem cargos de maior complexidade e responsabilidade por meio do próprio desenvolvimento profissional e pessoal", explica Osvaldo Esteves, diretor de desenvolvimento humano e organizacional da empresa. Em 2001, 74 funcionários das oito unidades da companhia no Brasil formaram a primeira turma do primeiro programa. Ao término das atividades, 30 deles (42%) foram promovidos em suas áreas. Quando isso ocorre, o funcionário passa a participar, dentro da nova atividade, de outros programas de desenvolvimento. A permanência no PDP é de, no máximo, três anos.

Após o processo seletivo feito por diretores da ABB, os profissionais participam de duas etapas de treinamento ao longo de um ano. Na primeira, passam por situações diferentes daquelas enfrentadas no escritório: praticam *rafting* para aumentar a confiança; exploram cavernas para exercitar o trabalho em equipe; e, por fim, visitam associações de assistência social para estimular a solidariedade e a criatividade.

Na segunda etapa, totalmente individual, os funcionários realizaram um curso na Fundação Getúlio Vargas (FGV) no qual a capacidade de raciocínio é medida por meio de um jogo de empresas estruturado por um plano estratégico de vendas. Os participantes também apresentam um projeto aos coordenadores do programa (diretor de unidade de negócios e gerentes de recursos humanos) que treinam situações futuras na organização.

Fonte: Revista Melhor – 2002

Marque a(s) alternativa(s) correta(s).

1. O texto acima fala sobre:

( ) treinamento obrigatório para a contratação de todos os funcionários

( ) treinamento para preparar funcionários para cargos de maior responsabilidade, como gerentes e diretores

( ) treinamento em tecnologia de energia e de automação

( ) treinamento para preparar funcionários e pessoas da comunidade em geral

2. Os objetivos do treinamento são:

( ) aumentar a confiança; exercitar trabalho em equipe; estimular solidariedade e criatividade

( ) exercitar trabalho em equipe; ser esportista e explorador

( ) desenvolver o potencial de liderança de cada um

( ) aumentar a capacidade de raciocínio

3. As atividades desenvolvidas no PDP são:

( ) praticar o *rafting* e explorar cavernas

( ) visitar associações de assistência social

( ) participar de um curso na FGV, preparando projetos

( ) ser coordenador de planos estratégicos de vendas

4. Quais das afirmações seguintes estão corretas? Corrija as informações falsas:

( ) o funcionário pode permanecer no PDP, no máximo, um ano

_____

( ) qualquer funcionário pode solicitar o treinamento

_____

( ) após o treinamento, todos os participantes recebem promoção

_____

( ) a primeira etapa do treinamento é em equipe e a segunda, individual

_____

5. Explique o significado das seguintes expressões:

a. processo seletivo _____

_____

b. cargos de maior complexidade _____

_____

c. potencial de liderança _____

_____

psiu!

FACULDADES (HUMANAS)

ARTES
CIÊNCIAS SOCIAIS
COMUNICAÇÃO
FILOSOFIA
GEOGRAFIA
HISTÓRIA
LETRAS
MÚSICA
PSICOLOGIA...

13 Vamos praticar mais um pouco os TEMPOS COMPOSTOS? Una a coluna da esquerda com a coluna da direita e complete as frases.

Eu duvido que ele

Talvez elas

Quando você

Se ontem Roberto e Edu

Amanhã, quando eles

Queria que você

tiverem lido a carta _____

não tivessem saído _____

tenham feito a coisa certa _____

tiver terminado a lição _____

tivesse mais paciência _____

tenha viajado sem _____ levar o passaporte.

14 Complete o texto usando as palavras do quadro abaixo. Cada palavra deve ser usada apenas UMA vez:

> CASARÃO VELHOTES SITIOZINHO CHAPELÃO SACOLÕES CAFEZINHO RIACHO SALETA
>
> JOVENZINHOS VILAREJO CIDADEZINHA MINUTINHOS BARBAÇA RAPAGÃO

O _____ de dona Sinhá, que ficava perto do _____ em Bento Quirino, era muito visitado  por viajantes e moradores do próprio _____ . Dia e noite pessoas entravam e saíam com _____ cheios de coisas. Mas o que será que há na casa de dona Sinhá?

Não eram só adultos que freqüentavam a casa de dona Sinhá. _____ e _____ saíam sempre muito satisfeitos do casarão.

Júlio, um caminhoneiro de passagem, era um _____ de uns vinte e cinco anos, de _____ loira que estava sempre usando um _____ de palha na cabeça. Ele já havia visitado a _____ algumas vezes, mas nunca soube o que era aquele entra e sai na casa de dona Sinhá.

Certo dia, muito curioso, Júlio chegou cedinho a Bento Quirino e foi até o _____ onde ficava o casarão. Entrou, sentou-se em uma poltrona numa _____ muito aconchegante, serviram-lhe um _____ e pediram que ele aguardasse uns _____ . Logo em seguida, dona Sinhá apareceu na saleta e com um sorriso disse: 'Sua mesa está pronta. É a de número 22. Por aqui, senhor. Se quiser comprar doces, bolachas, biscoitos e vinhos caseiros dirija-se até o final do corredor à direita, logo após a varanda. Bom apetite!'.

Fale para a classe sobre você, utilizando os verbos nos tempos compostos:

a) Sobre sua rotina.
EXEMPLO: Ultimamente <u>tenho acordado</u> cedo para ler jornal antes de ir ao trabalho.

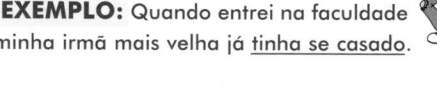

b) Sobre acontecimentos anteriores a outros, ocorridos no passado.
EXEMPLO: Quando entrei na faculdade minha irmã mais velha já <u>tinha se casado</u>.

c) Sobre acontecimentos completados em um determinado momento no futuro.
EXEMPLO: Daqui a 5 anos provavelmente eu já <u>terei comprado</u> um carro ou um apartamento.

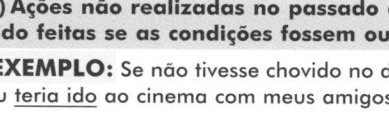

d) Ações não realizadas no passado que teriam sido feitas se as condições fossem outras.
EXEMPLO: Se não tivesse chovido no domingo, eu <u>teria ido</u> ao cinema com meus amigos.

FACULDADES (EXATAS)

ARQUITETURA
ENGENHARIA
FÍSICA
INFORMÁTICA
MATEMÁTICA
QUÍMICA...

psiu!

O Brasil Contemporâneo

O início da década de 80 mostra um país com uma dívida externa calculada em 100 milhões de dólares atravessando uma fase de grande desigualdade social. O país tem então 130 milhões de habitantes com 6 milhões de desempregados e 13 de sub-empregados nas grandes cidades. Com estes dados, o regime militar é levado à derrota e dá-se um enorme movimento por eleições diretas que, embora fracassado, triunfa no Colégio Eleitoral que elege Tancredo Neves presidente do país e José Sarney vice. Tancredo Neves falece no dia 21 de abril de 1985 antes mesmo de assumir o cargo.

O governo de Sarney vê a legalização de partidos comunistas e de esquerda, a aprovação de eleições diretas além da convocação da Assembléia Nacional Constituinte para 1987. O presidente declara a moratória da dívida externa em 1986 e o lançamento do Plano Cruzado com a idéia de combater a inflação. Dá-se uma prosperidade com o auge do consumo e do crescimento econômico coincidindo com as eleições parlamentares de novembro de 1986. O Plano Cruzado contudo não tinha a sustentação de outras medidas necessárias e, dois dias após as eleições, o congelamento dos preços chegou ao fim e a inflação

voltou a atingir cifras altíssimas. As metas da reforma agrária foram reduzidas pouco a pouco.

Eleições municipais em 1988 mostraram o crescimento dos partidos de esquerda embora a violência contra as organizações sociais de base tenha continuado mesmo após ter sido restaurada a democracia. O assassinato de Chico Mendes em 1988 tornou pública esta situação. Em novembro e dezembro de 1989 se realizaram as primeiras eleições diretas para a presidência da República em 29 anos. Foi eleito presidente Fernando Collor de Mello com forte oposição de Luiz Inácio Lula da Silva, líder do Partido dos Trabalhadores. Collor lança um novo Plano para conter a espiral inflacionária e confisca 80% dos ativos financeiros que circulavam na economia do país. Inicia-se o processo de privatizações de empresas estatais e a redução das limitações ao ingresso de produtos estrangeiros. Contudo, Collor fracassa no controle da inflação e em diminuir a recessão e o desemprego. Cresce a violência em cidades como o Rio de Janeiro, presenciando-se inclusive assassinatos de crianças e uma grande queda da população indígena disseminada pela perda de recursos naturais e pela deterioração de sua qualidade de vida.

O desaparecimento das comunidades indígenas está diretamente associado à acelerada destruição da selva tropical com a exploração das riquezas minerais e madeireiras. A denominada 'Amazônia Legal', uma área considerada estratégica pelo exército, recebe, a partir de 1995, um investimento de milhões de dólares para um futuro monitoramento eletrônico.

Em 1991, milhares de pessoas pertencentes ao Movimento Sem Terra (MST), organizam uma marcha no Rio Grande do Sul. O protesto exigia assentamentos para trabalhadores sem terra e a liberação dos cruzeiros destinados à reforma agrária.

No fim de setembro de 1991 a moeda tem uma desvalorização de 20% em apenas dois dias, em um ano em que a inflação tinha aumentado os preços em 400%. O aumento dos juros bancários provocou demissões em massa no setor industrial, deixando milhões de pessoas desempregadas.

Em maio de 1992 é instaurada a Comissão Investigadora Parlamentar com o objetivo de estudar a corrupção dentro do governo culminando com o impeachment do então ainda Presidente Fernando Collor.

Fonte: Guia del Mundo 1998

UNIDADE 12

A SAÚDE

NO POSTO DE SAÚDE

A: É a primeira consulta?
B: Sim.
A: É *pra* senhora ou *pro* bebê?
B: Trouxe o meu bebê pra ser vacinado.
A: Trouxe a Caderneta de Vacinações?
B: Não, é a primeira vacina do bebê.
A: Então vamos fazer uma caderneta *pra* ele. (...) Aqui está. Já tem 2 meses?
B: Ainda não. Vai fazer daqui a 3 semanas.
A: Então hoje vamos dar só a vacina B.C.G. Daqui a 3 semanas pode voltar para receber a vacina contra pólio e a tríplice, *tá* bem? Ele não está com febre, está?
B: Não.
A: Então venha! Passe *pra* esta sala.
B: Obrigada.
A: Pronto! Quando voltar aqui, não se esqueça de trazer esta caderneta. E a senhora? Nunca veio aqui para se consultar? Se quiser, posso deixar feita a sua ficha.
B: Não, obrigada. Dificilmente fico doente e mesmo que fique, já temos um médico da família.
A: Nesse caso, traga só o bebê *pra* receber as vacinas!

NUM HOSPITAL PARTICULAR

A: Pois não?
B: Gostaria de fazer uma consulta com um ginecologista.
A: Primeira vez?
B: Sim.
A: Tem algum convênio?
B: Não. Quanto é a consulta?
A: 150 reais. Se quiser, pode pagar depois da consulta.
B: Não, quero pagar agora. Aceita cartão de crédito?
A: Claro! (...) Pode aguardar na sala de espera em frente à porta da sala do ginecologista. A enfermeira vai chamá-la quando chegar a sua vez. Temos mais uma paciente antes da senhora, mas como é retorno, não deve demorar muito.
B: Obrigada.

esperar

VOCABULÁRIO RELEVANTE

Ambulatório — *lugar de médico*
Emergência/Pronto Socorro —
Hospital Infantil, do Câncer, do Coração...
Maternidade
Medicina Alternativa: Acupuntura/Homeopatia
Convênio Médico — *seguridade*
Médico (de Plantão, Residente...)
Enfermeiro
Caderneta de Vacinações
Receita Médica
Remédio — *droga/prescription*
Bula — *instruções*
Contra-Indicações — *side effect*
Acidente (sofrer um...)
Raspão (dar um...) — *scrap*
Ferimento (ferir-se) — *herida*
Queimadura (queimar-se) —
Fratura (fraturar)
Torção (torcer) — *twist/sprain*
Ambulância (chamar uma)
Consulta (marcar uma/de rotina)
Internar-se — *ficar no hospital*
Receber Alta
Retorno (marcar um) — *return/volta*
Honorários (pagar os)
└ cuanto se paga

NUM SPA

A: Meu nome é Ricardo ... fiz uma reserva para uma semana.
B: Sim, senhor Ricardo, estávamos esperando sua chegada. Por favor, preencha esta ficha e depois a enfermeira irá levá-lo até o Doutor Guilherme.
A: Muito obrigado. Preciso deixar um depósito?
B: Não, não é necessário. Ângela, por favor acompanhe o Sr. Ricardo até a sala do Doutor Guilherme.
C: Vamos, Sr. Ricardo.

C: Doutor Guilherme, aqui está o senhor Ricardo.
D: Pode entrar, por favor. Como está?
A: Tudo bem, doutor.
D: De acordo com a sua ficha, o seu intuito em estar aqui conosco é perder alguns quilinhos e parar de fumar.
A: Sim, mais parar de fumar do que perder uns quilinhos...
D: Bem, vamos começar com os testes propostos nesta tabela e então passaremos ao estudo das atividades adequadas ao seu caso. Vou precisar de algumas informações...

111

cento e onze

> CRASE (1) da preposição <u>a</u> com o artigo definido <u>a/as</u>

à
└─┘
Útil a + a comunidade

O correio é útil à comunidade.

à
└─┘
Direito a + a educação

Todas as crianças deveriam ter direito à educação.

às
└──┘
Ir a + as praias

Nós ainda não fomos às praias do litoral paulista.

ATENÇÃO !

. **Fomos a Curitiba.** (sem crase, pois a palavra Curitiba não aceita o artigo <u>a</u>)

. **Fomos à cidade.** (fomos <u>para/a + a</u> cidade)

. **Comi um arroz à grega delicioso.** (à moda grega)

. **Marcou um gol à Pelé.** (à moda Pelé)

✔ [Fique atento:] *a crase ocorre, basicamente, diante de palavras femininas.*

✔ [Fique atento:] *para saber se ocorre ou não o efeito da CRASE antes de alguma palavra feminina, substitua-a por um equivalente masculino. Exemplo: Vou até a escola = Vou até o colégio — OU SEJA: Vou (a + o) AO colégio. Vou (a + a) À escola.*

> CRASE (2) da preposição <u>a</u> com a letra A inicial dos pronomes <u>aquele (s)</u>, <u>aquela (s)</u>, <u>aquilo</u>

Darei uma gorjeta (a + aqueles) àqueles meninos.
Referimo-nos (a + aquilo) àquilo já mencionado anteriormente.

CRASE NAS EXPRESSÕES
ADVERBIAIS FEMININAS

à tarde,

à noite,

à vista,

às vezes,

às pressas,

à procura

PARA LEMBRAR !

Há uma hora = faz uma hora
Estou nesta fila há uma hora.

a uma hora = indica tempo futuro
Vejo você daqui a uma hora.

REPETIÇÃO:
Não temos crase entre palavras repetidas como por exemplo:

cara <u>a</u> cara, frente <u>a</u> frente, gota <u>a</u> gota

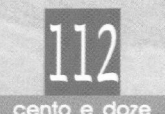

UNIDADE 12

Crase

EM BUSCA DE HARMONIA

Dedicação intensa, busca por resultados, mercado cada vez mais competitivo, medo de ficar para trás na carreira. É inevitável que fatores como esses interfiram na qualidade de vida. O excesso de trabalho pode ser um grande promotor de estresse. Mas não necessariamente ser seu principal agente. O ponto central está em como o indivíduo se relaciona com ele. "Se fizermos um levantamento dos povos com maior longevidade no mundo, encontraremos os vincabambianos, do Equador, os unzos, do Paquistão, e os georgianos, da Rússia. Embora não possuam a mesma alimentação, não vivam em clima semelhante, eles têm uma característica em comum: são laboratórios, não param de trabalhar", comenta o médico Sílvio Laganá de Andrade, diretor da Sociedade Brasileira de Medicina Biomolecular e Radicais Livres e da clínica Aspin (*Anti Stress Performance Institute*), de São Paulo. "O trabalho não faz mal à saúde. As pessoas mais longevas trabalham muito. Só que comem adequadamente, tomam bastante líquido, descansam. E há, entre elas, um respeito pelos outros. Esses são aspectos importantes para garantir uma melhor qualidade de vida", explica.

Para ajudar quem deseja encontrar seu equilíbrio, Laganá dá algumas dicas:

Fonte: Texto adaptado da Revista Melhor, nº 187

ALIMENTAÇÃO:

Para manter as funções vitais, o organismo precisa da ajuda de 45 nutrientes essenciais, encontrados em legumes, frutas, verduras, cereais integrais, peixes, etc. O ideal é manter uma alimentação variada, evitando substâncias que não façam parte desse grupo. "É como se o corpo fosse um automóvel: se você colocar gasolina adulterada, começa a falhar."

FITNESS X WELLNESS

A atividade física é importante para a qualidade de vida e para a longevidade, desde que seja moderada. "Há pessoas que resolvem fazer exercício físico sete vezes por semana em alta intensidade e isso acaba sendo desgastante e estressante. São aquelas que pensam mais no *fitness* do que no *wellness*. Esquecem de pensar na qualidade da sensação do bem-estar. Nem sempre a pessoa que está bem modelada está com saúde", comenta Laganá.

HORÁRIOS

Outra dica importante para não cair nas garras do estresse é não marcar compromissos em intervalos muito curtos de tempo. Quem mora nas grandes capitais tem grandes chances de se atrasar e, conseqüentemente, de se estressar. "A ansiedade em chegar no horário libera adrenalina, cujo excesso é sinônimo de envelhecimento precoce."

SONO

Ter uma boa noite de sono também ajuda a manter em alta a qualidade de vida. Durante esse período são produzidos alguns hormônios, como a melatonina e o do crescimetno, que ajudam a reparar as células. "A pessoa que está dormindo mal ou pouco tem menos reparação celular e maior desgaste."

FAZER O QUE GOSTA

O quanto se tem de atividades que levem ao desprazer, o mesmo deve haver em atividades que dêem prazer. "Faça alguma coisa que você goste durante a semana. Mantenha contato com os amigos, essas relações também ajudam.", observa Laganá.

E você? O estresse faz parte da sua vida?
Quais são as causas de um estresse?
Enumere as que foram citadas no texto e acrescente outras, se houver.
Qual delas, em sua opinião, causa maior dano à qualidade de vida?

PROBLEMAS DE SAÚDE

DIABETE
HIPERTENSÃO
OBESIDADE
PRESSÃO BAIXA
PROBLEMA CARDIOVASCULAR
SINUSITE
STRESS...

psiu!

UNIDADE 12

1 Copie as frases abaixo, substituindo os asteriscos (*) pela forma apropriada: <u>há uma hora</u>, <u>à uma hora</u> ou <u>a uma hora</u>.

a. Não se preocupe. Eles saíram de lá (*). Estarão aqui daqui (*).

_____

b. As reuniões começam sempre pontualmente (*).

_____

c. Estamos (*) na fila do banco.

_____

d. Não se atrase. Vejo você daqui (*).

_____

2 Assinale a alternativa que preenche as lacunas:

a. Fomos _____ missa no domingo de manhã e _____ tarde visitamos alguns amigos. Saímos _____ pressas da casa deles para chegarmos _____ tempo de ver o jogo de futebol em nossa casa.

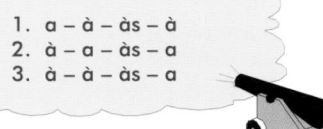

1. a – à – às – à
2. à – a – às – a
3. à – à – às – a

1. a – a – às
2. à – à – às
3. a – à – às

b. Para aumentar sua renda, José passou _____ levar compras _____ domicílio _____ segundas-feiras.

c. Você vai pagar _____ vista ou _____ crédito?

1. à – à
2. à – a
3. a – a

 MEDICINA CASEIRA

Você vai ouvir algumas receitas fáceis e baratas que a vovó ensinava e que os médicos aprovam. Faça anotações!!! Ouça a fita e relacione as informações aos problemas abaixo:

1. gripe e resfriado
2. dor de cabeça
3. dor de dente
4. queimaduras de sol
5. assaduras de bebê
6. ressaca

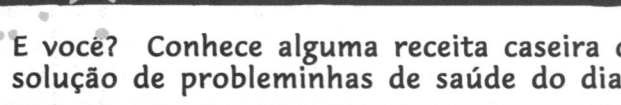

E você? Conhece alguma receita caseira que pode ajudar na solução de probleminhas de saúde do dia-a-dia?

psiu!

LOCAIS DE ATENDIMENTO AO DOENTE

AMBULATÓRIO/CONSULTÓRIO
CLÍNICA
FARMÁCIA
HOSPITAL
POSTO DE SAÚDE
PRONTO SOCORRO
SPA/ÁGUAS TERMAIS...

O QUE VOCÊ NÃO DEVE FAZER

Um remédio caseiro pode fazer tão mal quanto um produto químico qualquer. É importante nunca ingerir alguma coisa apenas por ouvir falar.

Evite os chazinhos da moda. A bucha-do-nordeste, que aparece de vez em quando como santo remédio contra a sinusite, por exemplo, pode sufocar uma pessoa.

Preste sempre atenção aos sintomas. Cada caso é um caso e o que é remédio para um pode ser veneno para outro. O chá das folhas de abacate, por exemplo, quase sempre é inofensivo. Mas aumenta o ritmo cardíaco e pode ter efeitos graves para quem tem pressão alta.

Alguns conselhos sobre o que você não deve fazer:

• Não tente tratar em casa mordidas ou arranhões de animais, mesmo gatos ou cachorros. Nunca se sabe se o animal tem alguma doença. Vá ao médico.

• Não tente furar bolhas causadas por queimaduras ou atrito. A bolha é um esparadrapo natural que protege o ferimento e evita infecções.

• Não use leite contra úlceras do estômago. A sensação inicial pode ser de alívio. Mas o cálcio, as proteínas e as gorduras do leite vão aumentar a acidez a médio prazo e piorar as condições do estômago.

• Não ponha manteiga ou outra gordura em queimaduras graves, que precisem de assistência médica. A limpeza vai ser dolorosa e atrasar o tratamento.

• Não dê bebidas alcoólicas a pessoas que tenham apanhado muito frio. O álcool dilata os vasos e aumenta a perda de calor do corpo. O melhor é um chocolate morno.

• Não trate inchaços com compressas de água quente. O calor aumenta a circulação na área e o inchaço aumenta. Gelo é bem melhor.

• Não use banhos de álcool em quem está com febre. A água fria é mais eficiente e não produz vapores que podem intoxicar o paciente.

• Não ponha compressas de água fria sobre o olho com conjuntivite. O pano molhado aumenta o calor e a umidade e cria um ambiente propício para as bactérias.

Fonte: Revista Globo Ciência - Ano 3 - nº 39

3 Leia o texto e una com um traço o problema e a sua solução <u>inadequada</u> apresentada no texto:

Acidez	banho de álcool
Febre	compressas de água quente
Queimadura	tomar leite
Inchaços	chá de abacate
Conjuntivite	furar as bolhas
Pressão Alta	compressa de água fria

Agora responda às perguntas abaixo:

Você é adepto dos remédios à base de produtos químicos ou dos remédios caseiros? Na sua opinião, quais as vantagens e as desvantagens do remédio caseiro? Você já fez algumas das coisas que são desaconselhadas no texto? Qual foi a consequência? No seu país é comum o uso dos remédios caseiros? Você tem alguma receita caseira infalível (para gripe, por exemplo) que possa ensinar aos seus colegas?

SINTOMAS

CÂIMBRA
CORIZA
DOR DE BARRIGA/CABEÇA/DENTE/ESTÔMAGO
ENJÔO
FALTA DE AR
FEBRE
FOBIA
MAL-ESTAR
TOSSE
VERTIGEM...

psiu!

4. Leia a entrevista com uma das maiores estrelas do basquete mundial, Oscar Schmidt, em um bate-bola sobre saúde, alimentação, família, lazer e carreira.

1. Você sempre esteve atento à saúde e à qualidade de vida ou só após uma determinada época?

   Nunca estive muito atento à saúde. Isso só aconteceu realmente quando fui ficando mais velho. Agora os cuidados aumentaram, mas não significa que modifiquei minha vida.

2. Como é sua alimentação? Segue alguma dieta especial?

   Gosto de quase todos os alimentos, exceto aqueles do mar e também adoro freqüentar bons restaurantes. A única mudança na minha alimentação ocorre nos dias de jogos, quando dou preferência aos carboidratos e à carne de frango.

3. Além dos exames de rotina realizados no clube, costuma consultar outros especialistas?

   Não. Nunca gostei muito de ir a médicos, pois acho que quanto mais procuramos, mais encontramos. Se vamos ao dentista, por exemplo, ele sempre acha uma cárie e assim sucessivamente. Prefiro não ir. Quando morava na Europa, fazia *check ups* anualmente por causa do time. Agora só faço os exames referentes a minha rotina de atleta.

4. Acha que o esporte pode ser o melhor caminho para que os jovens tenham mais qualidade de vida?

   Com certeza. Só o fato do esporte ocupar o tempo ocioso de uma criança ou de um jovem já evita que ele siga outro caminho como o da droga, por exemplo.

5. O que prefere fazer nas horas de folga?

   Adoro ficar deitado com minha esposa e meus filhos Felipe e Stephanie assistindo vídeos e descansando.

6. Acha que algum de seus filhos poderá seguir a carreira de atleta?

   Sim. Meu filho Felipe está apaixonado pelo basquete e já treina.

Fonte: www.saude.com.br

Preencha o quadro abaixo com as informações obtidas da entrevista.

EXEMPLO: que não gosta de ir a médicos, é um famoso jogador de basquete. (saúde)

OSCAR SCHMIDT,

que _____ , (lazer)

cujo _____ , (família)

que _____ , (carreira)

que _____ , (alimentação)

Agora, você é o entrevistado. Responda algumas das perguntas feitas a Oscar Schmidt.

1. Você sempre esteve atento à saúde e à qualidade de vida?
2. Como é sua alimentação? Segue alguma dieta especial?
3. Além dos exames de rotina, costuma consultar outros especialistas?
4. Acha que o esporte pode ser o melhor caminho para que os jovens tenham mais qualidade de vida?
5. O que prefere fazer nas horas de folga?
6. O que mais você recomendaria às pessoas para manter uma boa qualidade de vida?

psiu!

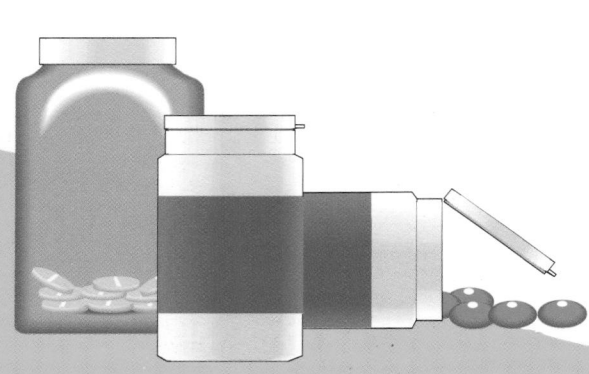

MEDICAMENTOS

ANALGÉSICO
ANTIALÉRGICO
ANTIBIÓTICO
ANTIESPASMÓDICO
ANTIGRIPAL
ANTITÉRMICO
CALMANTE
DESCONGESTIONANTE
EXPECTORANTE
VITAMINA...

5 O que você sabe sobre DENGUE? Leia o texto.

Fonte: Boletim Probios News Ano II nº 2

Devido aos surtos de **Dengue** que estão acontecendo em todo o Brasil, e à época propícia para a proliferação das larvas (tempo chuvoso e úmido), estamos oferecendo aos clientes PROBIOS informações básicas sobre esta doença.

É uma doença de início rápido, que causa muita febre durante 7 a 8 dias aproximadamente. Seu principal transmissor é um mosquito parecido com um pernilongo, o *Aedes Aegypti*, mas ela também pode ser transmitida pelo *Aedes Aegypti Albopictus* (tigre asiático). Eles possuem hábitos domésticos e depositam seus ovos em lugares que contêm água parada e limpa como pneus, vasos de plantas, e outros recipientes.

Tente lembrar de:

COMO ELA É TRANSMITIDA:

QUAIS OS SINTOMAS:

QUAL O TRATAMENTO:

COMO É FEITA A PREVENÇÃO:

Agora ouça a fita e verifique se suas informações estão corretas.

6 Antes de ler o texto, discuta com seu colega sobre o tema PARA ARRASAR NOS SALÕES. O que significa arrasar? Como as pessoas costumam arrasar nas festas?

A dança tem vantagens adicionais à diversão e ao clima de congraçamento que geralmente provoca. Mexer o corpo queima calorias, trabalha vários grupos musculares e, quando o exercício é feito com intensidade, torna-se mais eficaz que as usualmente monótonas sessões de esteira e musculação. Homens perdem peso com mais facilidade na pista de dança, talvez porque têm de se esforçar mais para gingar o corpo, um atributo natural nas mulheres. O quadro abaixo traz detalhes sobre alguns tipos de dança.

	BOLERO	DANÇA DO VENTRE	FLAMENCO	FORRÓ	FREVO	SAMBA	TANGO
Músculos trabalhados	Pernas	Abdômen, glúteos e pernas	Pernas, braços e quadris	Pernas, quadris, abdômen e braços	Pernas, braços e quadris	Pernas, quadris, glúteos	Abdômen e costas
Tempo de aprendizado	8 horas	1 ano	1 ano	8 horas	12 horas	4 horas	20 horas
Calorias gastas em 1 hora	250 – 400	300	400 – 600	400 – 600	400 – 600	400 – 600	250 – 400

Fonte: Revista Veja - 2003

Discuta:

- Você conhece todas essas modalidades de dança? Elas são típicas de que países?
- Quais são as danças que você já praticou ou gostaria de praticar? Por quê?
- Para gastar calorias, você escolheria dança, ginástica ou algum esporte? Por quê?

TIPOS DE MEDICAÇÃO

COLOCAR EMPLASTO/ESPARADRAPO/BAND-AID
DISSOLVER E TOMAR COMPRIMIDO EFERVESCENTE
ENFAIXAR/GAZE
ESTERILIZAR
LAVAR COM ÁGUA BORICADA
PASSAR CREME/POMADA
TOMAR COMPRIMIDO/CÁPSULA/PÍLULA/XAROPE/LÍQUIDO
TOMAR INJEÇÃO...

psíu!

REVISÃO

 7 Una as duas frases em uma, colocando uma delas como oração explicativa, mas cuidado: nas frases abaixo, você terá de usar alguma preposição juntamente com o pronome relativo QUEM, O QUAL ou ONDE.

EXEMPLO: A menina chama-se Paula. André se interessou pela menina.

A menina, POR QUEM André se interessou, chama-se Paula.

1. O parque vai ser reformado. Passei ontem pelo parque.

_____

2. O restaurante é aquele. Gostamos tanto do restaurante.

_____

3. O local é um ponto turístico conhecido. Viajamos para o local nas férias.

_____

_____

4. O preço do material subiu novamente. Preciso do material para a construção da casa.

_____

_____

5. Minha amiga quer tornar-se enfermeira. Telefonei para ela ontem.

_____

_____

6. O rapaz é colega de trabalho. Eu saí com um rapaz hoje.

_____

  8 Leia o anúncio ao lado, ouça no áudio a resposta que Giovanni recebeu de três pessoas e responda:

1. quem respondeu a sua carta?
2. de onde eles são?
3. quais as informações que eles lhe deram sobres as suas terras?

Cheque as respostas com seus colegas.

> Gostaria de me corresponder com pessoas de ambos os sexos, entre 18 e 25 anos, que residam, de preferência, em Pernambuco, para trocar idéias sobre diversos assuntos. Gostaria, inclusive, que dessem informações sobre a sua terra. Sou Giovanni, de Mato Grosso, tenho 19 anos e sou estudante de Medicina.

Agora escreva um anúncio como o de Giovanni, colocando os seus dados. Depois faça uma troca com seu colega e responda ao anúncio dele, dando as informações pedidas.

 9 Entreviste seu colega sobre as <u>habilidades</u> dele/a:

Você consegue:

1. ler jornal de pé num ônibus ou trem cheio?
2. escrever com a mão esquerda? (Para quem é canhoto: escrever com a mão direita?)
3. digitar usando todos os seus dedos?
4. andar "plantando bananeira" (andar de cabeça para baixo?)
5. consertar um carro?
6. lavar e passar suas roupas?
7. cozinhar?
8. cuidar de um bebê? Trocar a fralda do nenê?

Vamos treinar algumas expressões usuais para responder as perguntas acima:

Isso é fácil!	Isso é moleza!	Não é comigo!	Consigo./Não consigo.
Não sei e não quero saber!		Nunca tentei!	Nunca fiz e nunca farei!

ESPECIALIDADES MÉDICAS

CARDIOLOGIA
CIRURGIA
CLÍNICA GERAL
DERMATOLOGIA
FISIOTERAPIA
GASTROENTEROLOGIA
GERIATRIA
GINECOLOGIA
NEUROLOGIA
OBSTETRÍCIA
ODONTOLOGIA
OFTALMOLOGIA
ORTOPEDIA
OTORRINOLARINGOLOGIA
PEDIATRIA
PSICOLOGIA...

psiu!

 Leia o artigo sobre a Fitoterapia.

A fitoterapia consiste no conjunto das técnicas de utilização dos vegetais no tratamento das doenças e na recuperação da saúde. Esquecidas durante muito tempo pelos ocidentais, as ervas medicinais hoje reassumem seu papel como o mais valioso recurso terapêutico oferecido pela natureza. Como método terapêutico, a fitoterapia faz parte dos recursos da medicina natural e está presente também na tradição da medicina popular e nos rituais de cura indígenas. Embora muitas pessoas ignorem a importância das plantas medicinais, sabe-se que toda a farmacologia tem como base exatamente os princípios ativos das plantas. Apesar do avanço da tecnologia, que diariamente cria novos compostos e substâncias sintéticas com poderes medicinais, mais de 40% de toda a matéria-prima dos remédios encontrados hoje nas farmácias continua sendo de origem vegetal.

Fonte: www.gerolimich.hpg.ig.com.br

Escreva F (falso) ou V (verdadeiro) para as seguintes afirmações.

1. (   ) Tanto a medicina popular quanto os rituais de cura indígenas utilizam as ervas medicinais.
2. (   ) As ervas medicinais sempre foram muito utilizadas no ocidente.
3. (   ) Os compostos e substâncias sintéticas são bem mais eficazes do que as ervas medicinais.
4. (   ) A farmacologia tem como base os princípios ativos das plantas.
5. (   ) Fitoterapia é um conjunto de técnicas de utilização das plantas medicinais no tratamento de certas doenças.

Agora, pesquise entre os colegas ou na Internet o significado de alguns dos diferentes tipos de terapias:

- hidroterapia
- cromoterapia
- musicoterapia
- aromaterapia

11 Una as expressões da coluna 1 ao seu sentido na coluna 2.

Coluna 1	Coluna 2
oh!, ah!, oba!, viva!	cansaço
ai!, ui!	alegria
oh!, ih!, opa!, puxa!, xi!, gente!, Meu Deus!	alívio
olá!, alô!, ô!, oi!, psiu!, ó!	afugentamento
uh!, credo!, cruzes!, Jesus!, ai!	dor
tomara!, quem me dera!	espanto, surpresa
psiu!, quieto!, bico fechado!	estímulo
firme!, toca!	medo
xô!, fora!, rua!, arreda!	desejo
ufa!, uf!	pedido de silêncio
ufa!	chamamento

Fonte: Gramática da Língua Portuguesa, Editora Scipione Pasquale & Ulisses

12 Substitua as palavras sublinhadas pelo pronome correspondente:

REVISÃO

1- Passei (o preço do remédio) _____ às farmácias que o solicitaram.
   Passei _____ os preços dos remédios (à farmácia que o solicitou).
2- Entreguei (os doces e os brinquedos) _____ às crianças carentes.
   Entreguei _____ os donativos (às crianças carentes).
3- Repeti (a pergunta) _____ ao médico de plantão.
   Repeti _____ a pergunta (ao médico de plantão).
4- Devolvi (as receitas) _____ à nutricionista.
   Devolvi _____ as receitas (à nutricionista).

EXAMES

DENSITOMETRIA ÓSSEA
FEZES
MAMOGRAFIA
RAIO X
RESSONÂNCIA MAGNÉTICA
SANGUE
TOMOGRAFIA
ULTRA-SONOGRAFIA
URINA...

psíu!

Brasil: Estabilidade Econômica x Estabilidade Social

Acontece nesse mesmo período um enorme aumento da violência com casos como o do Presídio do Carandiru em São Paulo, a chacina na escadaria da Igreja da Candelária e as mortes na favela de Vigário Geral no Rio de Janeiro. A indignação pública teve como resposta algumas medidas oficiais como a prisão dos chefes do jogo do bicho e medidas de cidadania como a de Herbert de Souza (Betinho) com a "Ação Cidadã contra a Fome e pela Vida", iniciada em abril de 1993 com milhares de comitês autônomos espalhados por todo o país que coletam e distribuem alimentos e procuram fontes de trabalho. Deste movimento fazem parte donas de casas e membros de entidades religiosas e sindicais provendo, até agosto de 1994, alimentos a quatro milhões de famílias.

No fim de 1993, o então Ministro da Fazenda, Fernando Henrique Cardoso, apresenta o Plano Real de estabilização da economia que acaba com os ajustes monetários automáticos e implanta uma nova unidade monetária, o Real, em julho de 1994. O êxito antiinflacionário culmina com a eleição para a presidência de Fernando Henrique.

A economia continuou sendo a principal preocupação de FHC. Iniciou-se um processo de privatização que incluiu parte da Petrobrás e das empresas de telecomunicações. Houve contudo uma recessão econômica que começou a acompanhar a estabilização e registrou-se um aumento do desemprego, de conflitos sindicais urbanos, de delinqüência e de ocupação de terras por agricultores pobres.

Após longo e complexo debate, o parlamento aprovou, nos primeiros meses de 1997, uma reforma constitucional que permite a reeleição presidencial. Em julho de 1998 dá-se uma nova mega-privatização com a venda da TELEBRÁS e da EMBRATEL.

No segundo mandato (1999-2002), o Real sofreu grande desvalorização em relação ao Dólar, voltando a pressionar os preços. No terreno social, cresceu o número de crianças matriculadas na escola e caiu a mortalidade infantil. Fernando Henrique ampliou a projeção do Brasil no cenário internacional.

Nas eleições gerais de 98, Fernando Henrique é reeleito para mais um mandato de quatro anos. A moeda sofre fortes ataques especulativos e o governo é obrigado a abandonar sua política cambial e a permitir a livre flutuação do Real. Nos anos seguintes, voltam os problemas antigos como o desemprego e a inflação. Na eleição de 2002, Luís Inácio LULA da Silva, do Partido Trabalhista (PT), é eleito presidente e a transição de governo é realizada de maneira exemplar.

Fontes: Guia del Mundo 1998/Almanaque Abril 2003

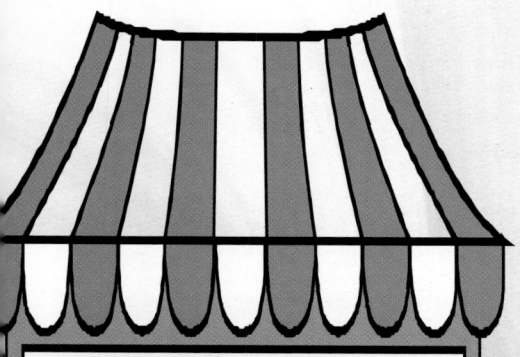

CURRÍCULO DO CANDIDATO

DADOS PESSOAIS

Nome: **Carlos Henrique Bernardes**
Sexo: Masculino
Nacionalidade: Brasileira
Estado Civil: Casado
E-mail: carlos.bernardes@terra.com.br
Telefone: 11.64242044
Celular: 11.99697008
Data de Nascimento: 28/03/1965
Pretensão Salarial: A combinar

EXPERIÊNCIA PROFISSIONAL

Empresa: **Ticket Serviços S/A**
Cargo: Coordenador de Sistemas
Área de Atuação: Informática
Data de Admissão: 18/11/1990
Atividades Desenvolvidas: Planejamento e coordenação
das atividades da área de Sistemas,
visando à padronização e racionalização
de procedimentos, controles e
implantação de sistemas específicos.

FORMAÇÃO ACADÊMICA

Pós/Especialização
Curso: MBA - Gestão de Negócios
Instituição: Grupo Trevisan (2003 - 2004)
Pós/Especialização
Curso: Marketing - Pós-graduação
Instituição: Escola Superior de Propaganda e
Marketing - ESPM (1999 - 2001)
Graduação
Curso: Análise de Sistemas
Instituição: Universidade de Guarulhos (1985 - 1988)

IDIOMAS

Inglês Intermediário/Espanhol Avançado

Outros Cursos: Gestão de Tecnologia de Informação
Fundação Getúlio Vargas - SP - 2002

UNIDADE 13

ESTUDO DE...

▶ CONJUNÇÕES (COORDENATIVAS)

1	ADITIVAS	e, nem (= e não), não só... mas também, não só... como também, bem como, não só... mas ainda
2	ADVERSATIVAS	mas, porém, todavia, contudo, entretanto, no entanto...
3	ALTERNATIVAS	ou, ou... ou, ora... ora, quer... quer, seja... seja
4	CONCLUSIVAS	logo, pois, portanto, por isso, assim, por conseguinte
5	EXPLICATIVAS	que, porque, pois

Exemplos:

1. Ele <u>não só</u> entende do assunto, <u>como também</u> é o melhor na sua especialidade.

2. Ela é pequena e delicada, <u>porém</u> tem um gênio muito forte.

3. As crianças não paravam quietas: <u>ora</u> corriam para a direita, <u>ora</u> para a esquerda.

4. Cláudio estava doente, <u>por isso</u> não pôde ir à festa.

5. Não coma muitos doces, <u>que</u> você pode engordar.

▶ CONJUNÇÕES (SUBORDINATIVAS)

a	CAUSAIS	porque, como (= porque), uma vez que, visto que, já que, etc.
b	CONCESSIVAS	ainda que, apesar de que, embora, mesmo que, se bem que, por mais que, posto que, etc.
c	CONDICIONAIS	se, contanto que, salvo se, desde que, a menos que, a não ser que, caso, etc.
d	FINAIS	para que, a fim de que, porque (= para que), que, etc.
e	CONFORMATIVAS	conforme, como (= conforme), segundo, etc.
f	PROPORCIONAIS	à medida que, à proporção que, ao passo que, quanto mais... (mais), quanto mais... (menos), quanto menos... (mais), quanto menos... (menos), etc.
g	TEMPORAIS	quando, enquanto, assim que, logo que, todas as vezes que, desde que, depois que, sempre que, mal (= assim que), etc.
h	COMPARATIVAS	como, assim como, tal como, como se, (tão)... como, tanto como, tanto quanto, tal, qual, tal qual, que (combinado com menos ou mais), etc.
i	CONSECUTIVAS	de sorte que, de modo que, de forma que, sem que (= que não), que (quando sucede tal, tão, cada, tanto, tamanho), etc.

Exemplos:

1. <u>Como</u> não estava progredindo nada, desistiu de fazer o curso.

2. <u>Mesmo que</u> não ganhe, não importa. O que vale é competir!

3. Não irei ao escritório, <u>a não ser que</u> haja algum trabalho urgente.

4. Explique com mais clareza, <u>para que</u> todos possam entender.

5. Fiz tudo <u>conforme</u> suas ordens.

6. <u>Quanto mais</u> trabalhar mais dinheiro vai receber.

7. <u>Assim que</u> chegamos em casa, começou a chover.

8. Divertir-se é <u>tão</u> importante <u>quanto</u> trabalhar ou estudar.

9. Andamos tanto <u>que</u> já não podíamos dar nem um passo a mais.

Conjunções

1 Ouça a fita e identifique para qual das posições abaixo os candidatos estão sendo entrevistados:

PEDIATRA

C/ residência médica, p/ trabalhar em clínica particular, em Santos, período das 8:00h. às 12:00h. Enviar CV a/c deste Jornal sob sigla "Pediatra/San".

Administrador Hospitalar

medicina grupo recruta profissional c/ exp. p/ hospital de peq. porte, sup. em Adm. Hospitalar, m/f., CV c/ pret. sal. p/ CP 17340, CEP 03211-000, côd. AH

Gerente Comercial

Empresa em expansão na área de saúde , necessita de profissional qualificado (c/ comprovação). Atuamos c/ outros produtos na área de saúde. Marcar entrevista pelo F.: 246-0391 c/ Soraya.

BCD PROJETOS

Busca profissionais experientes, que possuam as qualificações necessárias para serem integrados ao seu quadro de colaboradores atuando como:

Analista e Programadores

- COBOL, DB2, IMS-DB/DC, VSAM, CICS;
- ASSEMBLER;
- TELON, EASYTRIEVE;
- VB, SQL-SERVER, ACCESS.

Encaminhar currículo, indicando o cargo e a área pretendidos, através do *Fax (011) 9993-6660 ou a/c Depto. de Recursos Humanos Alameda Itu, 332 - 10º andar - CEP 05443-000 - Centro - São Paulo*

SUPERVISOR DE PESSOAL

Empresa do ramo de distribuição de combustíveis admite para início imediato.

Requisitos:
- experiência mínima de 2 anos;
- conhecimento de rotinas da área de pessoal (folha de pagto., FGTS, férias, recolhimento, etc.);
- nível superior completo ou cursando.

Enviar CV a/c de Sr. Ricardo
Rua Minas Gerais, 981
Tatuapé - São Paulo - CEP 08775-010.

VENDEDORES

Se você é ambicioso, quer trabalhar, ou já trabalha com vendas e quer fazer seu próprio salário, venha falar conosco. Oferecemos:

- ★ Registro em Carteira
- ★ Salário Fixo
- ★ Prêmio Sobre Produção
- ★ Ticket Refeição
- ★ Vale Transporte
- ★ Cesta Básica
- ★ Assistência Médica

Compareça à R. Outeiro, 717, munido de documentos, nesta 2ª feira em horário comercial.

2 Use uma das seguintes <u>conjunções</u> para completar as orações abaixo:

| ou | logo | entretanto | mas também | porque | pois | e |

1. Se você procura uma vaga de vendedor, compareça à rua Outeiro, 717 _____ envie seu currículo aos cuidados do sr. Alex Rocha.

2. Jorge sempre quis ser médico, _____ formou-se em engenharia química.

3. Marque a entrevista logo pela manhã, _____ as vagas são limitadas.

4. A empresa oferece não só registro em carteira, _____ salário fixo e vale transporte.

5. Joana não foi selecionada para a segunda fase da entrevista _____ não tinha experiência mínima de dois anos na área de saúde.

6. Carlos era o mais experiente do grupo, _____ foi contratado com um ótimo salário.

DIREITOS DE UM TRABALHADOR

APOSENTADORIA
ASSISTÊNCIA MÉDICA
13º SALÁRIO
FÉRIAS ANUAIS REMUNERADAS
LICENÇA (MÉDICA/PRÊMIO/MATERNIDADE)
SALÁRIO FAMÍLIA
VALE REFEIÇÃO/TRANSPORTE...

psiu!

3 Veja quantas explicações você consegue dar para as seguintes situações não muito comuns e então discuta-as com os seus colegas:

Ex.: ***Ele não tem usado canetas desde que saiu da escola.***

Explicações:
1. Ele tem usado o seu PC.
2. Ele tem uma secretária que tem escrito por ele.
3. No seu trabalho ele não precisa escrever nada.

SITUAÇÕES

1. Ele não tem saído com seus amigos há 1 ano.
2. Ele não tem dirigido seu carro há 2 anos.
3. Ele não tem se barbeado há 1 ano.
4. Ele não tem ido trabalhar há 1 ano.
5. Ele não tem conversado com ninguém nos últimos 7 anos.
6. Ele não tem comido carne.

4

Ana vai ter uma semana muito ocupada!
Hoje é 2ª feira e seu chefe está passando-lhe as tarefas da semana inteira. Ouça a fita e preencha a agenda de Ana. Algumas anotações já foram feitas, mas <u>três</u> delas estão <u>erradas</u>. Corrija-as e complete o restante das informações.

REVISÃO

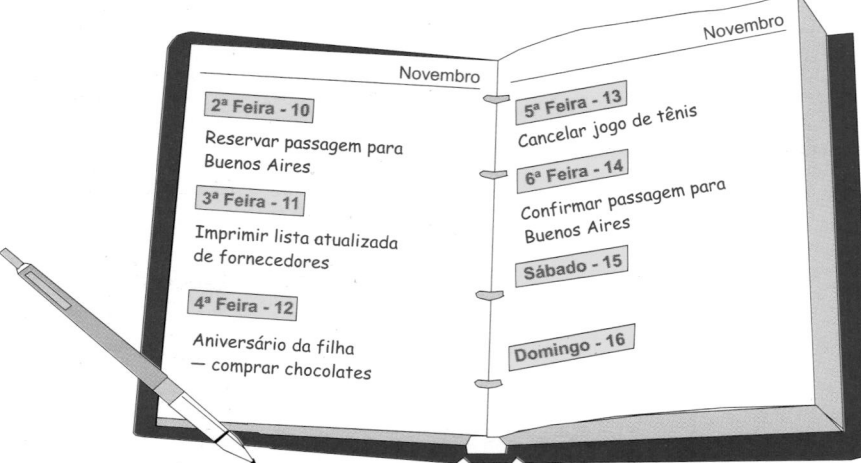

Novembro

2ª Feira - 10
Reservar passagem para Buenos Aires

3ª Feira - 11
Imprimir lista atualizada de fornecedores

4ª Feira - 12
Aniversário da filha — comprar chocolates

Novembro

5ª Feira - 13
Cancelar jogo de tênis

6ª Feira - 14
Confirmar passagem para Buenos Aires

Sábado - 15

Domingo - 16

Agora você é o chefe. Usando as anotações da agenda ao lado, dê instruções a seu colega/professor. Use o imperativo para ditar suas ordens. Boa sorte!

5 Discuta as situações abaixo com seu colega/professor. Vocês agiriam da mesma forma?

O que você faria se...

REVISÃO

1. seu chefe lhe chamasse a atenção na presença dos colegas de trabalho?
2. você tivesse que viajar a serviço para o exterior por um período de 3 anos?
3. seu chefe decidisse não lhe dar mais a promoção prometida há 6 meses?
4. você chegasse atrasado a uma reunião de diretoria?
5. você derramasse café na sua roupa meia hora antes de uma apresentação importante?

psiu!

MINISTÉRIOS

AERONÁUTICA
COMUNICAÇÕES
ESPORTES
EXÉRCITO
FAZENDA
JUSTIÇA
MARINHA
PLANEJAMENTO
SAÚDE
TRABALHO...

Cresce participação estrangeira em negócios de caju

Indústrias alugam equipamentos para grupos internacionais beneficiarem o principal produto de exportação do Ceará

Têm sotaque cada vez mais forte as negociações envolvendo o principal e mais tradicional produto de exportação do Ceará: a amêndoa da castanha do caju. Depois de se acostumar com a presença norte-americana e com a participação portuguesa na Resibras (Resinas do Brasil S.A.), o setor é novamente alvo das investidas de grupos estrangeiros. Desta vez, no entanto, para fincar pé em solo cearense os estrangeiros adotaram estratégia diferenciada. Em vez de investimento em instalações industriais ou participação no capital social de empresas locais, a opção preferencial tem sido contatos de prestação de serviços. Na prática, os grupos internacionais adquirem a matéria-prima e remuneram as fábricas pela tarefa de beneficiar a castanha. Segundo o engenheiro de produção Edmar Vieira Filho, os grupos internacionais pagam, em média, US$ 24 pelo beneficiamento de cada caixa da amêndoa - 22,68 quilos. O Brasil produz cerca de 180 mil toneladas anuais de castanha. O Ceará, com 363 mil hectares plantados, responde por cerca de 50% da safra brasileira e concentra 80% das exportações.

Fonte: Texto adaptado de artigo de Darlan Moreira no jornal Gazeta Mercantil - 2003

No Aeroporto Internacional Pinto Martins, em Fortaleza – Ceará

Sr. Russel: *Com licença. Sou Jack Russel.*

Marcelo: Bom dia, senhor Russel. Sou Marcelo da Cajugomes. Prazer em conhecê-lo.

Sr. Russel: *Muito prazer.*

Marcelo: O senhor fez boa viagem?

Sr. Russel: *Sim. A viagem foi muito tranqüila.*

Marcelo: Eu já estava um pouco preocupado, pois o vôo estava previsto para chegar às 9h30.

Sr. Russel: *Infelizmente houve um atraso de mais ou menos duas horas devido ao mau tempo em Nova York. Desculpe, mas não consegui avisá-los.*

Marcelo: Sem problemas. O que importa é que o senhor chegou bem. Vamos direto para a empresa ou o senhor prefere passar no hotel primeiro?

Sr. Russel: *O hotel fica no caminho da empresa?*

Marcelo: Sim, senhor. O hotel fica a poucas quadras da Cajugomes. Dá até para ir a pé!

Sr. Russel: *Ótimo. Então, vamos ao hotel primeiro para deixarmos as malas. Aí eu já aproveito para tomar um banho rápido. Deve estar uns 40 graus hoje, hein?*

Marcelo: Disseram que hoje é um dos dias mais quentes do ano.

Sr. Russel: *Sem dúvida! E como vão os negócios, Marcelo?*

Marcelo: De vento em popa! Temos muitas novidades para lhe contar!

Sr. Russel

Continue o diálogo entre o senhor Russel e Marcelo no caminho do hotel até a empresa.

CONCURSOS PÚBLICOS

AFTN
BACEN
BANCO DO BRASIL
FISCAL DO TRABALHO
INSS
POLICIAL RODOVIÁRIO
TCE
TTN...

psiu!

7 **Perceba a diferença de sentido entre as frases abaixo:**

'Vou visitar meu irmão, que mora em Portugal.'

Neste caso, eu tenho apenas um irmão e ele mora em Portugal!

'Vou visitar meu irmão que mora em Portugal.'

Aqui eu tenho pelo menos mais um irmão, sendo que um deles mora em Portugal.

8 **Discuta com o seu colega/Professor a diferença de sentido entre as seguintes frases:**

As empresas que não investem no treinamento de seus funcionários tendem a perdê-los.
As empresas, que não investem no treinamento de seus funcionários, tendem a perdê-los.

O país, que não proporciona incentivos fiscais, perde investimentos estrangeiros.
O país que não proporciona incentivos fiscais perde investimentos estrangeiros.

O diretor, que é muito exigente, não está nunca satisfeito.   O escritório tem 5 empregados que moram longe.
O diretor que é muito exigente não está nunca satisfeito.   O escritório tem 5 empregados, que moram longe.

9 **Vamos praticar as conjunções? Complete as frases da coluna A unindo-as, com um traço, às frases da coluna B:**

A   B

Ela foi ficando cada vez mais nervosa   todos foram aprovados no teste.

Gosto deste trabalho   de modo que ninguém suspeitasse dele.

A menos que surja algum problema muito grave   à medida que as pessoas chegavam.

Por mais que estude   poderia colocar esta carta no correio para mim?

Já que você vai à cidade,   algo acontece.

Segundo o instrutor,   não consigo memorizar os nomes e as datas da história do Brasil.

Sempre que resolvo viajar   vou sair de férias no mês que vem.

O assassino ocultou todas as pistas,   tanto quanto você.

10 **Agora complete as frases abaixo. Atenção ao uso das conjunções!**

1. À medida que _____, Cristina foi mudando de caráter.
2. Hoje eu saio do serviço às 17 horas, a menos que _____.
3. Não posso permitir isso, por mais que _____.
4. Tenho medo de uma tempestade, tanto quanto de _____.
5. Fechei todas as portas e janelas da casa, de modo que _____.
6. Já que o chefe não vem hoje, _____.
7. Sempre que eu a encontro, _____.

NUM ESCRITÓRIO

COMPUTADOR
(FOTO) COPIADORA/MÁQUINA DE XEROX
GRAMPEADOR
IMPRESSORA
MÁQUINA DE ESCREVER
QUADRO DE AVISOS
TELEFONE/FAX/TELEX...

11 O Ceará oferece aos turistas e executivos estrangeiros muito mais do que um bom negócio! Veja algumas informações e complete as dicas abaixo.

Praia de Iracema
Conhecida mundialmente pela beleza de seu calçadão à beira-mar com vários bares para todos os gostos. Nela se encontram a Ponte Metálica e o Centro Cultural Dragão do Mar.

Ponte Metálica
Também conhecida como Ponte dos Ingleses, onde é possível contemplar o mais lindo pôr de sol e, com um pouco de sorte, observar os golfinhos brincando.
Local: Praia de Iracema

Beach Park - apenas a 20 km de Fortaleza, na praia do Porto das Dunas, no município de Aquiraz, o Beach Park é o maior parque temático litorâneo de toda a América latina. Um passeio imperdível.

Fonte: www.rotaceara.com.br

Vai ao Ceará?

Logo que chegar em Fortaleza, _____

Quando visitar a praia de Iracema, não deixe de _____

O Beach Park é uma atração imperdível, por isso _____

Divirta-se nas lindas praias do Ceará, entretanto _____

Mesmo que você fique apenas três dias em Fortaleza, _____

Que tipos de empregos podem gerar o comércio e o turismo cearense? Escolha outra cidade brasileira e pesquise sobre seu mercado potencial, seu turismo e suas opções de lazer.

12 Vamos discutir um pouco a respeito de um ESCRITÓRIO VIRTUAL:

1. Você gostaria de montar um escritório em casa e trabalhar de pijama?

2. O que é necessário para montar um *home office*?

3. O estresse desapareceria com esse sistema de trabalho?

4. Quais os pontos positivos e os pontos negativos desse sistema de trabalho?

5. Escritórios convencionais ainda existirão no futuro?

EXEMPLO DE UM ORGANOGRAMA DE UMA EMPRESA

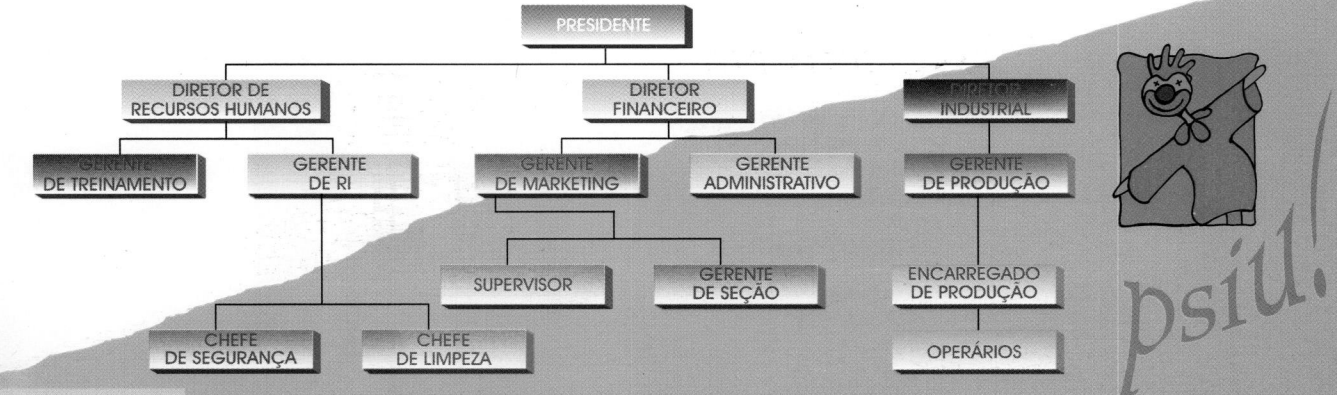

13 🎙️ Agora leia o texto abaixo e discuta-o com os seus colegas.

VISTA O PIJAMA E TRABALHE EM CASA

Trocar o nervosismo do trânsito e a obrigação de vestir terno e gravata pelo conforto de trabalhar em casa tem feito parte da rotina de profissionais liberais e executivos de grandes empresas. De seus home offices fazem seus negócios e podem se dar ao luxo de passar o dia de pijama com os pés para cima. De quebra, sobra mais tempo para a família e para o lazer. Cerca de 21 milhões de pessoas nos Estados Unidos trabalham uma parte do dia em casa. Estima-se que mais de 10 milhões de americanos utilizem algum tipo de tecnologia para comunicação virtual. No Brasil, o número de profissionais que controlam seus negócios a partir de um home office cresce ano a ano.

Brincar de globalização dentro de casa tem seu charme. Para começar a montar um home office, um computador robusto é fundamental. Alguns micros transformaram-se em verdadeiras centrais de entretenimento. São, ao mesmo tempo, TV, vídeo, fax, aparelho de som e telefone viva-voz.

Se, além de trabalhar em casa, a idéia for visitar clientes, os notebooks podem ser uma opção. Conjugados aos celulares, permitem que o "escritório" acompanhe o profissional aonde quer que ele vá. Além do celular, não se deve prescindir de uma linha telefônica extra — caso contrário, você correrá o risco de seu filho de 2 anos atender ao telefonema de um cliente. Se você não dispõe de um aparelho celular ou uma linha telefônica extra, com o pager é possível até receber mensagens enviadas para o seu e-mail na Internet.

O sucesso do chamado escritório virtual está nas facilidades adquiridas com novas tecnologias e no desenvolvimento de serviços específicos para esse público. A virtualidade, a chamemos assim, é um dos personagens centrais da onda da globalização.

Nem só aqueles que sonham passar o dia todo em casa têm sucesso com o mundo virtual. Uma leva de executivos passa parte do tempo em casa e parte no escritório, sem horários fixos. Eles recorrem à comunicação por correio eletrônico para boa parte das tarefas de trabalho. Procuram, ainda, estar o máximo de tempo possível à disposição dos clientes. Livre dos compromissos diários dentro da empresa, o profissional pode produzir mais. Desde que consiga manter uma disciplina rígida e não deixe o serviço de lado, em plena manhã de segunda-feira, para brincar com o cachorro no jardim. Quem adota um esquema de trabalho virtual precisa organizar muito bem o tempo, caso contrário vai se perder. Além disso, a pessoa deve estar preparada para tomar decisões importantes sozinha, já que não terá o chefe sempre à frente para consultar.

Vejamos a opinião de uma das pessoas que optaram por trabalhar em casa: "Trabalhar em casa me dá enorme prazer, mas às vezes sinto necessidade de sair, de ter o contato mais pessoal com quem me relaciono profissionalmente". Para não mergulhar na eterna solidão, ainda que conectado ao mundo pelos computadores, ele decidiu por um modelo, digamos, híbrido de trabalho. "Três dias em casa, dois no escritório. Essa talvez seja a solução ideal", afirma.

Fonte: Revista "Informática" nº 135 - 06/97

14 Complete as orações, de acordo com o conteúdo do texto acima:

1. Uma vez que você cuida dos seus negócios em casa, _____
_____

2. Trabalhando em casa você vai produzir mais desde que _____

3. Ao montar um home office é imprescindível ter uma linha telefônica extra, para que _____
_____

4. Caso não tenha uma linha telefônica extra, _____

5. Embora o executivo esteja conectado ao mundo através do computador, ele _____
_____

6. Quanto menor for o contato direto com colegas e clientes, _____

7. A pessoa entrevistada se sentiu tão solitária que _____
_____

psiu!

NO BANCO

CADERNETA DE POUPANÇA
CAIXA ELETRÔNICO
CARTÃO MAGNÉTICO
CHEQUE
COFRE
DÉBITO AUTOMÁTICO
DEPÓSITO
GUICHÊ
INVESTIMENTO
MOEDAS
NOTAS
RETIRADA...

 E você? Você gostaria de montar um home office? Por quê? Quantas pessoas você conhece que trabalham em casa? Elas estão satisfeitas com esse sistema de trabalho? Você acha que a perda do contato direto acarreta perda do calor humano? O que é para você um local de trabalho ideal?

Agora ordene as suas idéias e escreva uma redação sobre "O Local de Trabalho Ideal".

 Observe as situações ao lado e, seguindo o exemplo, (1) formule interrogações diretas e indiretas (2) faça uma frase no discurso indireto:

 REVISÃO

(qual/ser total)

(quem/deixar recado)

(qual/itinerário)

(qual/horário)

Exemplos:
(1) Menino, o que foi isso? Quero saber o que foi isso.
(2) A mãe perguntou ao filho o que <u>tinha sido</u> aquilo.

Note o uso dos aumentativos e diminutivos dos numerais nas frases seguintes:

> "Nossa, que caro! Não é possível que este terno esteja custando duzentão!"
> "Me empresta cenzinho?"

 Faça frases parecidas com os dados indicados:

1- Por que João te pediu _____ (R$ 20,00)? A mesada dele já acabou?
2- Fiquei impressionada com o guardador de carros. Acredita que ele me pediu _____ (R$ 30,00) para tomar conta do meu carro?
3- Que horror! Você está regulando _____ (R$ 100,00)? Que amigo você é?

 Ouça a fita e escreva por extenso os números que você ouve nas frases:

a - _____   b - _____
c - _____   d - _____
e - _____   f - _____
g - _____   h - _____

ECONOMIA

BOLSA DE VALORES/AÇÕES
CUSTO DE VIDA
IMPOSTOS
INFLAÇÃO
INVESTIMENTOS (APLICAÇÕES, FUNDOS, CARTEIRAS, ...)
JUROS...

Correspondências (1)

GRUPO ESTRELA AZUL
"APRIMORAR OS SERVIÇOS É A NOSSA META"

São Paulo / Julho - 2003

MÉTODO EDITORAÇÃO E. C. D. E. LIVROS LTDA
SRA. SONIA CASTRO
ADMINISTRATIVA
RUA CONSELHEIRO RAMALHO, 900
BELA VISTA   SÃO PAULO SP
01325-001

Prezados Senhores,

Devido a atualizações departamentais de nossa empresa, vimos através desta informar a V. Sas., nosso quadro funcional.

Abaixo relacionamos os departamentos, pessoas responsáveis, bem como telefones, ramais, e e-mails, para que V. Sas. tenham uma maior facilidade na comunicação, e obtenham toda e qualquer informação necessária com agilidade:

Departamento	Contato	Cargo	Telefone	Ramal	E-mail
Comercial	Eduardo Notrispe	Gerente	3061-9428	46	enotrispe@estrelaazul.com.br
Comercial	Lucy Mary	Supervisora	3061-9428	53	lmcosta@estrelaazul.com.br
Custos	Armando	Gerente	3061-9428	43	armandoprado@estrelaazul.com.br
Custos	Luiz Dresdi	Coordenador	3061-9428	50	lrdresdi@estre...
Financeiro/Faturas	Sr. Arnaldo	Coordenador	3061-9428	32	arnaldoprado...
Jurídico	Dr. Carlos Eduardo	Advogado	3061-9428	55	cgsoares@e...
Operacional	Sra. Sueli Moss	Coordenadora	3328-8543		smoss@est...
Eletrônica/Técnica	Sra. Roseli	Coordenadora	3328-8563		rdebia@es...
Monitoramento	Sr. Oscar	Supervisor	3328-8562		oaleixo@e...
Qualidade	Sra. Adriana	Atendimento	3328-8520		afsantos@...
	Sra. Beth	Atendimento	3328-8546		eestavare...

Aproveitamos ainda para informar o endereço eletrônico, para recebimento de **Concorr**... pessoa de contato, telefone e ramal:

Contato	Telefone	Ramal	E-mail
Lúcia Sauer	3061-9428	63	lsauer@estrelaazul.com....

Sem mais

Cordialmente,

Eduardo Notrispe
Gerente Comercial

Luiz F...
Diretor

Rua Agrário de Souza, 216 - Jd. Paulistano - cep 01445-010- São Paulo -...
0800 13-7713 www.estrelaazul.com.br

SÃO PAULO   RIO DE JANEIRO   PARANÁ   ESPÍRITO SANTO   MINAS...

Smiles

MARIA SILVA
RUA VERIDIANA 870 APTO 34
SANTA CECÍLIA
SÃO PAULO SP
01223-010

São Paulo, março de 2004

RG002534612

7291026717009970000001342102203 04

Prezada MARIA,

AÇÃO ESPECIAL DO PROGRAMA SMILES PARA VOCÊ (*)
O SEU CARTÃO PRATA FOI RENOVADO POR MAIS UM ANO!

Queremos agradecer por você fazer parte do nosso Programa. Gostaríamos de lembrar que o prazo de validade de seu cartão Smiles Prata expira em **31/03/2004**. Todos os anos, neste período, são renovados os cartões Smiles daqueles participantes que, durante o último ao (de janeiro a dezembro), mantiveram o mínimo necessário de 20.000 milhas ou 25 trechos voados, quantidade não acumulada em sua conta Smiles.

Este ano, o Smiles proporcionará, especialmente para você, a continuidade dos privilégios que a categoria Prata lhe oferece. Assim, renovamos por mais um ano a validade de seu cartão Smiles Prata, que garante a você o acesso aos privilégios e benefícios exclusivos que você já conhece.

E mais: preparamos uma nova oferta para agilizar a conquista do cartão Smiles Ouro!
Basta que você voe a metade das milhas necessárias até 30/09/2004.

De acordo com o regulamento Smiles, é necessário o acúmulo de 50.000 milhas efetivamente voadas ou 60 trechos realizados em um período de 12 meses consecutivos. Através dessa oferta especial, você só precisará voar 25.000 milhas ou 30 trechos no período de **01/04/2004 a 30/09/2004** para receber o seu cartão Smiles Ouro.

Aproveite essa oportunidade! O cartão Smiles Ouro lhe proporcionará as seguintes vantagens e benefícios: bônus de 50% sobre todas as milhas voadas com a Varig e Pluna; check-in em balcão de Classe Executiva e acesso à Sala Vip de Classe Executiva ou àquelas sinalizadas como "Star Gold" (nos aeroportos dispõem desta facilidade) independente da classe em que estiver voando; status e reconhecimento de "Star Gold" em todas as Companhias que compõem a Star Alliance; franquia de 20 kg de excesso de bagagem, ou uma peça nos países onde esse conceito se aplica (válido para vôos da Varig e Pluna); entre outros.

Visite nosso site: www.smiles.com.br . Você poderá obter os detalhes de sua Conta Smiles, consultar saldos, alterar endereço e outros serviços, através da sessão *My Smiles*, cujo acesso é permitido mediante a informação do número da Conta e de sua senha Smiles, que é pessoal e intransferível. Procure manter sempre os seus dados atualizados, pois isto facilitará a nossa comunicação com você.

A Central de Atendimento também está à sua disposição para esclarecer dúvidas, fornecer informações e receber sugestões.

Uma vez mais, agradecemos a sua preferência e esperamos continuar a receber você a bordo de nossas aeronaves.

Cordialmente,

Programa Smiles

(*) Essa é uma ação promocional do Programa Smiles, sendo nominal, intransferível e válida exclusivamente para os cartões Smiles expirando em **31/03/2004**.

LT: 1387 REN2PM

✳ VARIG *Brasil*
RIO SUL   NORDESTE   PLUNA

APRENDA

UMA ENTREVISTA

Candidato: Bom dia! Meu nome é Carlos. Eu mandei um currículo para a vaga de engenheiro sênior e D. Vilma marcou uma entrevista comigo para as 8h.

Vilma: Pois não, pode sentar... eu sou Vilma. Aguarde um pouco, por favor.

C: Está certo.

(Carlos aguarda na sala de espera)

V: Carlos, pode entrar.

C: Obrigado.

V: Vamos ver: você se formou pela Universidade Federal de Pernambuco em 1977.

C: Sim, e após meu estágio na NEC do Brasil resolvi passar um tempo nos Estados Unidos aprimorando meu inglês.

V: Ótimo. Vejo aqui que você fala italiano também.

C: Sim, meus pais nasceram na Itália e sempre insistiram para que os filhos falassem italiano em casa. Além disso, quando crianças, costumávamos passar as férias na Itália.

V: *Tá.* E quanto à sua experiência como engenheiro?

C: Bem, sempre gostei de estudar e minha especialização é em Telecomunicações. No momento estou cursando Pós-Graduação em Fibras Ópticas. Termino o Mestrado em dois anos e no momento estou desenvolvendo minha tese.

V: Quanto tempo você trabalhou na Ericsson?

C: 3 anos. Comecei como engenheiro júnior e terminei como sênior.

V: Por que você saiu da empresa?

C: A princípio optei pelo Mestrado durante o dia mas agora preciso dedicar-me mais ao trabalho pois pretendo me casar em um ou dois anos. Minha noiva é médica.

V: Gostaria de pedir que você fizesse uma redação com o título: "Minha autobiografia". Você se incomodaria em fazê-la em inglês?

C: Pois não. Caso selecionado, qual seria o segundo passo?

V: Marcaremos uma entrevista com o seu possível chefe imediato e então, se tudo der certo, os exames médicos. Você tem mais alguma pergunta?

C: Sim, sobre o salário, a Empresa... mas acho que isto pode esperar. Onde posso ficar para fazer a redação?

V: Na sala ao lado... Boa Sorte!

PARTE DE UMA ENTREVISTA

A: Já ouviu falar em globalização?

B: Globa... desculpe, poderia repetir a palavra?

A: Não importa... Já morou no exterior alguma vez?

B: Não senhor.

A: Já viajou a algum país estrangeiro?

B: Não senhor.

A: Fala inglês ou algum outro idioma?

B: Não senhor. É preciso saber algum outro idioma para ser admitido?

A: Pelo menos o inglês porque tanto os manuais quanto os clientes e os fornecedores são, na sua maioria, estrangeiros.

B: Eu posso aprender, se o senhor me der uma oportunidade.

A: Que tipo de programas de computador o senhor conhece?

B: Eu... nunca usei um computador.

A: Então, desculpe-me mas a pessoa que procuramos precisa ter um conhecimento mínimo de computação além do inglês.

B: Mas eu tenho 20 anos de experiência profissional!

A: Desculpe-me e obrigado por ter vindo.

VOCABULÁRIO RELEVANTE

MÃO-DE-OBRA	BATER CARTÃO	DESCONTO EM FOLHA
JORNADA DE TRABALHO	LICENÇA (NÃO) REMUNERADA	ENCARGOS SOCIAIS
HORÁRIO DE EXPEDIENTE	PAGAMENTO/SALÁRIO	AUMENTO SALARIAL
HORA EXTRA	DIÁRIA	ABONO SALARIAL
TURNO		

ALGUNS PREFIXOS

PREFIXO	SENTIDO	EXEMPLOS
ante-	anterioridade	anteontem
bem-(ben-), bene-	bondade, simpatia, alto grau	benfeitor, bem-vindo, benevolente
co-(cor-), com-(con-)	companhia, combinação	cooperar, companhia
contra-	oposição	contrapor
pro-	movimento para frente, substituição, em favor de	prosseguir, pronome, propensão
pre-	antes, acima	prefácio, predominar
re-	movimento para trás, repetição	regredir, reescrever
super, sobre, supra-	posição superior, excesso	superpovoado, sobrecarga, supra-sumo
in-(im-), i-(ir-)	negação, privação	incapaz, ilegal
anti-	ação contrária, oposição	antibiótico, antídoto
des-	negação, separação, ação contrária	desligar, desatento, desacordo

ALGUNS SUFIXOS NOMINAIS:

Observem ao lado alguns adjetivos e os substantivos correspondentes. Vamos descobrir os sufixos mais usados para formar adjetivos e substantivos?

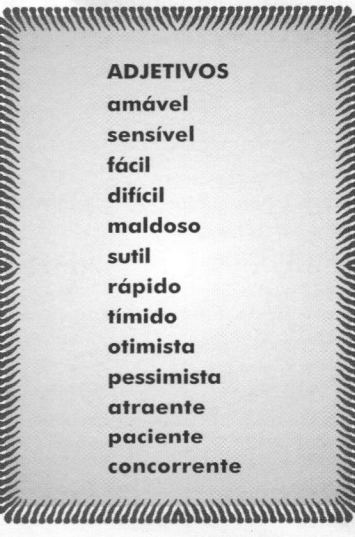

ADJETIVOS
amável
sensível
fácil
difícil
maldoso
sutil
rápido
tímido
otimista
pessimista
atraente
paciente
concorrente

SUBSTANTIVOS
amabilidade
sensibilidade
facilidade
dificuldade
maldade
sutileza
rapidez
timidez
otimismo
pessimismo
atração
paciência
concorrência

Assim temos:
1. Alguns sufixos mais comuns para a formação de adjetivos:
-vel, -il, -oso, -ivo, -ido, -ente...

2. Alguns sufixos mais comuns para a formação de substantivos:
-dade, -ez, -eza, -ismo, -ção, -ência...

Agora vamos observar os sufixos nestas palavras. Eles também são muito comuns:

ADJETIVOS 👉 alimentício, fictício,
semanal, semestral, campestre,
aromático, romântico, silvestre...

SUBSTANTIVOS 👉 pensamento, sentimento,
leitura, abertura,
aprendizagem, selvagem...

Vejamos também os sufixos que indicam *ocupação, ofício, profissão, agente*:
-ário, -or, -eiro, -ista, -nte
EXEMPLOS: secretário, cantor, cozinheiro, motorista, estudante

Agora vejamos os sufixos que indicam *lugar onde* se executa alguma atividade:
-aria, -douro, -tório, -tério
EXEMPLOS: padaria, matadouro, escritório, ministério

Prefixos
Sufixos
Superlativo Absoluto

'É só chamar que eu vou trabalhar'

Dinheiro é a razão para tanto empenho

Aproveitar os feriados prolongados para trabalhar - e bem mais - pode parecer loucura para muitas pessoas.

Mas há quem tire proveito disso. A representante de atendimento Rosana Pessoa dos Santos, 32, é prova incontestável desse comportamento.

No mercado de trabalho há 15 anos, ela diz que, se puder escolher, não emenda nenhum feriado. "Trabalho sempre, de manhã, de tarde ou de noite. É só chamar que eu vou".

A razão para tanto empenho profissional é o dinheiro: "Quando não sou convocada para trabalhar aos domingos e feriados, acabo comprando as horas extras dos colegas."

Apesar de trabalhar mais que o marido, Rosana diz que isso não atrapalha o relacionamento: "Ele é muito legal e já se adaptou ao meu jeito".

Ela afirma que quando tem de ir trabalhar aos domingos e feriados, o café da manhã fica pronto mais cedo. "E, no fim, meu marido acaba me levando ao trabalho", afirma.

Fonte: Jornal Folha de São Paulo - 25/01/98

1 Você é proprietária de uma loja em um grande Shopping Center no Rio Grande do Sul. É dezembro e, como todo ano, você precisa de reforço no seu grupo de vendedores. Imagine-se entrevistando ROSANA. Trabalhe em pares: um de vocês é Rosana e o outro, o proprietário da loja. FAÇAM O DIÁLOGO.

2 Você está desempregado e precisa arrumar dinheiro de qualquer maneira, mesmo que seja um "bico", ou seja, um trabalho temporário. Veja os anúncios ao lado, escolha o que você gostaria de fazer e explique o porquê. Explique também por que não faria os outros trabalhos.

Garçon / Garçonete
Universitários, masculino/feminino, p/ trabalhar em casa noturna. Comp. à Rua Sebastião Pereira da Rocha, 359, Pinheiros, 2ª feira (26/01), a partir das 13h.

OP. TELEMARKETING
Masc. Editora. Sal + com. CP 60.009 Cep 05096-970 SP.

Entregadores
Rapazes p/ entrega. (150 vagas). Salário R$ 500,00 + TR + VT. Ligue: 900-0535- R$ 4,49 p/ min.

SACOLEIRA
P/ venda de camisas finas, c/ ganhos aproximados de R$ 70,00 diários. Tratar F: 3955-0367 hc. Maria Helena/João

AGENTE
À distância. Média R$ 500,00 sem sair de casa. Inform. Caixa Postal 2023 Cep: 09870-001.

TIPOS DE TRABALHO

BICO
ESTÁGIO
FIXO
MEIO-PERÍODO
PERÍODO INTEGRAL
PLANTÃO
RESIDÊNCIA (MÉDICA)
SUPLÊNCIA
TEMPORÁRIO...

psiu!

Discuta com seus colegas:
Quais os prós e contras de trabalhar para uma grande empresa multinacional?

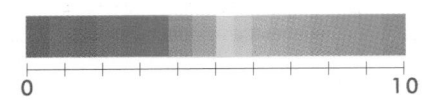

VANTAGENS X DESVANTAGENS

Você se considera uma pessoa organizada? Na escala abaixo, onde você se encaixaria?

REVISÃO

MUITO organizado (a)

0 ——————————— 10

NADA organizado (a)

Com que freqüência você:

1. arruma sua mesa no escritório?
2. limpa suas gavetas?
3. organiza seu arquivo?
4. joga fora papéis antigos?
5. lê, mais de uma vez, o mesmo documento deixado sobre sua mesa?
6. esquece de enviar correspondências?
7. deixa de fazer ligações importantes?
8. marca reuniões de última hora?
9. faz horas extras?
10. esquece de apagar as luzes ao sair da sala?

MARQUE COM UM X

	sempre	normalmente	às vezes	nunca
1.				
2.				
3.				
4.				
5.				
6.				
7.				
8.				
9.				
10.				

Agora use os <u>advérbios</u> e <u>locuções adverbiais</u> do quadro abaixo para falar sobre as questões acima.

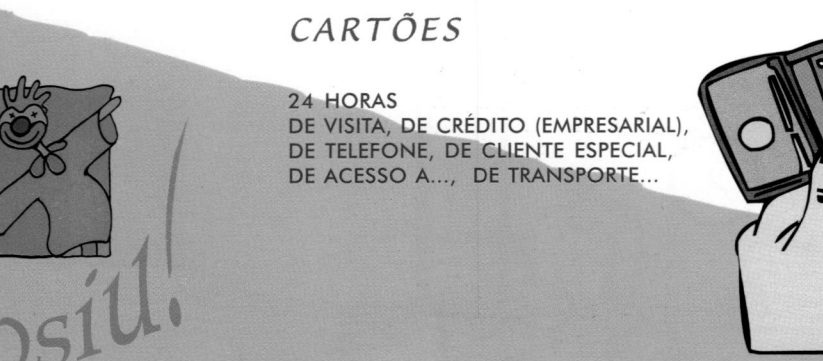

pela manhã	no final da tarde	calmamente
raramente	demais	de vez em quando
certamente	nunca	às pressas

CARTÕES

24 HORAS
DE VISITA, DE CRÉDITO (EMPRESARIAL),
DE TELEFONE, DE CLIENTE ESPECIAL,
DE ACESSO A..., DE TRANSPORTE...

psiu!

RESPONSABILIDADE SOCIAL

5 Relacione os títulos aos trechos dos textos extraídos do jornal Gazeta Mercantil.

(1) Grupo investe em formação e na profissionalização de jovens (2) Parceria (3) Lições de cidadania ganham espaço

(   ) '... A palavra-chave, portanto, é estímulo. E, convenhamos, não é preciso um esforço descomunal para obter essa faísca; basta apenas vontade. No caso de nossa organização, optamos por divulgar aos funcionários os diversos programas de cunho social e comunitário que mantemos há tempos, caso do McDia Feliz. O grau de envolvimento comunitário dos nossos funcionários é elevado, mas considero que podemos ir além. Mais cedo do que se imagina, as empresas que não devolverem à comunidade parte do que dela recebem terão horizontes restritos. No entanto, enganam-se os empreendedores que julgam a filantropia mais que suficiente. Temos uma missão educativa pela frente, a mais nobre que existe.'

Fonte: Marcel Fleischmann - Presidente do McDonald's Brasil
Gazeta Mercantil - 2002

(   ) '... Universidade e empresa mantêm relações há muitos anos por meios dos estágios oferecidos aos alunos e incentivo da empresa em projetos de pesquisa. A reformulação da sala de aula promoverá maior conforto e recursos tecnológicos avançados que estarão à disposição do aluno para planejar, executar e controlar projetos universitários.'

Fonte: gsp@gazetamercantil.com.br
Gazeta Mercantil - 2003

(   ) '... O Grupo Votorantim, terceiro maior investidor privado em ações sociais no Brasil, vai concentrar seus projetos de responsabilidade social nos próximos cinco anos na educação e na formação profissional de jovens. "A inserção dos jovens no mercado de trabalho é o maior desafio a ser enfrentado.", justificou José Ermírio de Moraes Neto, vice-presidente do Conselho de Administração do grupo.'

Fonte: Gazeta Mercantil - 2002

6 Discuta com seu colega as afirmações feitas por José Ermírio de Moraes Neto, do grupo Votorantim. Atualmente, qual é a posição do jovem no mercado de trabalho?

 Que outros programas sociais de empresas nacionais ou multinacionais você conhece ou sobre os quais já ouviu falar? O que poderia ser feito para incentivar as empresas a investirem mais nesse setor?

AGÊNCIAS

BANCÁRIA
DE EMPREGO/RECOLOCAÇÃO
DE MODELOS
DE VIAGEM/TURISMO
DOS CORREIOS...

agência de EMPREGOS

psiu!

NOVA DIREÇÃO

Mundo passa por transição para o fim do emprego

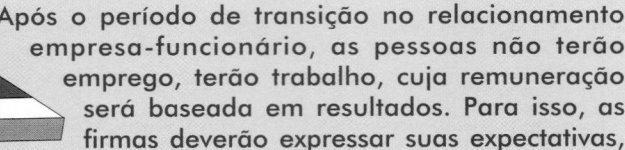

Após o período de transição no relacionamento empresa-funcionário, as pessoas não terão emprego, terão trabalho, cuja remuneração será baseada em resultados. Para isso, as firmas deverão expressar suas expectativas, dando condições aos trabalhadores de atendê-las. Num passado não distante, indicava-se o tempo todo ao funcionário quais eram os seus afazeres. Hoje ele deve buscar e apresentar resultados, o que tem gerado estresse no trabalhador, que ainda não se adaptou ao novo processo. Não se adaptou à falta de chefe que ensina como fazer o que deve ser feito. É preciso se organizar, ter um trabalho de liderança pessoal para que o funcionário possa produzir o que mais importa. O sucesso das mudanças será mais rápido e trará melhores resultados quando forem atendidas quatro necessidades básicas do funcionário.

Fonte: Texto adaptado de artigo de Hyrum Smith no jornal Folha de São Paulo - 2003

Na sua opinião, quais são as quatro necessidades básicas a que o texto acima se refere? Relacione as colunas.

1. física   (   ) satisfação interior, reconhecimento e sensação de realização na vida pessoal e profissional

2. sócio-emocional   (   ) relacionamentos interpessoais mais equilibrados

3. mental   (   ) carreira e finanças compensadoras e atraentes

4. espiritual   (   ) contínuo desenvolvimento e necessidade de aprender

Os advérbios CLARAMENTE, MUITO e EXATAMENTE foram retirados do texto acima. Onde você os colocaria?

Dica: esses advérbios aparecem entre a 2ª e a 6ª linha do texto.

Como motivar funcionários, aumentar a produtividade e, ao mesmo tempo, reduzir custos? Discuta com os colegas e escreva sua opinião sobre como deve ser o relacionamento de uma empresa com seus funcionários.

QUALIFICAÇÕES

ISO 9000/9002/14000
PNQ
CNM
PRÊMIO: ECO, FIESP de MÉRITO
AMBIENTAL, TOP em ECOLOGIA,
MAIORES e MELHORES da REVISTA EXAME...

Veja abaixo algumas expressões que poderão ajudá-lo:

dar opinião geral = a maioria das pessoas acha que...
em geral (geralmente)...
o interessante é que...
o curioso é que...

dar opinião pessoal = pessoalmente acho que...
para mim...
parece-me que...

colocar idéia contrastante, = mas..., embora..., entretanto...,
dúvidas apesar de..., talvez...

conclusão = é por isso que...
assim, chegamos à conclusão que...
concluindo...

▶ SUPERLATIVO ABSOLUTO

Para qualificar uma coisa ou pessoa você pode fazer uso de um adjetivo para indicar o seu grau máximo, ao qual chamamos de superlativo absoluto:

EXEMPLO: Ele é **muito** tolerante.
Ela é **demasiadamente** exigente.
Elas são **excessivamente** dóceis.

Estes são muitos comuns. Memorize-os!

fácil
difícil
grande
pequeno
feliz
amigo
amável
bom
mau
pobre
simpático
veloz
chique

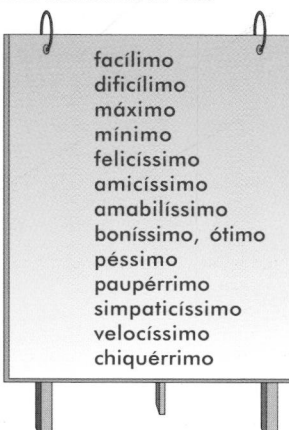

facílimo
dificílimo
máximo
mínimo
felicíssimo
amicíssimo
amabilíssimo
boníssimo, ótimo
péssimo
paupérrimo
simpaticíssimo
velocíssimo
chiquérrimo

Mas você pode também usar sufixos para exprimir o superlativo absoluto. Geralmente acrescenta-se -íssimo ao adjetivo. (Nos casos dos terminados em -vel, assumem a terminação -bilíssimo, além de muitas formas irregulares existentes).

9

Passe os adjetivos das frases ao lado para o superlativo absoluto: alguns utilizando advérbios e outros, sufixos.

1. Carla é uma pessoa amável e amiga.
2. Ela é simpática e uma boa pessoa.
3. O carro que comprei é veloz e confortável. Estava barato.
4. O teste ontem foi fácil: tirei nota dez. Estou feliz.
5. Mauro começou um mau negócio. Apareceram muitos problemas difíceis e acabou perdendo todo o seu dinheiro. Antes era rico mas agora é pobre.

10 *Competição:* Você é responsável pela divulgação de produtos dos seus clientes. Que tipo de textos você criaria (usando o superlativo absoluto) para convencer os consumidores a comprar os produtos abaixo? Vence aquele que a classe achar ter sido o mais convincente.

1. sabão em pó

2. batata frita semi-pronta

3. cadeira ergométrica

4. Pense em um brinquedo educativo e crie o texto.

CONHECIMENTOS/ESPECIALIZAÇÕES

INFORMÁTICA { ACCESS
EXCEL
WORD...

IDIOMAS { ALEMÃO
ESPANHOL
INGLÊS...

TÉCNICOS, MBA, PhD...

psiu!

11 Circule o prefixo que forma o oposto das palavras em negrito e escreva uma nova frase, como no exemplo.

Exemplo: Você precisa **confiar** em seus amigos. (**DES** - IN - RE)
Desconfiar dos colegas de trabalho pode lhe trazer alguns problemas de relacionamento.

1. **Eficiência** e disciplina são quesitos imprescindíveis na contratação do novo funcionário. (DES - IN - IR)

_____

2. Assuma sua **responsabilidade** e faça o melhor que puder. (DES - IR - IN)

_____

3. Sua ajuda é extremamente **necessária** para a conclusão do projeto. (DES - IN - RE)

_____

12 Abaixo temos uma lista de palavras com prefixos. Separe o prefixo e defina o significado dele nessa palavra:

Exemplo: SUPERMERCADO (super) de grande porte

1. REFAZER ( ) _____

2. PRECONCEITO ( ) _____

3. INFELIZ ( ) _____

4. PRÉ-AVISO ( ) _____

5. IRREGULAR ( ) _____

6. COMPADECER ( ) _____

7. ANTI-HIGIÊNICO ( ) _____

8. DESMOTIVAR ( ) _____

9. ANTEPENÚLTIMO ( ) _____

10. SOBRENATURAL ( ) _____

13 Para enfrentar a competição no mercado de trabalho, você deve escolher bem a profissão. Quais seriam os melhores critérios para a sua escolha? Numere as alternativas abaixo e depois trabalhe com seu colega: ele é seu filho e está para prestar vestibular. Dialogue com ele (que é muito sonhador e tem ainda muitas dúvidas) e aconselhe-o.

( ) descobrir em que você é bom
( ) saber exatamente o que você quer
( ) fazer o que realmente quer
( ) esquecer o dinheiro
( ) pensar na carreira
( ) analisar se o trabalho vai ser duro ou não
( ) verificar se é uma profissão rentável ou não
( ) verificar os riscos da profissão

ÁREAS EMERGENTES

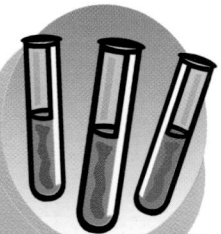

BIOGENÉTICA
ENGENHARIA GENÉTICA
MECATRÔNICA
MODA
MULTIMÍDIA
ROBÓTICA
TURISMO...

psíu!

UNIDADE 14

14 O sr. Monastério acabou de retornar de uma viagem de negócios em Nova YorK. No escritório, a sra. Zélia lhe faz algumas perguntas. Ouça a fita e complete os espaços.

PERGUNTAS

1. _____ _____ o senhor ficou em Nova YorK?
2. _____ foi a viagem?
3. _____ _____ o senhor levou para convencê-los?
4. _____ o senhor demorou tanto para voltar?
5. _____ vamos abrir mais uma filial?
6. _____ será a inauguração?
7. _____ eles acharam do prazo estimado?

Agora você vai fazer o papel da sra. Zélia. Após ouvir o "bip" faça as perguntas para o sr. Monastério.

15 Você está discutindo com o gerente a possibilidade de aceitar o trabalho na empresa. Você sabe que você é um dos melhores profissionais na sua área e a empresa está interessadíssima em contratá-lo. Você tem tudo nas mãos para negociar suas condições. Aproveite! Faça frases como: "Só vou aceitar se tiver um carro à minha inteira disposição."

REVISÃO

16 Comente as previsões abaixo sobre as preocupações dos executivos do futuro.

Haverá menos operários e mais "funcionários intelectuais" no mercado.

Consumidores terão conexão direta com as linhas de produção.

As organizações estarão atentas não somente aos competidores, mas à sociedade como um todo.

Fonte: Texto adaptado de artigo de Rosa Alegria no jornal Folha de São Paulo - 2003

CURIOSIDADE

Estas expressões latinas tão populares!

A maioria destas expressões tem seu uso consagrado na linguagem jurídica.

A posteriori: do que vem depois; posteriormente, em conseqüência do que foi exposto. Juridicamente: com conhecimento de causa (aplica-se a argumentos, afirmações, conhecimentos que se baseiam na experiência).

A priori: (sem conhecimento de causa) antes, anterior à exposição, que precede; previamente; prova baseada unicamente na razão, sem fundamento na experiência.

Ad hoc: juridicamente: para um determinado ato; para isto, para o caso, eventualmente. Esse termo é utilizado para denominar pessoas que estejam exercendo uma função transitória. Exemplo: secretário ***ad hoc***.

Ad referendum: para ser referendado, dependente de aprovação de outrem.

Alter ego: um outro eu.

Caput: cabeça. Cabeça de artigo que inclui parágrafos, itens ou alíneas.

Data venia: concedida a vênia; com respeito, com sua permissão, com sua licença.

Et alii: e outros.

Et coetera: e o resto, e as demais coisas. Abreviatura: etc.

Et nunc et semper: agora e sempre

Ex officio: por obrigação do cargo, por dever de ofício.

Ex tunc: desde então; com efeito retroativo

Exempli gratia: por exemplo. Abreviatura: e.g.

Grosso modo: aproximadamente, mais ou menos, em linhas gerais.

Honoris causa: por causa da honra, honra por causa do merecimento. Título honorífico concedido a pessoas ilustres.

Ibidem: aí mesmo, no mesmo lugar. Termo utilizado em citações bibliográficas para indicar: na mesma obra, do mesmo autor citado.

UNIÕES DE TRABALHADORES

GRÊMIO
SINDICATO
ORGANIZAÇÃO TRABALHISTA
ONG (ORGANIZAÇÃO NÃO GOVERNAMENTAL)
ASSOCIAÇÃO DE ADVOGADOS/MÉDICOS/DENTISTAS...
CLUBE DE MÉDICOS/MILITARES...

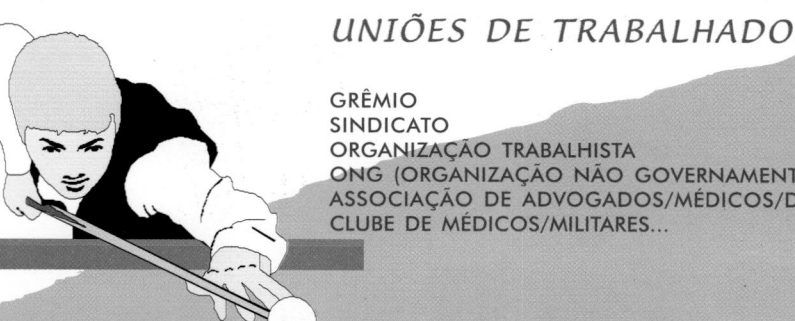

psiu!

Correspondências (2)

À
Torre de Babel Idiomas e Com. Ltda
CNPJ: 73.031.098/0001-18

Prezados Senhores,

DECLARAÇÃO

A MIDIMPRESS COMUNICAÇÃO LTDA, com sede à rua dos Jacintos, 449 Mirandópolis - São Paulo - SP, inscrita no CNPJ sob nº 25.519.827/0001-31 DECLARA para fins de não incidência na fonte do CSLL, da Confins, e da contribuição para o PIS/PASEP, a que se refere o art. 30 da Lei nº 9.317, de 05 de dezembro de 1996.

Para esse efeito, a declarante informa que:

I - Preenche os seguintes requisitos:

a) conserva em boa ordem, pelo prazo de cinco anos, emissão, os documentos que comprovam a origem de su de suas despesas, bem assim a realização de qua operações que venham a modificar sua situação patrimo

b) apresenta anualmente Declaração de Informações Pessoa Jurídica (DIPJ), em conformidade com disposto Receita Federal

II - O signatário é representante legal desta empresa, assu informar à Secretaria da Receita Federal e à pes imediatamente, eventual desenquadramento da presente que a falsidade na prestação destas informações, sem p 32 da Lei nº 943, de 1996, o sujeitará, juntamente com as ela concorrem, às penalidades previstas na legislação cri à falsidade ideológica (art. 299 do Código Penal) e ao cri (art. Iº da lei nº 8.137, de dezembro de 1980)

MIDIMPRESS COMUNICAÇÃO LTDA

BOLETIM INFORMATIVO - Maio / 2004

LINHAS DE CRÉDITOS BNDES

BNDES DISPONIBILIZA PROJETOS DE INVESTIMENTOS

Prezado cliente,

De acordo com declaração feita pelo presidente do Banco de Desenvolvimento Econômico e Social - BNDES - o orçamento disponibilizado para este ano de 2004 no montante de R$ 47,3 bilhões (o maior da história da instituição), não seja totalmente executado por falta de projetos de investimentos, destacando que HÁ MAIS RECURSOS DO QUE PROJETOS. Reafirmou, ainda, que o cenário macroeconômico é bastante promissor para os empresários retomarem investimentos neste exercício ressaltando que no final de 2003 as empresas voltaram a solicitar financiamentos.

Dentro do programa do BNDES são colocadas à disposição dos investidores algumas linhas de crédito tais como:

• BNDES automático: sistema básico com financiamentos até 10 milhões de reais;

• BNDES Finame/Finame-Agrícola: são direcionados para equipamentos nacionais;

• BNDES Exim: crédito exclusivo para exportação (operação de pré-embarque)

Trata-se assim, de excelente oportunidade que se apresenta aos empresários que devem aproveitá-la da maneira que melhor se adequar aos seus negócios.

CONSULTE-NOS SOBRE A VIABILIZAÇÃO DE SEU PROJETO

Agende uma reunião com um de nossos sócios, capacitados a oferecer assessoria global à sua empresa, de modo a proporcionar-lhe total segurança.

Tel: (11) 3067.6777 ou Fax: (11) 3067.6888
SAC 08007714525
Olinec Consulting International

A CULTURA BRASILEIRA
no trabalho

APRENDA

VOCABULÁRIO RELEVANTE

TERNO/GRAVATA/TAILLER
PASTA
CARTÃO DE VISITA
DOUTOR/A
MOTORISTA/COPEIRA/BOY (OFFICE-BOY)

HORA MARCADA
PONTUALIDADE
APERTO DE MÃOS
ALMOÇO/JANTAR DE NEGÓCIOS
BRINDE (DIA DA SECRETÁRIA/NATAL)

UMA PALESTRA

Palestrante: Boa tarde, senhoras e senhores. É uma honra para mim ter sido convidada para apresentar um tema tão importante como GLOBALIZAÇÃO para uma audiência de empresários brasileiros. É muito importante perceber a conscientização por parte das nossas empresas da necessidade de nos situarmos mais competitivamente no mercado internacional e é reconfortante percebermos que finalmente o Brasil também é um país digno de confiança para assumir suas novas posições no mercado internacional. Por uma questão de organização, já que temos também outros palestrantes importantes convidados, gostaria de solicitar que possíveis perguntas sejam reservadas para o final da minha palestra.

O tema GLOBALIZAÇÃO é por demais amplo, portanto me foi solicitado concentrar minhas idéias no sub-tema: TREINAMENTOS A SEREM REFORÇADOS NAS EMPRESAS BRASILEIRAS PARA FAZER FRENTE ÀS MUDANÇAS SOLICITADAS PELO MERCADO INTERNACIONAL. Como pode ser visto na minha primeira transparência, falarei um pouco sobre 'Novos Conhecimentos' e 'Mudanças de Atitudes'. O tema 'Novos Conhecimentos' nos remete à segunda transparência onde salientamos a necessidade URGENTÍSSIMA de aprimorarmos nossos conhecimentos de idiomas e de informática. Sugere-se um investimento IMEDIATO no idioma inglês e, no caso específico do Brasil com sua grande e importante participação no Mercosul, no espanhol. É também de relevância o estudo do idioma do país de origem da Empresa assim como o estudo do português pelos funcionários estrangeiros que nos visitam por períodos curtos ou longos. Quanto ao conhecimento de informática, hoje em dia é quase impossível imaginarmos funcionários em cargo de chefia, mes-mo que ainda dos escalões mais baixos, que não dominem os programas básicos. No caso de empresas multinacionais, é de relevância também o conhecimento da cultura do país sede da Empresa. A partir deste conhecimento procedemos a MUDANÇA DE ATITUDES nossas para nos adaptarmos à cultura do país e ao mesmo tempo começamos a solicitar a nossos visitantes que entendam melhor nossa cultura e se adaptem a ela.

Falando de uma maneira mais geral, vamos nos concentrar nas mudanças de alguns dos nossos hábitos. Alguns pontos que merecem destaque e dos quais vamos falar, estão ilustrados nesta transparência:

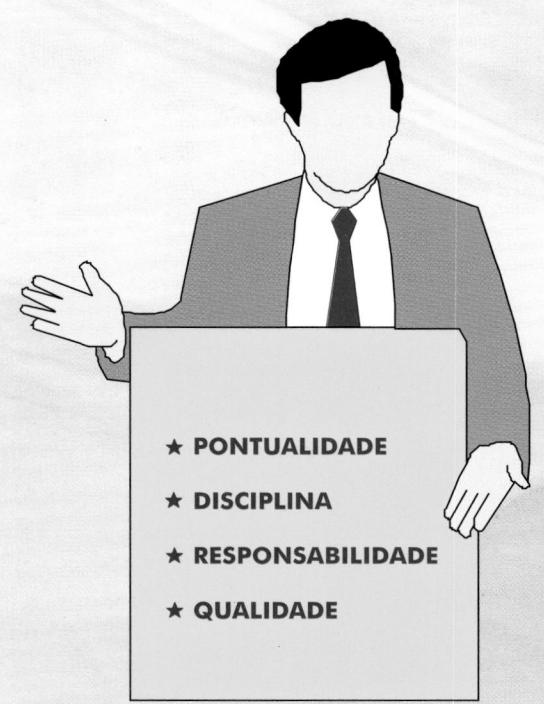

★ PONTUALIDADE

★ DISCIPLINA

★ RESPONSABILIDADE

★ QUALIDADE

ESTUDO DE...

► **PALAVRAS USADAS APENAS NO SINGULAR:**

a bondade, o ouro, a prata, a brisa, o oxigênio, a fome, a sede, o pó, a gente, a fumaça, a falsidade, a caridade, a fé, a sinceridade...

► **MUDANÇA DE NÚMERO COM MUDANÇA DE SENTIDO:**

bem = felicidade, virtude, benefício	bens = propriedades, valores
féria = venda diária	férias = descanso
vencimento = fim de prazo	vencimentos = salário
costa = litoral	costas = dorso
letra = símbolo gráfico	letras = literatura

homem - mulher
boi - vaca
cavalheiro - dama
cão - cadela

◄ **PALAVRAS DIFERENTES PARA MUDANÇA DE GÊNERO:**

► **SUBSTANTIVOS UNIFORMES (1):**

o crocodilo macho/o crocodilo fêmea
a mosca macho/a mosca fêmea
a aranha macho/a aranha fêmea

 SUBSTANTIVOS UNIFORMES (2):

a criança (homem ou mulher)
o indivíduo (homem ou mulher)
a criatura (homem ou mulher)

 SUBSTANTIVOS UNIFORMES (3):

o colega - a colega
o estudante - a estudante
o cliente - a cliente

 **COLETIVOS:**

multidão - conjunto de pessoas em geral
platéia - conjunto de espectadores
orquestra - conjunto de músicos
elenco - conjunto de atores de uma peça
fauna - conjunto de animais de uma região
flora - conjunto de vegetais de uma região

► **VERBO - PRETÉRITO-MAIS-QUE-PERFEITO (SIMPLES):**

Falar - Eu **falara**, Você/Ele/Ela **falara**, Nós **faláramos**, Vocês/Eles/Elas **falaram**
Comer - Eu **comera**, Você/Ele/Ela **comera**, Nós **comêramos**, Vocês/Eles/Elas **comeram**
Partir - Eu **partira**, Você/Ele/Ela **partira**, Nós **partíramos**, Vocês/Eles/Elas **partiram**

Obs.: Na linguagem do dia-a-dia, usa-se muito pouco a forma simples do pretérito mais-que-perfeito. É comum, entretanto, na linguagem formal e literária, bem como em algumas expressões como "Quem me dera!" ou "Quisera eu!". A forma composta do pretérito-mais-que-perfeito, no entanto, é muito usual: Ele já **tinha estudado** a lição quando seus amigos chegaram. (**Ver p.102**)

UNIDADE 15

Flexão do Substantivo
Pretérito-Mais-que-Perfeito

CULTURA E COMPETITIVIDADE

A multinacional Moore, do setor de artes gráficas, fechou sua fábrica no Recife. À primeira vista, o fato pode parecer corriqueiro, não fossem as razões para justificá-lo. Segundo a empresa, ela não se inteirou das diferenças culturais entre os estados que compõem o mosaico chamado Brasil e acabou enfrentando uma inesperada queda nos resultados. Assim é chamada a diversidade cultural. Quando pessoas de diferentes origens culturais têm necessidade de relacionar-se nos negócios, seja para o simples ato de compra e venda, seja nas etapas pré e pós-fusões e incorporações, as condições para o conflito estarão presentes. Sem entender as diferenças culturais não haverá vantagem competitiva. Para interagir com pessoas ou instituições de outras regiões não basta ser fluente na língua do interlocutor. É preciso conhecer os costumes, os hábitos, os ritos, as crenças, o ambiente social, político e econômico, evitando-se preconceitos e estereótipos.

Por que é importante conhecer a cultura do interlocutor? Em primeiro lugar, para navegar tranqüilamente nas águas traiçoeiras da diversidade cultural que caracteriza o mundo. Para não cometer gafes ou assumir comportamentos inadequados. Para não inviabilizar projetos relevantes e em termos de negócios, para dispor de vantagem competitiva. Para jogar e ... ganhar.

Fonte: Texto adaptado do artigo 'Entender diferenças culturais serve para ajudar nos negócios' de Vicente de Paula Oliveira no jornal Gazeta Mercantil - 2003

➤ Para o árabe, ao apertar a mão ou entregar um cartão de visitas, é indispensável usar a mão direita, a esquerda é considerada impura e por isso traz má sorte.

➤ Os japoneses dão e recebem cartões de visitas com as duas mãos e com a leitura voltada ao receptor. A entrega feita dessa forma permite a leitura de reconhecimento. É a maneira de conhecer melhor seus interlocutores.

 Discuta com seu colega a importância ou não de se conhecer bem a cultura e os costumes dos países com quem mantemos relação de trabalho ou parceria nos negócios.

1 Encontre no texto dois substantivos terminados em **-ções** e dois em **-dade**. É possível formar outras palavras a partir do mesmo radical? Por exemplo, um adjetivo ou um verbo: admira**ção**/admir**ável**/admirar. REVISÃO

-ções	-dade
1. _____	1. _____
2. _____	2. _____

TREINAMENTO DE FUNCIONÁRIOS

ADMINISTRATIVO
GERENCIAL
IDIOMAS
LEAN
RELAÇÕES INTERPESSOAIS
TÉCNICO...

psiu!

2 No seu país o que um trabalhador deve (ou não) fazer no dia-a-dia, dentro de uma empresa?
Agora discuta com seu colega/professor: no caso de um trabalhador brasileiro, quais seriam as alternativas adequadas?

	OBRIGATÓRIO	NÃO É OBRIGATÓRIO MAS É MELHOR	NUNCA	OPTATIVO
USAR UNIFORME/CRACHÁ				
MARCAR PONTO				
MARCAR HORA ANTES DE VISITAR UM CLIENTE				
FAZER TROCA DE CARTÃO DE VISITA				
ALMOÇAR (JANTAR) PARA DISCUTIR NEGÓCIOS				
PASSAR FINS DE SEMANA COM OS CLIENTES				
FAZER REUNIÃO ANTES, DURANTE E DEPOIS DE QUALQUER PROJETO OU NEGÓCIO				
DAR SUAS OPINIÕES AOS SUPERIORES				
FAZER HORA-EXTRA				
FAZER COMPENSAÇÃO				
TIRAR FÉRIAS				
"VENDER" (PARTE DAS) FÉRIAS				

SUJEITO INDETERMINADO

Quando não se quer ou não se pode identificar claramente quem ou o que participa do processo verbal. Ocorre com:

a) o verbo na 3ª pessoa do plural, desde que o sujeito não tenha sido mencionado anteriormente.
Exemplo: Perguntaram por você.

b) o verbo na 3ª pessoa do singular + SE. Neste caso, o verbo é intransitivo (não exige complemento) ou transitivo indireto (pede complemento com preposição). O pronome SE funciona como índice de indeterminação do sujeito.
Exemplos: Precisa-se de mentes criativas.
Vivia-se bem naqueles tempos.
Sempre se está sujeito a erros.

3 Reescreva cada uma das orações abaixo seguindo o exemplo:

Exemplo: Trata-se de casos delicados.

1. Alguém falou sobre novos projetos._____
2. Alguém dormia demais naquela casa. _____
3. Alguém aspira a um nível digno de vida. _____
4. Alguém precisa de uma secretária executiva bilíngüe. _____
5. Alguém acredita na vida após a morte. _____

4 Complete cada um dos pequenos diálogos abaixo com frases como no exemplo:

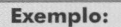

Exemplo:	Onde você ouviu isso? <u>Contaram-me na escola.</u>

1. Alguém me telefonou?
_____

3. Onde você achou meu livro?
_____

2. Quem trouxe esse pacote?
_____

4. O que é isto?
_____

MEIOS DE COMUNICAÇÃO INTERNOS

C.I. (COMUNICAÇÃO INTERNA)
E-MAIL (INTRANET)
FAX
MALOTE
MEMORANDO
TELEFONEMA...

psiu!

UNIDADE 15

Passando informações. Trabalhe em pares: se você fosse Sílvia, como você daria a Eliza a notícia de que terá de interromper as férias porque seu chefe precisa dela e exige seu retorno imediato?

Querida Sílvia,

Estamos em Los Angeles há 3 dias. Tem feito muito frio, 3 a 4 graus, às vezes alguns graus abaixo de zero. Nem eu nem o Henrique gostamos de um inverno rigoroso como este, mas quem está aproveitando bastante é o nosso filho Carlinhos, uma vez que ele nunca tinha visto neve antes. Quando pode e onde pode, ele faz bonecos de neve ou provoca a gente para poder começar uma guerra de bolas de neve. Ele está simplesmente adorando!

Antes de chegar a Los Angeles passamos por Miami e Atlanta. Vamos ficar mais 8 dias aqui e depois vamos ao México onde pretendemos passar a nossa última semana de férias. No dia 28 ou 29 estaremos chegando ao Brasil.

Apesar do tempo, estamos nos divertindo bastante. Estas férias estão sendo inesquecíveis. Estou com saudades de vocês mas estaria mentindo se dissesse que tenho saudades do trabalho, embora eu adore trabalhar. Gostaria que estas férias não terminassem nunca. Agora me arrependo de ter "vendido" parte das minhas férias.

Um abraço bem grande da sua amiga

Eliza.

P.S.: Não diga nada ao chefe sobre a última parte da carta, OK?

Use os sufixos estudados para formar novas palavras, fazendo eventuais modificações nos radicais:

1. carinho→*adjetivo*→ _____
2. livro→*local*→ _____
3. real→*substantivo*→ _____
4. rápido→*substantivo*→ _____
5. amor→*adjetivo*→ _____
6. encerrar→*substantivo*→ _____
7. claro→*substantivo*→ _____
8. escuro→*substantivo*→ _____
9. ouvir→*agente*→ _____
10. treinar→*profissão*→ _____
11. consulta→*local*→ _____
12. abrir→*substantivo*→ _____
13. perigo→*adjetivo*→ _____
14. atrair→*substantivo*→ _____
15. ano→*adjetivo*→ _____
16. criar→*adjetivo*→ _____

O que você diria nas situações abaixo? Pratique com seu colega.

1. **Você está em uma reunião.**

Você quer:
a) interromper quando alguém está falando.
b) sair da sala para fazer uma ligação urgente.
c) fumar, mas ninguém está fumando no momento.

2. **Você está no escritório de um colega.**

Você quer:
a) usar o telefone.
b) fumar.
c) pedir o jornal emprestado.

REVISÃO

Pratique, agora, as respostas:

DIZENDO SIM

Fique à vontade.
Sim, é claro.
Por favor.

DIZENDO NÃO

Desculpe, mas...
Sinto muito, mas...

MEIOS DE COMUNICAÇÃO EXTERNOS

CARTAS
E-MAIL (INTERNET)
FAX
MOTOQUEIROS
SERVIÇOS DE ENTREGA RÁPIDA
TELEFONEMAS (CONFERENCE CALLS)...

psiu!

Leia o seguinte diálogo vendo as anotações dos RECADOS:

recados

Para: *Sr. Gomes*
De: *Sr. Oliveira*
Data: 21/3
Hora: 15:30
Tel.:
Recado: *quer saber se está na cidade na sexta para almoçar juntos*
☐ teletonou ☐ urgente
☑ veio
☑ para ligar ☐ vai ligar

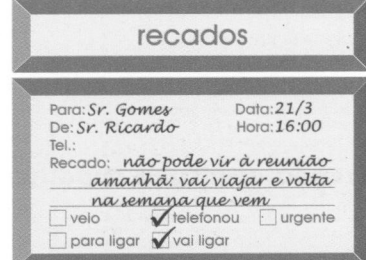

recados

Para: *Sr. Gomes*
De: *Sr. Ricardo*
Data: 21/3
Hora: 16:00
Tel.:
Recado: *não pode vir à reunião amanhã: vai viajar e volta na semana que vem*
☐ veio ☑ telefonou ☐ urgente
☐ para ligar ☑ vai ligar

recados

Para: *Sr. Gomes*
De: *Alexandre (contabilidade)*
Tel.:
Data: 22/3
Hora: 10:00
Recado: *nasceu bebê prematuro. Mãe e bebê vão ficar internados 1 semana. Por isso pede para faltar ao trabalho 1 semana*
☐ veio
☐ para ligar ☑ telefonou
☐ vai ligar ☐ urgente

A: **Bom dia, Karen!**
B: Bom dia Sr. Gomes! Fez boa viagem?
A: **Sim, obrigado. Algum recado *pra mim*?**
B: Ah, sim! O Sr. Oliveira veio procurá-lo e queria saber se o senhor estaria livre na sexta para almoçar juntos. Pediu para que o senhor retornasse a ligação assim que voltasse.
A: **Sexta? Veja na minha agenda se tenho algum compromisso na sexta.**
B: O senhor só tem uma reunião à tarde, a partir das 14 horas.
A: **Então está bem. Ligue-me com ele depois. Algum outro recado?**
B: Sim. O Sr. Ricardo telefonou e disse que não poderá vir amanhã à reunião.
A: **Disse o porquê?**
B: Ele disse que tinha sido marcada uma viagem de última hora e só voltará na próxima semana. Disse para pedir-lhe desculpas. Vai ligar quando estiver de volta.
A: **É só?**
B: Alexandre da Contabilidade telefonou e pediu licença para faltar uma semana a partir de amanhã.
A: **Aconteceu alguma coisa?**
B: Pelo que ele me disse, sua esposa deu à luz um bebê prematuro e tanto a mãe quanto o bebê terão de ficar internados durante uma semana.
A: **Espero que os dois estejam bem.**
B: Ah, sim. Ele disse que não há risco de vida.
A: **Então, por favor, tire uma hora a mais de almoço hoje e compre algum presente para o bebê e entregue a Alexandre por mim. Diga-lhe que ele pode tirar uma semana de licença-paternidade.**
B: Sim, senhor.

Vamos agora ouvir 3 pessoas passando recados: preencha as anotações abaixo e discuta com o colega.

recados

Para: Data:
De: Hora:
Tel.:
Recado:_____
_____

☐ veio ☐ telefonou ☐ urgente
☐ para ligar ☐ vai ligar

1

recados

Para: Data:
De: Hora:
Tel.:
Recado:_____
_____

☐ veio ☐ telefonou ☐ urgente
☐ para ligar ☐ vai ligar

2

recados

Para: Data:
De: Hora:
Tel.:
Recado:_____
_____

☐ veio ☐ telefonou ☐ urgente
☐ para ligar ☐ vai ligar

3

Agora, trabalhe em pares: um é o secretário e o outro, o chefe. O secretário deverá passar os recados ao chefe seguindo as anotações. Pratique o DISCURSO INDIRETO, usando expressões como: *Ele disse que...; Pelo que ele disse...; Ele pediu para (que)...*

AVISOS DENTRO DA EMPRESA

PROIBIDO { CORRER
FUMAR
JOGAR LIXO...

PERIGO: ALTA TENSÃO...
ÁREA RESTRITA

CUIDADO COM { O FOGO
ACIDENTES DE TRABALHO...

psiu!

9 Prepare-se para falar sobre a empresa onde você trabalha. Primeiramente, faça algumas anotações. Não escreva frases, use somente palavras-chave que o ajudem na apresentação.

MINHA EMPRESA	ANOTAÇÕES
Produtos e serviços	
Principais clientes	
Localização (fábrica, matriz, filiais)	
Número de funcionários	
Atividade principal	
Projetos atuais	
Outras informações	

Estas frases vão ajudá-lo a preparar sua apresentação:

INTRODUÇÃO	*Gostaria de falar sobre...*
ORDENANDO AS INFORMAÇÕES	*Primeiramente...* *Agora, vamos passar ao tópico seguinte...*
CHECANDO O ENTENDIMENTO	*Alguma pergunta?* *Alguma dúvida?*
FINALIZANDO	*E, para concluir, gostaria de dizer que...* *E, só para finalizar, quero dizer que...*

NUMA REUNIÃO DE NEGÓCIOS

Imagine que o sr. Santos seja o Coordenador da área de Informática da empresa ADS. Ele acaba de convocar uma reunião com toda sua equipe para esclarecer algumas dúvidas quanto à implantação de um novo sistema. Escreva uma possível pergunta para cada resposta abaixo.

Sr. Santos: Bom dia a todos e obrigado pela pontualidade. Convoquei esta reunião para discutirmos e definirmos alguns pontos-chave da implantação do novo sistema de informática. Gostaria de que vocês tirassem todas as suas dúvidas hoje. Podem começar com as perguntas.

1. _____ ?
Daqui a duas semanas, sem falta.

2. _____ ?
Valter e André. Exatamente como no início do projeto.

3. _____ ?
Primeiramente no departamento Financeiro e, em seguida, em todos os departamentos da empresa.

4. _____ ?
Faremos todos os testes entre hoje e amanhã.

5. _____ ?
Para que não haja atrasos, chamaremos todos os recursos possíveis, inclusive os terceiros.

6. _____ ?
Sim, claro. Façam um relatório das horas extras e o encaminhem diretamente para mim.

7. _____ ?
Não. De maneira alguma. Ninguém pode ter acesso ao sistema antes da sua implantação total.

8. _____ ?
Júlia pode cuidar disso. Ela conhece bem os dados.

9. _____ ?
Se isso acontecer, teremos que reformular nossa estratégia.

10. _____ ?
Pelo menos uma vez por mês. Nenhuma área pode ficar sem suporte.

DIA-A-DIA DO TRABALHADOR

OBEDECER AO HORÁRIO DE ENTRADA E SAÍDA
PASSAR O CARTÃO
USAR O UNIFORME/CRACHÁ...
CONTATO COM OS CLIENTES (TRABALHO EXTERNO)
PROJETOS/RELATÓRIOS/PROPOSTAS
PARTICIPAR DE REUNIÕES...

psiu!

 <u>Organizando Conferências, Palestras, Recepções, Reuniões:</u>

Ouça a conversa de 3 pessoas falando ao telefone com a recepcionista de um hotel. Eles são os encarregados pela organização de eventos para suas respectivas empresas. Preencha os itens abaixo com as informações da fita e, vendo o desenho da planta do hotel, escreva que sala, na sua opinião, teria sido reservada para cada um dos 3 eventos.

REVISÃO

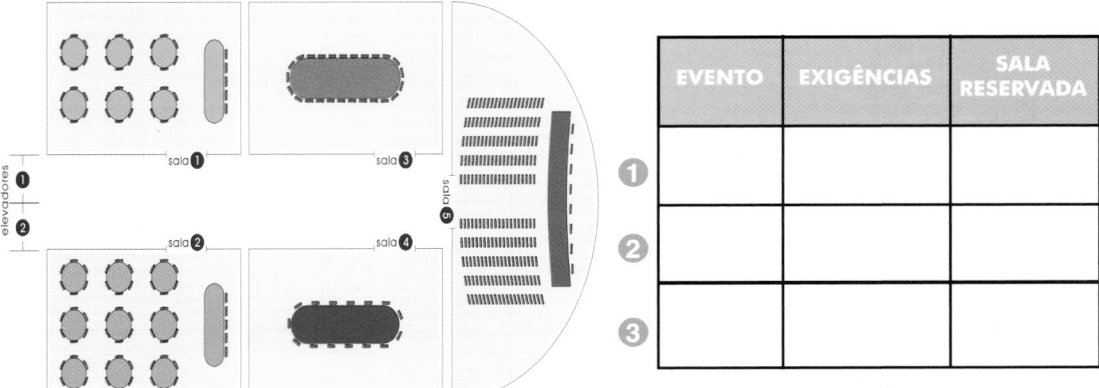

	EVENTO	EXIGÊNCIAS	SALA RESERVADA
①			
②			
③			

 Você já organizou algum evento na sua vida?
Se sim, que tipo de evento? O que você achou?
Qual a maior dificuldade encontrada?
Por quem lhe foi atribuída essa tarefa?
Se não, você gostaria que lhe fosse atribuída essa tarefa?
Na sua opinião, quais os itens imprescindíveis para uma boa organização de eventos?
Qualquer pessoa pode ser uma boa organizadora de eventos?

11 Nas frases abaixo o <u>a</u> é (1) preposição, (2) artigo definido ou (3) pronome?

REVISÃO

> **Não esqueça!:**
> a preposição é invariável, o artigo e o pronome
> se flexionam de acordo com o termo a que se referem!

1. A menina foi **à** cidade encontrar-se com **a** professora. De longe **a** avistou e acenou-lhe com **as** duas mãos. Mas parece que ela não **a** viu.

2. O que você prefere fazer hoje: ir **a** um cinema, assistir **a** um jogo de tênis, brincar com **as** crianças ou ficar em casa assistindo **a** algum filme pela televisão?

3. Eu **a** vi e fiquei horrorizada: **a** cabeça, **a** boca, o nariz, e **a** orelha cobertos de sangue; **a** saia, **a** blusa e os sapatos sujos de lama; **a** bolsa rasgada...

4. A moça merece um castigo severo: nunca obedece **a** seus superiores, responde mal **a** todos, nunca pensa em agradar **aos** outros. E, ainda assim, aspira **a** um cargo de importância!...

psiu!

ECOLOGIA DENTRO DA EMPRESA

RECICLAGEM { PAPEL
PLÁSTICO
LATAS DE ALUMÍNIO...

PROTEÇÃO { À NATUREZA
AO MEIO AMBIENTE

REUTILIZAÇÃO DE...
TRATAMENTO DE EFLUENTES
SEMANA DO MEIO AMBIENTE

12 🎵 Ouça a fita e escreva as palavras que você conseguir distinguir, relacionadas à aviação.

Ouça novamente a fita e responda às seguintes perguntas, trabalhando em pares:

1. A que tipo de autônomos se refere o texto?
2. Qual o papel de cada um dos membros da família?
3. Quais são as barbaridades cometidas por cada um deles?
4. Qual é o significado das palavras ou expressões abaixo?
   a) colocá-lo na praça
   b) avião próprio
   c) metade da féria
   d) estamos fritos

5. Você acha que, no futuro, o transporte aéreo (ou qualquer outro serviço) poderá ser explorado por autônomos ou microempresários?

Agora leia o texto e verifique se as respostas estão corretas ou não.

AUTÔNOMOS

As grandes companhias de aviação vão mal das pernas, ou, no caso, das asas. Ao mesmo tempo, todos os candidatos à presidência falam em favorecer a microempresa no Brasil, e o neoliberalismo prega a competição desenfreada como saída. Devemos começar a pensar na possibilidade de permitir a exploração do transporte aéreo por autônomos, pequenos empresários que receberiam incentivos oficiais para comprar seu próprio avião e colocá-lo, por assim dizer, na praça. Um avião de passageiros requer um número relativamente pequeno de pessoas para fazê-lo funcionar e no começo o proprietário poderia empregar seus próprios parentes como tripulantes. Não deve ser muito difícil pilotar um jato, ainda mais com a mulher ao lado, de co-piloto.

— Estabilômetro de moção inercial.
— Estabilômetro de moção inercial, ligado.
— Retropimba de windsor.
— Retropimba de windsor, ligado.
— Isopor com o iogurte e as frutas.
— Isopor com as... O quê?!
— Esqueci o isopor para a viagem em casa. Segura a decolagem que eu vou buscar.

Uma vez no ar, não haveria maiores problemas, apesar dos comentários da mulher.
— Quero ver aterrissar.
— É só fazer tudo que eu fiz para decolar, ao contrário. Se eu conseguir me lembrar do que fiz.
— Um avião... Só você mesmo. Podia ter comprado uma mercearia. Se ainda fosse avião próprio, mas é o Boeing do meu irmão.

— Ele fica com metade da féria e... O que é isso?
— O queeeeê?
— Na nossa frente?
— É OUTRO AVIÃO! VOCÊ ESTÁ NA CONTRAMÃO!

Entra na cabine a filha, que é a aeromoça.
— Papai, os passageiros estão pedindo comida.
— Pois então sirva a comida.
— Mas a vovó ainda está fazendo.
— Eu sabia. Eu disse para a sua mãe, feijoada não...

Entra a sogra, coberta de feijão.
— Quem é o maluco que está dirigindo este avião?
— Eu disse que era para trazer a comida pronta de casa.
— Era só o que faltava. Você já não me deixou trazer paio e lingüicinha, ainda queria feijão congelado?!

Entra o filho de dez anos, engenheiro de vôo e comissário de bordo.
— Pai, precisa pressurizar a cabine. Tem gente ficando azul.
— Pressurização, pressurização... Será isso aqui? Não, isso é o isqueiro. Acho que é aqui.

Ele pressiona um botão e o avião imediatamente vira de cabeça para baixo.
— Desvira! Desvira!
— Filho, vai ver como estão os passageiros.

O filho vai e volta dizendo que os passageiros estão flutuando dentro da cabine.
— Flutuando? Vocês não disseram que era para apertar os cintos de segurança?
— Os cintos de segurança desapareceram, pai.
— Como, desapareceram?
— Fui eu que peguei — diz a sogra.
— E as máscaras de oxigênio também.

— O QUÊ?!
— Alguma coisa tinha que dar gosto no feijão!
— E agora? Se algum passageiro morrer antes da chegada, estamos fritos.
— Não vai me dizer que você não cobrou adiantado.
— Você não lembra do nosso slogan "Você só paga se o avião chegar ao destino"?
— Eu não acredito...
— É um mercado competitivo!

Fonte: Revista BUSINESS - 01/98
Luís Fernando Veríssimo

SERVIÇOS BANCÁRIOS (COBRADOS)

CARTÃO (VALOR ANUAL)
CHEQUE ADMINISTRATIVO/AVULSO/DEVOLVIDO
DOC
EMISSÃO DE CARTÃO
MANUTENÇÃO DE CONTA
1º TALÃO
SAQUE 24 HORAS
2º EXTRATO SEMANAL...

psiu!

Amplie seu vocabulário

Documentos Diversos (1)

Boleto de Cobrança Bancária

Página 1 de 1

Instruções para pagamento deste boleto em agências bancárias:

Utilize um dos bancos abaixo
para o pagamento deste boleto.

- Se você utiliza o Microsoft Internet Explorer, configure-o para usar Fontes tamanho médio (no menu Exibir, selecionar Fontes, Médio).
- Caso você use o Netscape Navigator, configure-o para utilizar os Fontes definidos no documento, em tamanho 12 (no menu Editar, selecionar Preferências, em seguida selecionar Fontes, definir o tamanho da Fonte Largura Variável como 12 e selecionar Usar Fontes do Documento...).
- Utilize uma impressora tipo jato de tinta (ink jet) ou laser.
- Configure a impressora para modo Normal de impressão (não usar a opção Rascunho).
- Imprimir em folha A4 (210 x 297 mm) ou Carta (216 x 279 mm), branca.
- Corte nas duas linhas indicadas. Não fure, dobre, amasse, rasure ou risque o código de barras.

www.bradesco.com.br
www.unibanco.com.br
www.citibank.com
www.hsbc.com.br
www.bancodobrasil.com.br
www.bankboston.com.br
www.itau.com.br
www.personnaliteitau.com.br
www.safra.com.br

AMERICANAS.com

RECIBO DO SACADO

Cedente: **AMERICANAS.COM SA C. ELETRON.**	Agência/Cod. Cedente **2.865-7/0.000.490-1**	Data Emissão **12/05/04**	Vencimento **14/05/04**
Sacado: **BEATRIZ MACHADO**	Nosso Número **06/97.016.034.730-1**	Número Documento **16.034.730**	Valor Documento **R$ 140,34**

Referência:
Compras efetuadas através do Comércio Eletrônico.
Estabelecimento: AMERICANAS.COM SA C. ELETRON. / Referência do Pedido: 016034730

a⁹c0156 110 885 120504   140.34R CB05

Autenticação mecânica

BRADESCO PREVIDÊNCIA

CONTRATO DE PREVIDÊNCIA PRIVADA PARA EMPRESAS
(REAJUSTE MENSAL)

BRADESCO PREVIDÊN-CIA E SEGUROS S.A., detentora da Carta Patente nº 54, expedida pela Superintendência de Seguros Privados em 19 de março de 1981, CGC nº 00.000.000/0000-00 com sede na Cidade de Deus-Osasco-Estado de São Paulo, a seguir denominada - COMPANHIA - e Torre de Babel Idiomas e Com. Ltda., CGC nº 00.000.000/0000-00 com sede na Cidade de São Paulo, a seguir denominada EMPRESA, tem justo e acordado o presente - CONTRATO PREVIDENCIÁRIO que será regido pelas condições abaixo:

Art. 1º - A COMPANHIA implantará a partir de 1 / 11 / 96 um Plano de Previdência Privada na EMPRESA para seus Empregados e Dirigentes, que será regido pelo Regulamento do Plano que é do conhecimento dos contratantes.

Art. 2º - Serão inscritos no Plano todos os Empregados e Dirigentes da EMPRESA que assinarem a - Proposta de Inscrição - onde constam elementos indispensáveis à sua identificação, os benefícios que pretendem subscrever, seus valores e respectivas contribuições e serão chamados de Participantes.

§ Único - Após a aceitação da Proposta, a COMPANHIA emitirá para cada Partipante o - Certificado de Participante - documento que confere ao seu titular todos os direitos e obrigações previstos no Regulamento.

Art. 3º - Os valores das contribuições e dos benefícios constantes em cada uma das Propostas de Inscrição serão reajustadas mensalmente, com base no índice estabelecido para remuneração básica da Caderneta de Poupança (TR) do 1º dia do mês.

§ Único - Este reajuste poderá ser feito pela adoção de qualquer outro índice que eventualmente venha a ser estabelecido pela autoridade competente em substituição ao índice de Remuneração básica da Caderneta de Poupança (TR).

Art. 4º - A COMPANHIA compromete-se a:
a) Incluir no Plano somente os Empregados

e/ou Dirigentes com cujas Propostas de Inscrição a EMPRESA esteja de acordo.
b) Apresentar, com a [...] necessária, os valores [...] fícios e contribuições [...] Empregados e Dirigen[...]
c) Elaborar, mensaln[...] os participantes e as [...] serem pagas, a qual s[...]
d) Atender as recla[...] inexatidão compro[...] entanto acordado q[...] ções somente serã[...] mês seguinte.
e) Pagar pontualm[...] nos prazos estabe[...] te.

Art. 5º - A EMP[...]
a) Participar na [...] seus Dirigente[...] Plano nas co[...] cada um del[...] Proposta de In[...]
b) Comunica[...] que, mensaln[...] seus quadros[...]
c) Encaminh[...] Inscrição d[...] rem a ser al[...]
d) Autoriz[...] tato com o[...] moção do[...]
e) Mante[...] quem ser[...] dando c[...] terá ple[...] cipante[...] especia[...] tes da [...]
f) Qu[...] buiçõe[...] subsc[...] cia, [...] man[...] exp[...]

MOD. 13.00.55-5

1ª VIA - BRADESCO PREVIDÊNCIA E SEGUROS SA
2ª VIA - EMPRESA

CONDOMÍNIO EDIFÍCIO LILIANA III
Rua Itacolomi nº 1

São Paulo, 17 de Maio de 2004

Prezado Sr. Condômino

Vimos através da presente, convocar V. Sª. para, na qualidade de Condômino do Edifício em epígrafe, comparecer à **Assembléia Geral Ordinária**, a realizar-se no **dia 07 de Junho de 2004 (2ª Feira)**, nas dependências do próprio Edifício, em primeira convocação às **19h30min**, com o número regimental de Condôminos presentes, ou em segunda convocação às **20h00**, com qualquer número, para deliberação da seguinte Ordem do Dia:

1) **Apreciação, discussão e votação das contas do Condomínio referentes ao período de 01/05/2003 a 30/04/2004;**
2) **Eleição do Síndico, Sub-Síndico e Membros do Conselho Consultivo do Condomínio para o exercício de 08/06/2004 à 31/05/2005;**
3) **Apreciação, discussão e votação do orçamento do Condomínio para o próximo exercício;**
4) **Assuntos de interesse geral do Condomínio.**

Lembramos aos Sr. Condôminos que as deliberações tomadas em Assembléias Gerais, obrigam-se a totalidade de Condôminos, ainda que ausentes.

Sendo o que por ora se nos oferece, reiteramos nesta oportunidade nossos protestos da mais elevada estima e distinguida consideração.

Atenciosamente,

CONDOMÍNIO EDIFÍCIO LILIANA III

Observações:
1ª) Condôminos poderão se fazer representar por procuradores habilitados, portadores de instrumentos legalizados.
2ª) De acordo com inciso 3º do Artigo 1335 do Novo Código Civil e da Convenção do Condomínio – Artigo 18º – terão direito a voto somente os Condôminos quites com as obrigações condominiais.

Administradora Angélica Ltda.
R. Marquês de Itú, 70 - 6º andar Cep 01223-903 São Paulo Fone: 3258-8788 Fax: 3258-5936
www.admangelica.com.br CRECI: 7942 SECOVI: 1387

TRABALHO, TRABALHO,
trabalho...

APRENDA

Entrevista com BEATRIZ - Uruguai

? - Com quem e quando você veio ao Brasil?

R - Com meu marido, em 1988, porque ele já tinha um emprego aqui.

? - Qual era a sua expectativa quanto à vida no Brasil?

R - Vim ao Brasil com a idéia de trabalhar, formar uma família e estudar também.

? - Qual foi o seu maior choque ao chegar ao Brasil?

R - Não conseguia entender o português de algumas pessoas e ficava assustada com o número de pessoas nas ruas. Ficava completamente atordoada.

? - Como é a sua vida, atualmente?

R - Tenho um trabalho estável, uma filha de 8 anos, nascida aqui. Já me acostumei à correria de São Paulo mas às vezes fico com saudades da minha terra.

? - Compare o Brasil com o Uruguai.

R - Considero o Brasil como a terra do trabalho e do futuro mas o Uruguai é a terra dos sentimentos, do descanso. Por isso gostaria de passar a minha velhice lá.

Entrevista com PETER - Estados Unidos

? - Com quem e quando você veio ao Brasil?

R - Sozinho, em fevereiro de 1998.

? - Qual era a sua expectativa quanto à vida no Brasil?

R - A minha expectativa era a de ensinar inglês, estudar português e poder fazer muitos amigos.

? - Qual foi o seu maior choque ao chegar ao Brasil?

R - A grandeza de São Paulo e as filas que têm em todos os lugares.

? - Como é a sua vida, atualmente?

R - Estou trabalhando muito, estou curtindo a vida noturna de São Paulo. Estou aproveitando para conhecer vários lugares. Gostei muito de Belo Horizonte, que é muito limpo e calmo e de Ouro Preto onde fui no último feriado de Corpus Christi.

? - Compare o Brasil com os Estados Unidos.

R - Os paulistanos trabalham muito mais do que os americanos em geral. O povo brasileiro é muito aberto e amigável, ligado à família. O americano é mais independente. Gostaria de voltar e poder morar em outras cidades, por exemplo, no nordeste que ainda não tive oportunidade de visitar.

Walter - Peru

Entrevista com PRINIVEN - África do Sul

Dolores - Espanha

? - Com quem e quando você veio ao Brasil?

R - Sozinho em janeiro de 1998.

? - Qual era a sua expectativa quanto à vida no Brasil?

R - Levar uma vida com maior liberdade e que fosse um pouco menos perigosa.

? - Qual foi o seu maior choque ao chegar ao Brasil?

R - Fiquei assustado com o modo com que os motoristas de ônibus dirigem.

? - Como é a sua vida, atualmente?

R - Estou satisfeito com a minha vida porque tenho uma namorada brasileira e saio sempre com meus amigos. São Paulo tem uma vida noturna muito interessante. Os paulistanos têm uma atividade cultural bastante variada.

? - Compare o Brasil com a África do Sul.

R - Temos os mesmos problemas sociais como drogas, violência, miséria, mas a economia brasileira está mais estável. Acho que você pode estar otimista quanto ao futuro do Brasil, o que não acontece com a África do Sul. O interessante também é que no Brasil cada cidade tem uma característica distinta.

 ALGUNS PROBLEMAS DA LÍNGUA CULTA

QUE e QUÊ

<u>Que</u> você pretende?
Afinal, você veio fazer o <u>quê</u>?

POR QUE, POR QUÊ, PORQUE, PORQUÊ

<u>Por que</u> você acha?
Ainda não terminou? <u>Por quê</u>?
O túnel <u>por que</u> deveríamos passar desabou ontem.
A situação agravou-se <u>porque</u> muita gente se omitiu.
Dê-me ao menos um <u>porquê</u> para sua atitude.

ONDE e AONDE

<u>Aonde</u> você vai?
<u>Onde</u> você está?

MAS e MAIS

Tentou, <u>mas</u> não conseguiu.
É um dos países <u>mais</u> miseráveis do planeta.

MAL e MAU

A seleção brasileira jogou <u>mal</u>, mas conseguiu vencer a partida.
O <u>mau</u> é que não se toma nenhuma atitude definitiva.

A PAR e AO PAR

Mantenha-se <u>a par</u> de tudo o que acontecer.
As moedas fortes mantêm o câmbio praticamente <u>ao par</u>.

AO ENCONTRO DE e DE ENCONTRO A

Quando a viu, foi rapidamente <u>ao seu encontro</u> e a abraçou afetuosamente.

O caminhão foi <u>de encontro ao</u> muro, derrubando-o.

ACERCA DE e HÁ CERCA DE

Haverá uma palestra <u>acerca das</u> conseqüências das queimadas sobre a temperatura ambiente.

Os primeiros colonizadores surgiram <u>há cerca de</u> quinhentos anos.

AFIM e A FIM

São espíritos <u>afins</u>.
Tentou mostrar-se capaz de inúmeras tarefas <u>a fim de</u> nos enganar.

DEMAIS e DE MAIS

Aborreceram-nos <u>demais</u>!
Não vejo nada <u>de mais</u> em sua atitude.

SENÃO e SE NÃO

Não fazia coisa alguma <u>senão</u> criticar.
<u>Se não</u> houver seriedade, o país não sairá da situação melancólica em que se encontra.

NA MEDIDA EM QUE e À MEDIDA QUE

O fornecimento de combustível foi interrompido <u>na medida em que</u> os pagamentos não vinham sendo efetuados.

A ansiedade aumentava <u>à medida que</u> o prazo fixado ia chegando ao fim.

FONTE: *CURSO DE GRAMÁTICA APLICADA AOS TEXTOS* - ULISSES INFANTE

Forma e grafia de algumas palavras e expressões

TECNOLOGIA

O PAI DA INOVAÇÃO
Vinte anos depois de lançar o Macintosh, Steve Jobs revoluciona o mundo digital de novo com o iPod

Há duas décadas, Jobs, então um garotão de 28 anos, assombrava o mundo tecnológico com o lançamento do Macintosh, o primeiro computador pessoal de uso fácil e intuitivo. Agora vem o iPod, que comporta em seu modelo mais poderoso cerca de 10 mil músicas gravadas no formato digital MP3, uma forma de compressão que permite economizar espaço no disco rígido do aparelho. Há também o mini-iPod, que pode estocar 1.000 músicas, é apenas um pouco maior que um cartão de crédito e custa 249 dólares nos EUA. A esperança de Jobs é que o iPod seja para a Apple o que o *walkman* foi para a Sony nos anos 80. Como seu aparelho pode ser acoplado também a computadores com Windows, é uma boa aposta.

Fonte: Texto adaptado de artigo da revista Veja - 14 de janeiro, 2004

FALAR PARA QUÊ?
Para jovens, celular é um teclado com vários usos, menos telefonar

Celular serve para falar com outras pessoas, certo? Em parte. Muito em parte. Entre a turminha mais jovem, o que menos se faz ao celular é falar - principalmente se do outro lado da linha estiverem mamãe ou papai. O negócio deles é mandar mensagens e fotos, baixar campainhas e imagens, brincar com os inúmeros joguinhos disponíveis e entrar em salas de bate-papo para fazer novos amigos, tudo teclando furiosamente os minúsculos botões que tanto embaralham os dedos dos mais velhos. A blah!, empresa brasileira que desenvolve serviços para celular direcionados ao público jovem, calcula que, de seus 3 milhões de usuários atuais, 85% tenham entre 15 e 25 anos. "Focamos os jovens porque eles são os primeiros a usar os serviços mais inovadores.", diz Federico Pisani Massamormile, executivo-chefe da empresa.

Fonte: Texto adaptado de artigo da revista Veja - 17 de dezembro, 2003

1 As empresas Apple e a "blah!", os empresários Steve Jobs e Federico Pisani e as invenções mencionadas nos textos acima têm algo em comum. Faça comparações usando os adjetivos sugeridos abaixo. **Lembre-se de que os adjetivos são VARIÁVEIS.**

ágil	capaz	criativo	frágil	multifuncional
atento	competente	dinâmico	inovador	ousado
atualizado	competitivo	eficaz	inteligente	prático
audacioso	corajoso	eficiente	moderno	sólido

2 Profissionais de diversas áreas podem estar envolvidos com os desenvolvimentos acima. Cite alguns.

PRIVATIZAÇÃO

CONCESSÃO
CONCESSIONÁRIA
CONCORRÊNCIA
EDITAL
LEILÃO/LANCE
PROPOSTA (TÉCNICA, COMERCIAL...)...

psiu!

3 Leia o texto sobre uma das maiores redes de supermercados do mundo e discuta as questões abaixo.

A Wal-Mart leva a máxima do corte de custos a níveis desconhecidos e ganha consumidores, mas também críticas

Criada pelo lendário Sam Walton, morto há onze anos, a rede de supermercados americana Wal-Mart tornou-se a maior companhia do mundo, com faturamento anual de 245 bilhões de dólares. O fato de uma empresa de varejo ter superado em tamanho gigantes como a ExxonMobil, a General Motors e a Microsoft é espantoso em si. Mas o que intriga mesmo é o motor da expansão da Wal-Mart, uma máquina competitiva movida a ganhos de produtividade que já levou à falência duas dezenas de concorrentes de grande porte nos Estados Unidos. A Wal-Mart continua inchando seus lucros ao ritmo de 15% ao ano e começa a transbordar das fronteiras americanas. Com poucos anos de presença no Canadá e no México, a rede criada por Sam Walton tornou-se líder do varejo nos dois países. No México ela já é também o maior empregador privado do país. No Brasil, tem 25 lojas. Nos EUA conquistou 60% de todas as vendas de varejo feitas no país e influenciou de tal modo o mundo dos negócios e a própria economia que os analistas chamam o fato de "efeito Wal-Mart". Por seu tamanho colossal, obsessão pelo corte de custos, ganhos de produtividade, e dura negociação com fornecedores, a Wal-Mart tornou-se um dos dínamos do império americano.

Fonte: Texto adaptado de artigo da revista Veja - 14 de janeiro, 2004

- O que faz a rede Wal-Mart ser uma potência mundial?
- Você já fez compras em algum supermercado da rede Wal-Mart? Que adjetivos você atribuiria à loja, ao fundador da rede, Sam Walton, e aos funcionários? Veja o quadro de adjetivos da página 153.

4 Escolha uma empresa renomada internacionalmente e prepare uma apresentação que fale sobre sua área de atuação, sua estratégia de mercado, seus investimentos, suas filiais, seu faturamento, seus objetivos e seus planos futuros. Mencione também dados sobre a fundação da empresa, seus sócios, funcionários e algumas de suas características.

5 Faça as combinações da PREPOSIÇÃO + ARTIGO e insira-as no texto abaixo:

EM+O (3x) DE+UM A+O EM+A DE+OS EM+UMA

A 1ª ENTRE AS NOVAS SORVETERIAS

A pioneira entre as novas sorveterias italianas, todas instaladas em regiões nobres e com decoração bem cuidada, é a Sottozero. Aberta em janeiro de 1995, já tem quatro franquias. A responsável pela produção é a colombiana Martha Ruiz, que rumou para Bolonha _____ final _____ anos 80 com o objetivo de ganhar uma bolsa de pós-graduação em pedagogia. Começou a trabalhar _____ sorveteria para faturar uns trocados, apaixonou-se pela coisa e largou a carreira acadêmica. Oito anos depois, associada _____ italiano Giovanni Santucci, abriu a loja da Rua Augusta. Eles estavam _____ lugar certo _____ hora certa. As leis de importação haviam mudado pouco antes, permitindo que as máquinas necessárias para produzir esse sorvete especial entrassem _____ país. O novo negócio criou a necessidade _____ tipo diferente de profissional.

Fonte: Revista Veja SP - 1998

SEGURANÇA

ALARMES
AMBULÂNCIA
CINTO DE SEGURANÇA
EXTINTORES DE INCÊNDIO
MÁSCARAS DE GÁS
ROUPAS APROPRIADAS/BOTAS
SALVA-VIDAS/BÓIAS...

psiu!

FAÇA SUA ESCOLHA!
Escolha dentre as duas palavras sugeridas: apenas uma é a correta para completar a frase (em alguns casos as duas podem ser usadas no português de uso cotidiano).

1- _____ (aonde, onde) devo ir para conseguir as informações necessárias?
2- Não sei _____ (aonde, onde) fica o Departamento Pessoal.
3- Fui ao cinema _____ (mas, mais) cheguei atrasado para a primeira sessão.
4- Foi o filme _____ (mas, mais) interessante que já vi.
5- Trabalhei _____ (demais, de mais), estou cansada!
6- Não vi nada _____ (demais, de mais) em seu trabalho para que ele merecesse uma promoção!
7- A bicicleta foi _____ (de encontro a, ao encontro de) seu chefe.
8- O novo funcionário foi _____ (de encontro a, ao encontro de) seu chefe.
9- O expediente termina daqui _____ (a, há) duas horas.
10- _____ (a, há) quanto tempo você trabalha aqui?
11- O empregado se comportou _____ (mal, mau) e foi demitido.
12- O câncer é um _____ (mal, mau) que já vitimou milhões de pessoas em todo o mundo.
13- Aquele presidente foi um _____ (mal, mau) administrador da dívida pública.
14- _____ (mal, mau) nós chegamos, faltou energia.
15- Eles vivem murmurando. Não fazem nada _____ (se não, senão) criticar.
16- _____ (se não, senão) chegarmos cedo, seremos descontados.
17- Puxa! Ele está mesmo bem informado! Está sempre _____ (a par, ao par) de tudo.
18- Até recentemente o real estava _____ (a par, ao par) do dólar.
19- O Departamento de Treinamento dará um curso _____ (acerca de, há cerca de) novos horizontes para o mundo da telefonia.
20- Vi esse filme _____ (acerca de, há cerca de) um mês.
21- Elas são muitos amigas. São muito _____ (afins, a fim de).
22- Vou estudar muito _____ (afim, a fim de) merecer a promoção por conhecimento adquirido.
23- _____ (na medida em que, à medida que) faltou verba, o projeto foi abandonado.
24- O stress aumentava _____ (na medida em que, à medida que) as demissões iam acontecendo.

O senhor Valdomiro foi demitido há 5 meses e continua desempregado. Aqui estão relacionadas algumas coisas que ele tem feito desde então. Complete as lacunas com o <u>particípio passado</u>.

REVISÃO

1 - Tenho _____ todos os dias às 6:00 da manhã. (levantar-se)

2 - Tenho _____ com amigos que trabalham na mesma área. (conversar)

3 - Tenho _____ meu currículo em muitas empresas e agências de emprego. (deixar)

4 - Tenho _____ (fazer) entrevistas semanalmente.

5 - Tenho _____ (ler) todas as colunas de emprego de todos os jornais diariamente.

6 - Tenho , _____ (estudar) muito para não me desatualizar.

O que mais você acha que poderia ajudar seu Valdomiro a arrumar um emprego? Ele já tem 42 anos.

CAMPANHA

CONTRA O CONSUMO DE DROGAS
DE COMBATE À FOME
DE PREVENÇÃO DA AIDS
DO AGASALHO
ELEITORAL
EM DEFESA DO MEIO AMBIENTE
EM PROL DA INFÂNCIA...

psiu!

UNIDADE 16

Três pessoas, em estágios diferentes da vida, vão falar sobre o seu dia-a-dia e seus planos para o futuro. Anote as informações, inclusive as queixas, escrevendo na última coluna as sugestões para melhorar a vida delas.

NOME	PROFISSÃO	ROTINA	PLANOS	QUEIXAS	SUGESTÕES
SÍLVIO (17 ANOS)					
MATEUS (43 ANOS)					
JORGE (67 ANOS)					

Agora fale sobre sua rotina, suas queixas, seus planos para o futuro. Se você não estiver satisfeito/a com a sua vida, peça sugestões aos colegas para melhorá-la.

No texto abaixo há nove palavras embaralhadas. Pelo contexto, descubra qual é a palavra. A primeira sílaba é sempre a correta.  REVISÃO

"... Uma das piores EX - RI - AS - PE - ÊN - CI das empresas que se dispõem a investir no Mercosul são os vistos de trabalho que seguem o mesmo ritmo de quando o Mercosul não existia. Pela lei, um EM - O - SÁ - PRE - RI argentino que precise ir ao Rio de Janeiro assinar um contrato de IM - TA - POR - ÇÃO de bananas, deve entrar na fila do consulado brasileiro e pagar 60 reais por um visto de negócios. "As MER - RI - CA - DO - AS cruzam FA - MEN - TE - CIL a fronteira, as pessoas ainda encontram problemas", diz o cônsul BRA - RO - LEI - SI em Buenos Aires, Nuno Álvaro de Oliveira. "Novos acordos estão sendo negociados para eliminar esses OBS - CU - LOS - TÁ". Mais grave é a relação das leis de PRO - E - DE - DA - PRI de patentes e marcas, que funciona quase como um IN - TI - VO - CEN aos golpes."

Fonte: Revista VEJA - Ano 31 n° 8 p. 67 - 25/02/98

Complete o diálogo abaixo considerando: (1) Se usado no Imperfeito do Subjuntivo e (2) Se usado no Futuro do Subjuntivo. REVISÃO

A: Antes de qualquer negociação gostaria de ver o produto.
B: Se _____ (ser) ontem teríamos o produto para lhe mostrar mas acabamos de entregar todo estoque esta manhã.
A: Mas vocês não tem nenhum mostruário?
B: Normalmente sempre deixamos um para mostrar aos clientes mas infelizmente... Se nos _____ (dar) 1 dia poderemos conseguir um. Se o senhor _____ (ter) telefonado antes de vir hoje, teríamos nos programado.
A: Se vocês _____ (ter) um panfleto para poder analisar...
B: Se o senhor _____ (quer) ver o panfleto temos aí atrás do senhor.
A: Parece bom. Talvez possamos discutir o preço antes. Se _____ (ser) razoável voltarei amanhã para ver o produto e fechar o negócio.
B: Pois não. Se o senhor não se _____ (importar) gostaria de saber quantas unidades pretende adquirir. Se _____ (ir) adquirir uma quantidade grande poderemos fazer um bom desconto.
A: Preciso de uma centena delas.
B: Nesse caso poderemos dar um desconto especial sobre o nosso preço promocional. Ficaria em R$ 20 por peça.
A: Se você _____ (ter) o produto para me mostrar agora e se o produto _____ (ser) realmente bom como diz o panfleto, poderíamos fechar o negócio hoje mesmo. Voltarei amanhã.
B: Muito bem, senhor. Tenho certeza de que o senhor aprovará o nosso produto e não se arrependerá de fazer negócio conosco. Até logo.

ORGANIZAÇÕES FILANTRÓPICAS

APAE
ADERE
CASAS ANDRÉ LUÍS
LBV...

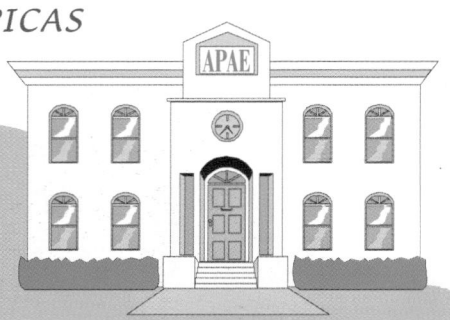

psiu!

UNIDADE 16

11 Leia o texto e discuta a questão abaixo com seus colegas.

- Quais são as carreiras mais promissoras atualmente?
- Você concorda em afirmar que algumas profissões estão desaparecendo ou já desapareceram?
- Que carreiras eram consideradas promissoras e 'vistas com bons olhos' pela sociedade há uns 10 anos?

> "...Algumas carreiras universitárias estão tendo sua clientela alterada, como a de matemática, que até outro dia era valorizada basicamente no meio acadêmico, e que agora chama a atenção do mercado. O matemático se especializa em criar hipóteses e estudá-las por meio de equações. Isso interessa a bancos, empresas de informática, institutos de análises de mercado e empresas de meteorologia. Outra carreira em mudança é a de biologia. Graças à indústria farmacêutica e de biotecnologia, os biólogos se envolvem na coordenação de investimentos anuais da ordem de quase 10 bilhões de dólares em novos remédios, sementes e defensivos agrícolas."

Fonte: Texto adaptado de artigo da revista Veja - 2003

12 Preencha os diagramas abaixo com as palavras que lhe vêm em mente:

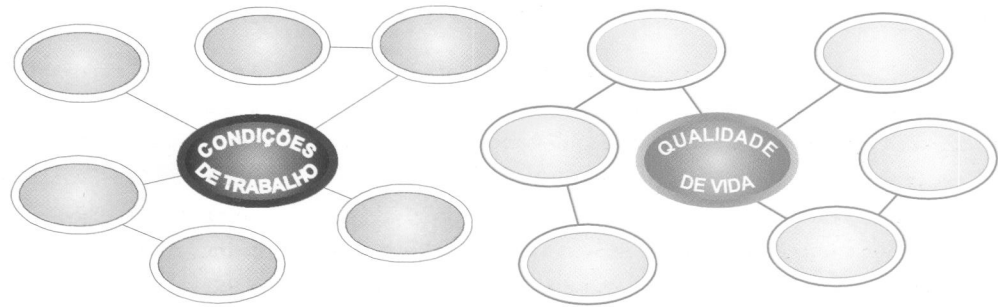

CONDIÇÕES DE TRABALHO

QUALIDADE DE VIDA

Compare suas palavras às do seu colega/professor e discuta as diferenças.

13  Perguntamos a um jovem de 16 anos sobre o que ele já terá feito até o ano 2020. Ouça a fita e complete os espaços em branco:

Jovem: Bem, daqui a 22 anos acho que já terei feito muita coisa. _____ já terei _____ meu curso de Administração de Empresas e terei _____ um curso de pós-graduação.

Até lá, já terei me _____, eu espero! E minha esposa e eu já _____ tido uns quatro filhos, no mínimo.

Acredito que já terei _____ de emprego. Não vejo futuro na empresa onde trabalho hoje.

Ah! Já terei também _____ *pra* fora do Brasil, _____ para os Estados Unidos ou a Europa.

E se eu continuar comendo do jeito que eu como agora já terei _____ umas cem dietas de emagrecimento. Hoje estou pesando 80 quilos e já _____ por muitas dietas para perder alguns quilinhos!

 E você, o que terá feito até o ano 2020?

REIVINDICAÇÕES

AÇÃO TRABALHISTA
ACORDO
CAMPANHA/MOVIMENTO
GREVE
NEGOCIAÇÕES
PROPOSTA...

psiu!

14 Dando, aceitando ou recusando sugestões.
Trabalhe em pares. Pense em determinadas situações considerando que:

> A expõe o problema (a situação)
> B dá sugestões
> A aceita ou recusa as sugestões dadas por B

Vamos, antes, estudar as expressões que normalmente são usadas para dar, aceitar ou recusar sugestões:

DAR SUGESTÕES	
	Eu acho que você deveria...
	Você não acha que é melhor...?
	Não seria melhor...?
	Por que você não...?
	Que tal se você...?

ACEITAR SUGESTÕES	
	É mesmo, né!
	É uma boa idéia!
	(Acho que) você tem razão! Vou...
	Vou seguir o seu conselho.

RECUSAR SUGESTÕES	
	Talvez você esteja certo mas...
	Talvez você tenha razão mas...
	Acho que você tem razão mas...
	Obrigado/a (pela sugestão) mas acho que...
	Não quero ser mal-educada mas...
	Não quero ser indelicada mas...

Pense agora nas seguintes situações. Que tipo de sugestões você daria?

1. Seu amigo marcou uma reunião com um cliente mas o carro dele quebrou e ele já está atrasado.

2. Seu amigo quer dar um presente de aniversário ao chefe dele mas não tem idéia do que poderia dar-lhe.

3. Sua amiga recebeu uma proposta de uma firma concorrente para trabalhar com um melhor salário, mas em um cargo inferior ao atual. Ela gosta muito do atual emprego mas está precisando de dinheiro.

4. Seu amigo tem duas namoradas e gosta igualmente das duas mas elas estão pressionando-o a se decidir.

5. Seus amigos querem investir o capital deles abrindo algum negócio, mas não sabem como fazê-lo.

RENDIMENTOS DE UMA EMPRESA

AÇÕES
ASSESSORIAS
INVESTIMENTOS
POUPANÇA
PRESTAÇÃO DE SERVIÇOS
VENDAS...

psiu!

UNIDADE 16

Armadilhas da Qualidade

Os programas de Qualidade e Produtividade vêm ganhando espaço no mundo globalizado. No Brasil, multiplicaram-se também nas empresas, mas nem sempre o trabalhador é devidamente recompensado. Copiar modelos é um perigo.

O desafio de produzir no competitivo mercado globalizado está forçando as empresas brasileiras a investirem em programas de qualidade e produtividade. Segundo levantamento feito pela empresa americana de consultoria Price Waterhouse, 70% das grandes empresas e 65% das médias adotam essas técnicas administrativas.

O programa da Qualidade Total (QT), método de gerenciamento voltado para o aumento da qualidade e produtividade, surgiu como resposta ao modo de produção fordista, modelo no qual o trabalhador tem o domínio apenas da sua área de atuação.

A "nova" visão empresarial não modificou a estrutura de produção em série das linhas de montagem, mas deu ao indivíduo a consciência do contexto do seu trabalho e da sua importância no processo produtivo. "O controle da qualidade é atribuição de todos e em todas as etapas de produção, tornando o processo único, o que explica o termo total", diz o superintendente do Instituto de Desenvolvimento de Recursos Humanos do Distrito Federal, Ademar Kyotoshi Sato.

Hoje, as empresas que incorporam o conceito da qualidade buscam maior nível de participação do trabalhador.

"Esse envolvimento se dá em programas de capacitação, gerando melhores resultados no trabalho e aumentando a satisfação da equipe", diz Carmem Castilho Silva, consultora em qualidade da Fundação Christiano Ottoni, vinculada à Universidade Federal de Minas Gerais.

EMPRESA LIMPA

O conceito da qualidade deve começar a ser aplicado no ambiente de trabalho. Para atingir essa organização são difundidos entre os trabalhadores da empresa termos japoneses como seiri, seiton, seisou, seiketsu e shitsuke, que em bom português significam arrumar, organizar, limpeza, asseio e disciplina. É o que se chama "5S".

Para ser total em qualidade, também é preciso adequar a empresa às normas do sistema de gerenciamento da produção e de atendimento às exigências do cliente estabelecidas pelo Clube Mundial da Qualidade Total, cuja criação contou com o apoio direto de cerca de 90 países. A organização dita para o mundo o padrão ideal de qualidade através da concessão do Certificado ISO (International Organization for Standardization) — uma espécie de passaporte para o mercado globalizado.

Partindo do princípio de que trabalhar motivado produz melhor, o programa prevê a formação de grupos, em cada unidade da empresa, para discutir problemas e, com participação e comprometimento de todos, encontrar soluções criativas. Para a liderança desses grupos recomenda-se garimpar pessoas com alto grau de carisma e poder de comunicação.

Dependendo da empresa, os grupos que apresentarem melhor desempenho recebem prêmios, seja na forma de gratificação no salário, na participação no lucro ou, simplesmente, ganhando título de campeão.

Fonte: Revista Momento - Jan/Fev/1997 - Márcia Machado

Vamos checar a sua compreensão do texto acima. Responda:

1. Do que trata o programa da Qualidade Total (QT)?
2. Por que as empresas brasileiras estão investindo em programas de qualidade e produtividade?
3. Os novos programas são totalmente diferentes dos anteriores? Descreva-os.
4. Quais São os "5 S"?
5. O que significa para as empresas obter o Certificado ISO? Quem concede tal Certificado?
6. Como as empresas elevam a produção partindo do princípio de que trabalhador motivado aumenta a produtividade?
7. Como as empresas trabalham para motivar o trabalhador a fim de elevar a produção?

Una com um traço as palavras ou expressões de cada coluna relacionadas entre si. Complete as informações que estão faltando nas três últimas linhas:

Objeto	Explicação	Usuário
Agenda	Usado para medir a temperatura do corpo	Arquiteto
Arado	Usado para anotar horários de compromissos	Médico
Prancheta	Usado para elaborar desenhos e gráficos	Secretária
Termômetro	Usado para preparar a terra para o plantio	Agricultor
Computador		
		Professor
	Usado para fazer frituras	

PARA O NOVO ESCRITÓRIO

DESPESAS DE UMA EMPRESA

COMPRAS: MATÉRIA PRIMA/SUPRIMENTOS...
CONSUMO DE LUZ/ÁGUA/TELEFONE...
ENCARGOS SOCIAIS: PIS/FGTS...
IMPOSTOS: ISS/ICMS...
PAGAMENTO DE FUNCIONÁRIOS...

psiu!

Amplie seu vocabulário

Documentos Diversos (2)

Ministério da Fazenda Secretaria da Receita Federal	COMPROVANTE DE RENDIMENTOS PAGOS E DE RETENÇÃO DE IMPOSTO DE RENDA NA FONTE Ano-Calendário 2003

1. FONTE PAGADORA PESSOA JURÍDICA OU PESSOA FÍSICA

Nome Empresarial/Nome TORRE DE BABEL IDIOMAS E COMÉRCIO LTDA	CNPJ/CPF 73.031.098/0001-18

2. PESSOA FÍSICA BENEFICIÁRIA DOS RENDIMENTOS

CPF 167.962.504-78	Nome Completo MARIA DA SILVA

Natureza do Rendimento
Rendimentos do trabalho assalariado

3. RENDIMENTOS TRIBUTÁVEIS, DEDUÇÕES E IMPOSTO RETIDO NA FONTE

01. Total dos Rendimentos (inclusive férias)	4.400,00
02. Contribuição Previdenciária Oficial	396,00
03. Contribuição à Previdência Privada e ao Fundo de Aposentadoria Programada Individual - FAPI	0,00
04. Pensão Alimentícia (informar o beneficiário no quadro 6)	0,00
05. Imposto de Renda Retido	0,00

4. RENDIMENTOS ISENTOS E NÃO TRIBUTÁVEIS

01. Parcela Isenta dos Proventos de Aposentadoria, Reserva, Reforma e Pensão (65 anos ou mais)	0,00
02. Diárias e Ajudas de Custo	0,00
03. Pensão, Proventos de Aposentadoria ou Reforma por Moléstia Grave e Aposentadoria ou Reforma por Acidente em Serviço	0,00
04. Lucro e Dividendo Apurado a partir de 1996 pago por PJ (Lucro Real, Presumido ou Arbitrado)	0,00
05. Valores Pagos ao Titular ou Sócio de Microempresa ou Empresa de Pequeno Porte, exceto Pro-labore, Aluguéis ou Serviços Prestados	0,00
06. Indenização por rescisão de contrato de trabalho, inclusive a título de PDV, e acidente de trabalho	0,00
07. Outros (especificar):	0,00

5. RENDIMENTOS SUJEITOS À TRIBUTAÇÃO EXCLUSIVA (RENDIMENTO LÍQÜIDO)

01. Décimo Terceiro Salário	0,00
02. Outros	0,00

6. INFORMAÇÕES COMPLEMENTARES

7. RESPONSÁVEL PELAS INFORMAÇÕES

Nome	DATA 26/02/2004	Assinatura

Aprovado pela IN/SRF nº 120/2000

PORTO SEGURO SEGUROS

RECIBO DE QUITAÇÃO
FIANÇA LOCATÍCIA
RECIBO NR. 01

Nº do Sinistro	Apólice	C.P.F. do Garanti...
115/2002	46/3885-0 SP	Abaixo

Nome do Segurado/Locador
MARIA LUCIA FREITAS

Garantido
JOSÉ CARDOSO

Evento.
PAGAMENTO DE ALUGUEL E ENCARGOS INICIAIS

Corretor
IVAN BARROS   CORRET.

Indenização
VIDE CAMPO A INDENIZAR

Demonstrativo de Valores	
Referência	Vencimento
ALUGUÉIS+10%	15/12/01 A 15/02/02(3X880,00)
COND. DEZ/01	426,72+10%
COND. JAN/01	426,73+10%
IPTU/01	COTA 10/10
A Indenizar	

Recebi, a importância acima mencionada, a título de PGTOS INICIAIS, por conta dos prejuízos decorrentes da falta de pagamento por parte do garantido mencionado, referente ao aluguel residencial do imóvel SITO A RUA GRABIELE DE ANNUZIO, 296-81 - CAMPO BELO-SP objeto do seguro de Fiança Locatícia, dando à PORTO SEGURO CIA DE SEGUROS GERAIS, plena, rasa, geral e irrevogável quitação, para nada mais reclamar, a qualquer título, em Juízo ou fora dele, com relação aos débitos quitados do mencionado sinistro, subrogando meus direitos à seguradora até o limite dos valores indenizados ACIMA, desde que, caracterizado o sinistro nos termos da cláusula 12ª das Condições Gerais do Seguro.
ESTE RECIBO DEVE RETORNAR ASSINADO PELO SEGURADO OU REPRESENTANTE LEGAL.

SP, FEVEREIRO DE 2002.

_____
ASSINATURA DO SEGURADO

A Língua Portuguesa

Conhecendo um pouco sobre a língua portuguesa

Antes de descrever a presença da língua portuguesa em Timor Leste, vale um pequeno passeio pelas suas origens, o que nos ajuda a perceber as distinções que se estabelecem entre línguas de famílias tão distintas: aquela do grupo românico e esta do grupo malaio-polinésio.

A língua portuguesa originou-se do latim, que era a língua oficial do Império Romano. A Península Ibérica (que corresponde, hoje, à Espanha e Portugal) foi uma das províncias dominadas pelos romanos, que levavam sua língua para as regiões conquistadas.

A língua latina apresentava basicamente duas formas: o latim clássico ou culto, usado pelas pessoas cultas e pela classe dominante, e o latim popular ou vulgar, empregado pelo povo em geral: comerciantes, soldados etc. Foi essa variedade do latim a assimilada pelos povos conquistados, que se mesclou com as línguas faladas nas colônias romanas. Além disso, e em decorrência de outras invasões e influências, o latim vulgar que havia chegado às diferentes colônias foi se transformando e, com o tempo, constituiu novas línguas. Damos o nome de "românicas" às línguas que vieram do latim vulgar - dentre elas, está o português.

A expansão marítima empreendida pelos lusitanos espalhou a língua portuguesa rapidamente por todas as partes do mundo. O mundo lusófono é avaliado hoje em cerca de 210 milhões de pessoas, considerando os países em que é oficial e as comunidades espalhadas pelos diferentes continentes.

Em 1994, foi criada a Comunidade dos Países de Língua Portuguesa, que procura reunir os oito países de língua oficial portuguesa com o propósito de uniformizar e difundir a língua portuguesa e aumentar o intercâmbio cultural entre os países membros. São eles:

- África: Angola, Cabo Verde, Guiné-Bissau, Moçambique, São Tomé e Príncipe;
- América do Sul: Brasil;
- Europa: Portugal (incluindo a Ilha da Madeira e o Arquipélago dos Açores);
- Oceania: Timor Leste.

Algumas outras regiões de presença portuguesa no passado e/ou onde se fala português:

- Ásia: Macau, Goa, Damão, Ceilão, Cochim, Malaca;
- África: Annobón, na Guiné Equatorial, Ziguinchor, Mombaça, Zamzibar;
- Europa: na Espanha: Almedilha, Cedilho (Cedillo), A Codosera (La Codosera), Ferreira de Alcântara (Herrera de Alcantara), Galícia, Olivença, Vale de Xalma (Bal de Xálima).

Timor Leste foi admitido na CPLP como membro-observador, a partir da decisão do Congresso do Conselho Nacional de Resistência Timorense, votada em 29 de agosto de 2000, de a língua portuguesa ser declarada língua oficial de Timor Loro Sae, nas palavras do líder Xanana Gusmão: "Tendo em mente a nossa história, nós devemos fortalecer a nossa língua materna, o tétum, disseminar e aperfeiçoar o domínio da língua portuguesa e manter o ensino da língua Indonésia". A partir de 1 agosto de 2002, durante a IV Conferência de Chefes de Estado e de Governo da CPLP (realizada em Brasília), Timor Leste passou a figurar como membro efetivo da CPLP.

(Fonte: www.cplp.org)

O MUNDO QUE FALA PORTUGUÊS
Em destaque: países em que a língua portuguesa é oficial.

Por Regina Helena Pires de Brito
Fonte: www.timorcrocodilovoador.com.br

O português é a sexta língua materna mais falada no mundo, indicam estatísticas da Unesco (Organização das Nações Unidas para a Educação, Ciência e Cultura), que revelam a existência de 6,7 mil línguas vivas no mundo.

Fonte: pt.wikipedia.com

QUEM SOMOS, AFINAL? (1)

Uma fusão de raças e culturas que já dura meio milênio deu aos brasileiros traços e personalidade próprios. Mas basta olhar mais de perto para perceber que, apesar de tudo, não perdemos contato com as raízes de nossa formação.

Algumas das cabeças mais brilhantes do Brasil, de Gilberto Freire a Darcy Ribeiro, gastaram décadas de trabalho tentando resolver a questão 'o que é ser brasileiro?' e não chegaram a uma resposta definitiva.

De algumas coisas, porém, temos noções suficientes para darmos palpites: somos um povo ainda em formação, que junta num vasto território raças e culturas distintas, numa imensa massa humana que já chega a 160 milhões de pessoas - e que costumamos chamar de povo brasileiro.

O brasileiro é isso: o resultado de uma mistura que, mesmo submetida a tantos contrastes históricos e geográficos, manteve-se unida. E não só por causa da língua portuguesa que todos os brasileiros entendem, pois nossos vizinhos hispano-americanos acabaram se fragmentando em vários países. O que temos no Brasil é, por falta de um termo mais apropriado, uma alma comum.

Mas de onde vem essa alma? 'Dos nossos índios', arrisca o sociólogo Roberto Gambini, 'apesar da importante influência portuguesa e negra na nossa constituição, os principais traços culturais que distinguem o brasileiro dos outros povos foram herdados dos índios. Nosso espírito brincalhão, por exemplo, que não consegue ver limites muito claros entre o que é trabalho e o que é diversão, pode ser ainda hoje encontrado nas aldeias indígenas espalhadas pelo país'.

Segundo essa hipótese, os tipos regionais brasileiros, dos gaúchos do sul aos caboclos do norte, dos caiçaras do litoral aos pantaneiros do Mato Grosso, possuem em comum um estrato básico de cultura indígena. Não só aquele facilmente comprovado nos nomes das cidades, nas técnicas de cultivo, nos utensílios ou no folclore de sacis e curupiras, mas algo mais profundo, que moldou nosso inteiro jeito de ser.

O GAÚCHO

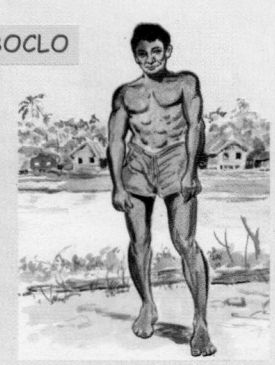

O tipo gaúcho está diretamente ligado às vastas pastagens dos pampas do Rio Grande do Sul. Solitário e destemido, essa figura surgiu em busca do gado que, trazido pelos jesuítas, ficou abandonado depois da destruição das missões, reproduzindo-se de maneira selvagem. A bombacha nas pernas, a boleadeira no lugar do laço, o chimarrão e o churrasco são as suas marcas registradas.

O CABOCLO

A palavra caboclo também é usada como sinônimo de mameluco - a mistura entre brancos e índios. Como tipo cultural, no entanto, o caboclo é o ribeirinho, ou seja, o morador das margens dos rios, principalmente os da região Norte, da bacia amazônica. Vive basicamente da pesca e do pequeno roçado aberto em clareiras, e mora em palafitas por causa das freqüentes cheias a que está sujeito.

O CAIPIRA

De um modo geral, é quem mora no interior de São Paulo e Minas Gerais, vivendo de cultivar a roça. Planta principalmente o milho, do qual fabrica o fubá, mas também retira a palha para o chapéu e o cigarro. Seus modos rústicos, herdados da convivência com os índios, provocavam desdém quando visitava a cidade. Tem mais de setenta sinônimos, a maior parte deles pejorativos, como jeca, capiau, matuto e pé-duro.

O SERTANEJO

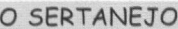

É o morador das zonas secas do país, principalmente das chapadas e da caatinga nordestina. Enfrenta a dureza do sertão com uma vida simples, baseada na criação de umas poucas cabeças de gado e no plantio de subsistência. Sua figura sobre o jegue, de facão na cintura, chapéu e gibão de couro e capanga inspirou obras de escritores como Guimarães Rosa, Graciliano Ramos e Euclides da Cunha.

Claro que o Brasil não se esgota na herança indígena, como também não está tão permeado pela cultura negra como se chegou a afirmar nas últimas décadas, graças principalmente à intensa produção cultural dos baianos.

Nos centros urbanos vivem hoje 76% dos brasileiros, o que teve um impacto gigantesco na forma de encararmos o mundo. Em 1900, éramos pouco mais de 17 milhões de pessoas, a grande maioria espalhada pelo interior do país, vivendo em contato com a natureza. Não tínhamos televisão, as estradas eram poucas e quase ninguém tinha a chance de viajar por outras partes do país. Quem morava no sul nem sonhava com o estilo de seus conterrâneos do norte. Hoje, porém, vivemos num Brasil bem diferente. Primeiro, experimentamos a chegada de milhares de imigrantes convocados para trabalhar nas lavouras de café de São Paulo ou, então, colonizar as zonas desabitadas do sul brasileiro. Foi um incremento populacional importante, que, além da força de trabalho, introduziu novos elementos culturais.

Quem anda pelas ruas das cidades brasileiras neste final de século sente-se tentado a dizer que estamos cada vez mais parecidos. Mas, se olharmos mais de perto esses brasileiros, veremos que ainda é possível encontrar gente que leva consigo a alma de caipiras, sertanejos e tantos outros personagens que fizeram a história do povo brasileiro.

Fonte: Revista TERRA 06/98 - resumo do texto de Vinícius Romanini

UNIDADE 17

Regência Nominal
Numeral Multiplicativo/Fracionário

1 🎺 Agora ouça a música e complete os espaços em branco. Cante com seus colegas!!!

♪♪♪♪ ♪♪♪♪ ♪♪♪♪ ♪♪♪♪

SONHAR NÃO CUSTA NADA! OU QUASE NADA...
Paulinho Mocidade/Dico da Viola/Moleque Silveira

SONHAR NÃO _____ NADA
E O MEU SONHO É _____ REAL
_____ NESSA MAGIA
ERA TUDO O QUE EU _____
PARA ESSE CARNAVAL

DEIXE A SUA _____ VAGAR
NÃO CUSTA _____ SONHAR
VIAJAR NOS _____ DO INFINITO
ONDE TUDO É MAIS _____
NESSE MUNDO DE _____
_____ O SONHO EM REALIDADE
É SONHAR COM A _____
É SONHAR COM O _____ NO CHÃO

ESTRELA DE LUZ
QUE ME CONDUZ
ESTRELA QUE ME FAZ SONHAR

AI, AMOR
AMOR, SONHE COM OS _____
NÃO SE _____ PRA SONHAR
EU SOU A _____ MAIS BELA
QUE _____ O TEU SONHO
TE _____ POR TE AMAR
VEM NAS _____ DO CÉU
VEM NA LUA-DE-MEL

VEM ME QUERER...

2 Discuta com seu colega as questões abaixo:

1. Com que freqüência você ouve música?
2. Onde você normalmente ouve música? (no carro, no ônibus a caminho do trabalho, em casa, no trabalho, andando na rua com seu walkman...)
3. De que tipo de música você gosta?
4. Quem é seu cantor ou cantora favorito? Você é fã de algum grupo ou dupla musical?
5. Você costuma ir a shows ou concertos? Qual foi a última vez?
6. Em seu país, ouve-se mais músicas nacionais ou internacionais nas rádios?

7. Quais as estações de rádio mais ouvidas? Qual é o tipo de programação?
8. Ouça a fita e numere de 1a 5 as diferentes programações de rádio:

    (   ) MPB (Música Popular Brasileira)

    (   ) música sertaneja

    (   ) noticiário

    (   ) entrevista

    (   ) Hora do Brasil

3 Vamos falar um pouco mais sobre música, aproveitando para estudar a REGÊNCIA NOMINAL. Os adjetivos usados nestas frases vêm sempre acompanhados por uma preposição. Que preposição será essa? Complete as frases abaixo:

1. Gostaria que os shows musicais fossem **acessíveis** _____ todas as pessoas.
2. A pintura é **agradável** aos olhos; a música _____ ouvido.
3. _____ qual tipo de música você é **fanático?**
4. Esta música é **diferente** _____ qualquer outro gênero musical.
5. Esta canção é **idêntica** _____ que ouvi no meu país, uma vez.
6. Ele se diz **entendido** _____ música. Será que é mesmo?
7. Saber apreciar uma música é **essencial** _____ se ter uma vida psicologicamente equilibrada.
8. Marcelo é **hábil** _____ compor músicas românticas.
9. Elas estão **habituadas** _____ ouvir diferentes gêneros musicais.
10. Acho que esta música deveria ser censurada. Eu a considero **imprópria** _____ menores.

DOCES BRASILEIROS

BEIJINHO
BRIGADEIRO
COCADA
CURAU
GOIABADA
MARMELADA
OLHO DE SOGRA
PAÇOCA
PAMONHA
PÉ-DE-MOLEQUE
PUDIM DE LEITE CONDENSADO
QUINDIM...

psiu!

Nos fins de semana ou no seu dia de folga, se o tempo estiver bom, você, provavelmente, vai procurar uma forma de lazer fora de casa. Mas, e se estiver chovendo? Não tem jeito: é procurar alguma coisa para fazer dentro de casa! Quais as suas opções? Assistir à televisão ou vídeo, ouvir música, ler um livro, cozinhar ou entreter-se com joguinhos de computador ou mesmo navegar pela Internet.

Vamos pesquisar como seus colegas/professor passam os fins de semana em que são obrigados a ficar em casa. Entreviste seus colegas anotando as respostas no quadro abaixo.

ENTRETENIMENTO	SEMPRE	ÀS VEZES	O DIA TODO	PARTE DO DIA	NUNCA
TELEVISÃO					
VÍDEO					
LEITURA					
MÚSICA					
JOGOS (computador)					
INTERNET					
OUTROS ( )					

Qual é a forma de lazer mais cotada? _____

E você? Qual é a sua forma de lazer preferida? Essa seria também a forma de lazer que você escolheria mesmo se as condições do tempo não fossem favoráveis?

Leia a resenha de alguns filmes em cartaz. Que filme você escolheria para assistir? Por quê?

21 GRAMAS

de Alejandro Gonzáles. O talento do diretor mexicano, paparicado após o sucesso mundial de *Amores Brutos (2000)*, revela-se por completo nesse formidável **drama**. A princípio de difícil compreensão, a complexa narrativa, cheia de vaivéns, é um dos pontos fortes, assim como a atuação do trio formado por Sean Penn, Benicio Del Toro e Naomi Watts. O destino dos três se cruza após uma fatalidade. Ex-presidiário e evangélico de carteirinha, Jack Jordan (Del Toro) atropela o marido e as duas filhas de Cristina Peck (Naomi). À beira da morte, Paul Rivers (Penn) passa por um transplante de coração, doado pelo marido da moça. Gonzáles traz o vigor estético de *Amores Brutos* aliado a uma história adulta e densa de formato pouco convencional. (125 min)

IRMÃO URSO

de Aaron Blaise e Robert Walker (Brother Bear, EUA, 2003). O novo **desenho animado** da Disney se passa numa região fictícia, na costa do Pacífico, durante a era glacial. Lá, três irmãos são abatidos por uma tragédia. Num embate com um urso, o primogênito, Sitka, acaba morrendo. Inconformado, o caçula Kenai decide matar a fera, mas, como lição, é transformado por um espírito num urso. Enquanto isso, o outro irmão, Denahi, arrisca-se numa missão para encontrar Kenai (85 mim). Livre.

O SENHOR DOS ANÉIS
O RETORNO DO REI

de Peter Jackson (*The Lord of the Rings - The Return of the King*. EUA, Nova Zelândia, 2003). **Aventura**. Peter Jackson não fez por menos. Termina, literalmente, a trilogia épica com a imagem de uma maçaneta de ouro. A simbologia faz sentido. Essa terceira parte é de arregalar os olhos e para tocar o coração. Há mais emoção e grandiosas cenas de ação sustentadas por soberbos efeitos visuais, mais uma vez, na mira do Oscar. A jornada pela destruição do anel continua na penosa saga de Sam e Frodo. Enquanto isso, Aragorn, Legolas e seus aliados travam uma sangrenta batalha (201 min).

Fonte: Revista Veja SP - 2004

SALGADINHOS

COXINHA
EMPADA
ESFIHA
PÃO DE QUEIJO
PASTEL
PIZZA
QUIBE
RISSOLE...

psiu!

UNIDADE 17

5 Qual foi o último filme que você viu? Escreva aqui a resenha do filme e fale sobre ele oralmente ao seu colega/professor. Num terceiro momento, incentive-o a ver o filme.

_____
_____
_____
_____
_____
_____

6 Se você fosse escolher um programa de TV por modalidades, qual estaria em primeiro lugar? Numere-os por ordem de preferência:

(   ) esporte   (   ) música   (   ) noticiário

(   ) documentário   (   ) comédia   (   ) turismo, viagem

(   ) show   (   ) cultural   (   ) suspense

(   ) desenho animado   (   ) terror   (   ) western (bang-bang)

(   ) aventura   (   ) ficção científica   (   ) outros (   )

(   ) entretenimento familiar   (   ) drama

7 Falando em televisão, não podemos deixar de falar em NOVELAS. No Brasil diz-se que "novela é coisa de mulher" e que os homens não as vêem. Será verdade? Por que este preconceito em relação às novelas? O que você acha disto? Discuta com seu colega.

8 Que tipo de livros você lê? Utilize as mesmas modalidades de programas de TV do exercício 5 para discutir com seu colega/professor. Quantos livros você compra por mês? Você acha que no Brasil lê-se mais ou menos do que no seu país? E quanto a revistas? Quais são as mais comuns: as semanais, as mensais, as bimestrais...?

Vamos aprender diferentes palavras para indicar tempo. Associe a palavra da coluna 1 ao seu significado na coluna 2.

Coluna 1	Coluna 2
Trimestre	6 meses
Biênio	10 anos
Século	100 anos
Bimestre	3 meses
Milênio	2 anos
Semestre	1.000 anos
Década	2 meses

SOPAS e ENTRADAS

SOPA DE LEGUMES (MANDIOQUINHA...)
CANJA
CREME DE (PALMITO, CEBOLA, MILHO...)
SALADA (MISTA, VERDE, DE TOMATE...)
CARPACCIO
COQUETEL DE CAMARÕES...

psiu!

9 Leia o texto ao lado e:
(1) circule uma das palavras apresentadas entre parênteses que complete corretamente o texto;
(2) defina o significado das palavras sublinhadas;
(3) discuta o texto com seus colegas/professor.

1. Confissões _____

2. Escrevedor _____

3. Movimentos _____

4. Migrantes _____

5. Espécie. _____

6. Imediatamente _____

7. Interferir _____

8. Sermão _____

9. Pelo menos _____

10. Favelas _____

11. Periferia _____

Padre escreve saudades de migrantes

O alagoano Valderan Santos, 35, se ordenou padre (a/há) apenas cinco meses, mas ouviu "_confissões_" nos (últimos/próximos) 20 anos.

Como a personagem de Fernanda Montenegro no filme "Central do Brasil", o padre Santos é um "_escrevedor_" desde que entrou nos _movimentos_ de ajuda a _migrantes_ (ainda/já) adolescente. Ele escreve cartas para namorados, mães, filhos, sobrinhos, netas...

"Não sei como isso começou, mas foi naturalmente. Como trabalho ajudando migrantes, converso muito (sobre/com) eles. A maioria nunca pede diretamente para que eu escreva. Dizem que estão com saudade de alguém, mas que nunca mais tiveram notícia da pessoa. É uma _espécie_ de código. É como se estivessem dizendo: 'Eu não sei escrever. Você faria isso (por/para) mim?'. _Imediatamente_ pego um papel e começo."

Ordenação

Em setembro do ano passado, Santos se ordenou padre, mas continuou a escrever as cartas como fazia antes. "Sem _interferir_. Não dou _sermão_, apenas ajudo pessoas a dar notícias."

Santos não sabe quantas cartas escreveu (hoje/até hoje), mas mantém desde 93 - quando chegou a São Paulo - a correspondência em dia de, _pelo menos_, 50 migrantes.

A maioria dessas cartas é escrita quando o padre visita _favelas_ na _periferia_. "São histórias de jovens que estão longe das namoradas, de filhos que querem falar com os pais, de separações..."

Fonte: Jornal Folha de São Paulo - Lúcia Martins

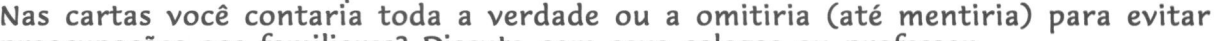

10 Leia agora a continuação do artigo e verifique com qual personagem você se identificaria mais. Se você fosse analfabeto, contaria seus segredos a outras pessoas para que elas escrevessem cartas por você? Confiaria nelas?
Nas cartas você contaria toda a verdade ou a omitiria (até mentiria) para evitar preocupações aos familiares? Discuta com seus colegas ou professor.

Prostituição

Duas delas Santos nunca esqueceu porque acabou interferindo na vida dos missivistas.

"Me lembro da Quitéria. Era uma moça que conheci em um forró em Pirituba. Conversamos, e ela disse que sentia saudades da mãe, que morava em Caruaru (PE). Me ofereci para escrever."

"Foi como soube da sua história. Ela tinha chegado a São Paulo convidada para trabalhar como empregada doméstica, mas descobriu aqui que tinha de trabalhar, na verdade, como prostituta. Para piorar, ela ficou grávida. Ela contava tudo isso na carta e dizia para a mãe que queria voltar.

Uma semana depois, conta, Quitéria telefonou. "Era sábado à noite. Disse que tinha brigado com a patroa porque não queria se prostituir e que, por isso, ia dormir na rua com o filho. Tive que ajudar. Ela foi dormir na paróquia."

Santos, então, levantou o dinheiro para ela voltar para casa da mãe, semelhante ao que faz a personagem de Fernanda Montenegro — que, no filme, acompanha um menino em uma viagem ao Nordeste em busca do pai.

Mas, segundo ele, nem todos contam a verdade nas cartas, como fez Quitéria. A maioria esconde tudo que vá decepcionar a família. "Há muitos noivos infiéis que dizem que estão apaixonados e juram fidelidade, desempregados que afirmam que têm empregos... É sempre igual. Ninguém quer preocupar as pessoas de que gostam e estão longe."

'Quem não sabe ler é cego'

Esse foi o caso de Marcelo. "Ele era um garoto de 18 anos que tinha chegado a São Paulo havia uns sete meses e vivia drogado. Escrevi uma carta para a mãe dele. Ele disse que estava bem e que quase tinha conseguido um emprego. Mas omitia tudo sobre as drogas."

"Perguntei se ele não ia dizer nada sobre a maconha e a cocaína que estava usando. Ele olhou assustado e disse que não. Depois, deve ter mostrado a carta para alguém porque me disse no fim: 'Quem não sabe ler é cego'."

Segundo Santos, a grande maioria não coloca a carta no Correio antes de pedir que uma segunda pessoa leia.

Fonte: Jornal Folha de São Paulo 1995

psiu!

PRATOS TÍPICOS DO BRASIL

ACARAJÉ
BOBÓ DE CAMARÃO
CHURRASCO
FAROFA
FEIJOADA
MOQUECA DE PEIXE
VATAPÁ...

GINÁSTICA LENTA

Fonte: BUSINESS - Ano 4 n°. 01 - 1998

Exercícios em ritmo lento, praticados no próprio local de trabalho. Essa fórmula aparentemente simples tem sido responsável pela redução do número de afastamentos de pessoas do trabalho e de despesas médicas. A indicação é para um problema que vem crescendo cada vez mais nas empresas, as lesões causadas pelo ritmo acelerado e pelos movimentos repetidos durante a atividade profissional, conhecidas como LER.

A técnica criada nos anos 60 pelo fisioterapeuta chinês Zhuang Yuan Ming chama-se lian-gong. Só em Xangai, os funcionários de cerca de 300 empresas, de diversos setores, fazem dois intervalos de 15 a 20 minutos durante o expediente, a cada dia, para a prática dos exercícios. Nesses momentos, os alto-falantes tocam uma música apropriada, as pessoas levantam-se de suas cadeiras e realizam os exercícios no mesmo lugar em que trabalham.

No Brasil, a idéia já vem conquistando adeptos e algumas empresas estão entrando na onda do lian-gong. O fisioterapeuta Ming considera o Brasil o quarto país em número de praticantes do exercício no mundo. Perde apenas para a China, o Japão e a Indonésia. Durante suas apresentações promovidas pelo Senac em agosto de 97, nos 20 primeiros dias contou com a presença de cerca de 4 mil pessoas.

11

 Ouça a fita e acompanhe o locutor lendo o texto acima. Agora ouça as definições de algumas palavras e tente encontrá-las no texto.

1. _____
2. _____
3. _____
4. _____

Trabalhe em PARES. O professor pedirá que vocês definam algumas palavras do texto. Será que sua definição estará correta? Compare com as definições de outros colegas.
BOA SORTE!

12

 Coloque o texto abaixo na ordem correta e discuta os seguintes temas com seu colega/professor:
- os benefícios da ginástica na vida de um idoso;
- o título mais apropriado para este texto.

(   ) Um estudo do Instituto de Ortopedia e Traumatologia do Hospital das Clínicas da Universidade de São Paulo (USP) mostrou que a musculação pode ajudar idosos a ganhar massa muscular óssea.

(   ) Depois de três meses, já dá para sentir a diferença. Não há restrição de idade para praticar os exercícios de musculação, mas é essencial o acompanhamento de um médico e de um professor.

(   ) Entre 30 e 60 anos, uma pessoa sedentária pode perder até 40% da massa muscular. Até pouco tempo atrás, dava-se essa perda por inevitável.

(   ) "É um exercício seguro e eficiente, que ajuda a pessoa a se manter independente e a realizar atividades cotidianas, como andar, subir escadas, levantar-se", explica Júlia Greve, uma das Coordenadoras do estudo.

Fonte: Texto adaptado de texto da Revista Veja - 2004

BEBIDAS

BATIDA DE FRUTA
CAIPIRINHA
CERVEJA (CHOPE)
MEIA DE SEDA
PINGA (CACHAÇA)
RABO DE GALO
REFRIGERANTE
SUCO...

psiu!

ATENÇÃO! Estes verbos devem ser usados sempre na *3ª pessoa do singular*:

a) **ser, estar, fazer, haver** para indicar idéia de tempo ou fenômeno natural.
Exemplos: É cedo. Está claro. Faz frio. Faz 2 anos. Há 4 meses...
(Só o verbo ser, quando indica hora, é variável.)
Exemplo: São duas horas.

b) **haver** quando exprime existência ou acontecimento.
Exemplos: Há razões de sobra. Houve muitas discussões. Deve haver muitos lugares...

c) e verbos que exprimem **fenômenos da natureza**.
Exemplos: Trovejou muito ontem à noite. Anoiteceu rapidamente.
(Obs.: os verbos podem ter sujeito determinado quando usado de forma figurada.
Exemplo: Choveram reclamações pelo telefone.)

13 Coloque os verbos entre parênteses na forma apropriada:

1. Hoje _____ (ser) 12 de outubro, Dia da Criança.
2. _____ (ser) 4h15 quando cheguei em casa.
3. _____ (fazer) muitos anos que não nos encontramos.
4. Quando estava em Paris, _____ (haver) muitos brasileiros lá.
5. Não tenho certeza mas, amanhã _____ (haver) duas comemorações aqui.
6. _____ (nevar) muito ontem à noite.
7. Logo_____ (estar) escuro porque _____ (anoitecer).
8. _____ (ser) 1h30.
9. _____ (chover) paus e pedras durante o jogo.
10. Vamos logo! _____ (haver) muitas pessoas esperando.

14 Ouça os diálogos e complete os espaços em branco. Observe os diferentes sotaques regionais.

DO INTERIOR DE SP

A. _____ procurando um _____ pra _____.
Minha _____ _____ uma casa bem grande!
B. Por quê?
A. **Tem mais dois _____ chegando.**
B. E o _____ quer perto da cidade?
A. **É claro, _____! Meu filho vai** _____ _____, vai estudar Medicina na faculdade da cidade.
B. _____ dá pra ser um sitiozinho perto da cidade, uns 10 km de carro?
A. _____ dá, não. Quero _____ bem no centro da cidade.

DO RIO

A. Pô, já são cinco _____ e as _____ ainda não chegaram da excursão.
B. *Calma, Roberto!* _____ elas estejam no trânsito. Tu não acabou de ouvir que a _____ foi interditada e o _____ teve que desviar por um caminho muito _____ longo?
A. É, tu tem razão. Acho melhor a gente _____ mais um pouco _____ de tomar _____ providências.

DO NORTE

A. **Ô Zé, assim não dá! Já falei a Ricardo que você tem que vir aqui visitar esse cliente urgente. Ele já tá _____demais!**
O pedido que ele fez ainda não foi _____ e já _____ o nosso prazo.

DO SUL

B. Bá tchê! Já despachei esse pedido, há muito tempo, pela transportadora "Digan". Vou verificar onde foi parar esse pedido e assim que tiver solucionado esse problema irei pessoalmente falar com o cliente. Ah! E já aproveito para comer um _____ aí com vocês da filial.
A. **Combinado, vê se me liga assim que tiver notícias! E quando vier pra cá não esqueça de trazer este tal de _____ de que vocês tanto falam. Quero ver se é bom mesmo!**
B: Bá tchê! Já vou _____ na mala pra não esquecer. Até breve! Tchau.

psiu!

TEMPEROS

AÇAFRÃO
AÇÚCAR
ALECRIM
CANELA
COENTRO
COMINHO
CRAVO-DA-ÍNDIA
ERVA-DOCE
FOLHA DE LOURO
MANJERICÃO
NOZ-MOSCADA
ORÉGANO
PÁPRICA
PIMENTA
SAL...

 Associe o numeral (multiplicativo e fracionário) à esquerda com o respectivo significado à direita:

quádruplo	2 vezes
dobro, duplo	1/100
terço	4 vezes
triplo, tríplice	1/3
meio, metade	3 vezes
um quarto	1/2
centésimo	1/4

Complete as frases com um dos numerais do exercício acima.

> **Cuidado:** Os multiplicativos são invariáveis quando atuam em funções substantivas, mas se flexionam em gênero e número quando atuam em funções adjetivas.
> Os fracionários flexionam-se em gênero e número.

1. Hoje ele quer comemorar pra valer: para começar, já pediu uísque dose _____.
2. Coloque _____ xícara de chá de vinho e misture bem.
3. Vamos fazer 3 camadas: coloque em primeiro lugar um _____ da massa.
4. Do tablete de chocolate de 200 gr. vamos usar somente 50 gramas. Portanto vamos usar somente um _____.
5. Você quer preparar o _____ da receita? É só multiplicar os ingredientes por 2.
6. Se você multiplica por 3, você tem o _____.
7. A vacina que atua sobre as 3 doenças que são difteria, coqueluche e tétano, é chamada de vacina _____.

O lazer em casa inclui também a culinária. Veja um exemplo de uma receita como normalmente é apresentada nos livros de receitas.

PAVÊ TROPICAL
Ingredientes

1	tablete de chocolate amargo (200 g)	1	lata de creme de leite
2	colheres de chá de NESCAFÉ	1	pacote de biscoitos Champagne
4	colheres de sopa de manteiga	1/2	xícara de chá de vinho tipo Porto
1	xícara de chá de açúcar	1	xícara de chá de ameixa preta ou
1	gema		abacaxi ou pêssego

Modo de preparo

Misture o chocolate meio amargo, o NESCAFÉ, 3 colheres (sopa) de água e leve ao fogo baixo, mexendo sempre, até engrossar. Retire e deixe esfriar. Bata em creme a manteiga com o açúcar e a gema. Junte a mistura de chocolate e, sem parar de bater, acrescente aos poucos o creme de leite, batendo até obter um creme consistente. Forre com papel alumínio uma forma redonda (22 cm de diâmetro). Misture o vinho com uma xícara de chá de água e umedeça os biscoitos à medida que os for usando. Arme o pavê, alternando camada de biscoitos, uma fina camada de creme e frutas picadas. Comece e termine com biscoitos.

Reserve o restante do creme. Leve o pavê à geladeira de véspera. Desenforme e cubra-o com o restante do creme. Decore com as frutas que usou no recheio.

Bom Apetite!

  **Você gosta de cozinhar? Que tipo de prato você normalmente prepara?**

Com que freqüência você cozinha? Qual é a sua receita favorita?

"HOBBIES" CASEIROS

"BONSAI"
BORDADO
CARPINTARIA
COSTURA
CROCHÊ
ORIGAMI
PINTURA (EM TECIDO)
QUEBRA-CABEÇA
TRICÔ...

Bahia, as razões do sucesso

O Estado é hoje um exemplo do quanto vale a pena investir em infra-estrutura turística

Diante do sucesso da Bahia como grande e crescente pólo turístico do Brasil, a reação mais apressada é sempre a mesma: também, com tudo aquilo que Deus deu pra eles... Bem, vamos reconhecer, Deus na Bahia não economizou graças. Na costa, são mil quilômetros de um Atlântico morno e suave, mais de cem ilhas, praias tão incontáveis que a cada dia aparece uma nova. Na capital, um Centro Histórico que é Patrimônio da Humanidade, um museu de arte sacra e igreja que são tesouros barrocos. No povo, festas, muitas festas, muitos deuses e, conseqüentemente, muita liberdade.

Só que tudo isso seria pouco se, de dez anos para cá, os baianos não tivessem levado o turismo a sério. Desde 1991 o governo dividiu o Estado em nove zonas turísticas, investiu nelas US$ 2,3 bilhões em infra-estrutura e treinamento de mão-de-obra. O aeroporto de Salvador foi ampliado e já pode atender até 6 milhões de passageiros por ano. Cidades menores da costa como Porto Seguro, Ilhéus e Valença/Morro de São Paulo contam também com aeroportos capazes de receber vôos *charters* internacionais.

Cruzeiros internacionais não param de atracar em Salvador e Ilhéus e a malha rodoviária revela-se cada vez mais extensa.

Então, o que é que a Bahia tem? Tem logo ali, uma Bahia de Todos os Santos com sua alegre Ilha de Itaparica; ao norte uma Praia do Forte com seu castelo, e mais a estrelada Costa do Sauípe; ao sul a Costa do Dendê com praias tão magníficas como a do Morro de São Paulo; a Costa do Cacau com a quase recém-descoberta Itacaré; a Costa do Descobrimento com Trancoso e Arraial d'Ajuda; a Costa das Baleias com o Parque Marinho de Abrolhos. No interior, os grandes abismos da Chapada Diamantina e os lagos do São Francisco. Tudo isso a Bahia tem. Mas o que ela tem para mostrar é que vale a pena investir em infra-estrutura turística.

Abra o site **www.bahia.com.br** e escolha a sua Bahia. O portal traz informações fundamentais sobre cada uma das regiões baianas e também oferece acesso aos mais diferentes tipos de atrações, além de ser uma poderosa ferramenta de busca e um completo guia turístico.

Fonte: Revista Icaro Brasil - 2003

Angola

Em 1482 chegou à desembocadura do rio Congo uma frota portuguesa.
Esse foi o primeiro contato dos angolanos com os portugueses e aí começou também o processo de colonização através de missões voltadas para o comércio e para a evangelização. As guerras contra a ocupação e a escravidão foram responsáveis por reduzir a população de Angola de 18 milhões em 1450 para apenas 8 milhões em 1850. Em 1900 estima-se que era de aproximadamente 10 mil o número de colonos portugueses no país aumentando para 80 mil até 1950 e para 350 mil no fim de 1974. A economia baseava-se na exploração dos recursos minerais e agrícolas, dos diamantes e do café. O movimento de independência iniciou-se em 1956 com a fundação do Movimento Popular para libertação de Angola (MPLA) culminando no dia 11 de novembro de 1975. Devido a longos períodos de guerra, a situação da economia de

Angola era então muito precária. Os europeus se retiraram em massa levando tudo o que podiam transportar deixando inoperantes as instalações produtivas. O governo angolano dedicou-se ao treinamento da mão-de-obra em geral pouco qualificada e analfabeta. Os bancos e as atividades consideradas estratégicas foram então nacionalizados. Em fins de 1977 o MPLA realizou seu primeiro congresso e adotou o nome de MPLA-Partido do Trabalho. As guerras envolvendo a África do Sul que apoiava outro grande partido político, a UNITA (União para a Independência Total de Angola) e o Zaire que haviam invadido o país e Cuba que o apoiava, continuaram por mais longos anos. No final de abril de 1990 foi negociada uma trégua definitiva no país e no dia 31 de maio foi assinado um acordo de paz em Estoril, Portugal. Contudo, devido a relações internas tensas, houve um ressurgimento de hostilidades em fins de 1992 com novas negociações de paz em 1993.

Onde fica

■ **População:** 10.442.000 (1994)
■ **Superfície:** 1.246.700 Km²
■ **Capital:** Luanda
■ **Moeda:** Novo Kwanza
■ **Idioma:** Português (oficial) e línguas africanas de origem banto
■ **Religião:** A maioria da população segue religiões africanas tradicionais, aproximadamente 38% é católica e 15% protestante.

Fonte: Guia del Mundo - 1998

Moçambique

Parte do Moçambique da época anterior à colonização portuguesa era um ponto de contato das culturas mais desenvolvidas da África. A presença portuguesa na costa de Moçambique e o projeto de dominar o tráfico comercial com o Oriente levou à destruição dos portos e à asfixia da exportação de ouro do Zimbábue trazendo efeitos negativos à região. As tentativas de unir por terra Moçambique e Angola fracassaram repetidamente e o controle dos europeus deu-se apenas nas faixas costeiras onde a administração limitava-se à concessão de enormes extensões de terras a aventureiros portugueses e a índios que se dedicavam às atividades de saqueio e de aprisionamento de escravos. O país era virtualmente independente até 1890 quando o governo português teve que demonstrar seu controle do território pois ameaçava perdê-lo para os ingleses. Divididos em vários movimentos, grupos patriotas pediam a independência. Em 1960 uma concentração pacífica foi reprimida selvagemente e deixou um saldo de 500 mortos. No ano seguinte, Eduardo Mondlane, então funcionário da ONU, visitou seu país e incentivou os grupos a se unirem criando-se então a FRELIMO (Frente de Libertação de Moçambique). Em fins de 1964 inicia-se a luta armada. Em fevereiro de 1969 Mondlane foi assassinado. Quando do Segundo Congresso da FRELIMO firmou-se a orientação da busca por uma nova sociedade democrática e popular e Samora Moisés Machel foi eleito presidente da organização. Em 25 de junho de 1975 foi fundada a República Popular de Moçambique. O governo da FRELIMO incentivou o ensino, a assistência médica, os bancos estrangeiros e as empresas multinacionais. Promoveu-se a criação de aldeias comunitárias para reunir agricultores dispersos e organizar formas coletivas de produção. Em 1977, no seu Terceiro Congresso, a FRELIMO adotou o marxismo-leninismo como orientação ideológica. Para reativar a economia, em março de 1980 Samora iniciou uma campanha dirigida a eliminar a corrupção e a burocracia estatal. Iniciou-se um plano de desenvolvimento que previa grandes investimentos na agricultura, nos transportes e na indústria. Todavia, tais projetos foram afetados pela deterioração das relações com a África do Sul que não só invadiu o território como apoiou o Movimento Nacional de Moçambique (RENAMO). Em fins de 1982 o governo intensificou a ofensiva militar contra o RENAMO. A partir do Quarto Congresso da FRELIMO, em abril de 1983, começaram a ser deixados de lado os grandes investimentos na área agrícola partindo-se para uma priorização dos investimentos menores. Foram discutidas as 'oito teses' que levaram a uma mudança radical da composição dos delegados presentes ao Congresso sendo a maioria campesinos e duplicando-se ainda a presença de mulheres se comparado ao Terceiro Congresso. A partir de 1985 Moçambique inicia uma fase crítica devido às ações terroristas do RENAMO e à seca que tomou conta do país. A África do Sul volta a apoiar o RENAMO e a crise se agrava com a morte de Samora num acidente aéreo em 1986. No dia 3 de novembro, o Comitê Central da FRELIMO elegeu Joaquim Chissano para a presidência. No ano seguinte, o governo aprova uma política mais flexível para os investimentos estrangeiros e

para maiores investimentos por parte dos produtores locais. Em 1989 a FRELIMO abandona as referências orientadoras do marxismo-leninismo. Em 1990, com a entrada em vigor da nova Constituição e do sistema multipartidário, o governo de Maputo começa a negociar a paz com o RENAMO. Em outubro de 1991 uma seca avassaladora agrava a situação da população que já carecia de alimentos devido à guerra civil e faz com que o governo solicite a ajuda internacional de mais de um milhão de toneladas de alimentos. Em novembro de 1991 o governo de Moçambique e o RENAMO assinam em Roma um protocolo de acordo sobre as atividades dos partidos e sobre a realização de eleições. Para executar um plano de reconstrução, o governo solicitou ao Clube de Paris US$ 1 milhão que porém dependiam das conversações de paz. As eleições, previstas para 1991 foram adiadas. Em agosto de 1991 foi reeleito Chissano. No dia 4 de outubro de 1992 foi firmado em Roma um acordo de paz que pôs fim a 16 anos de confrontos os quais provocaram mais de um milhão de mortos e cinco milhões de refugiados. Soldados da ONU foram encarregados do desarmamento no país em um prazo de seis meses. A continuação das divergências forçaram a ONU a intervir diretamente e a enviar uma força de paz de 7.500 soldados para a região. Em março de 1995 o Clube de Paris prometeu entregar a Maputo 780 milhões de dólares para a reconstrução do país.

Onde fica

■ **População:** 15.463.000 (1994)
■ **Superfície:** 801.590 Km²
■ **Capital:** Maputo
■ **Moeda:** Meticais
■ **Idioma:** Português

Fonte: Guia del Mundo - 1998

QUEM SOMOS, AFINAL? (2)

Outros personagens típicos entre o povo brasileiro são:

O MULATO

É a mestiçagem mais comum no Brasil, fruto do cruzamento entre brancos e negros. No período colonial, o mulato era quase sempre a prova do abuso do senhor de engenho, que escolhia na senzala as mulheres negras mais bonitas para sua satisfação sexual. Hoje, o mulato é um símbolo da beleza brasileira cada vez mais numeroso.

O PANTANEIRO

O homem pantaneiro, que é basicamente um vaqueiro adaptado para as pastagens úmidas, nasceu com a chegada da criação extensiva de gado ao Pantanal. O sistema de cheias e vazantes do Rio Paraguai obriga o constante deslocamento dos rebanhos das terras baixas e alagáveis para as altas e secas. Ao contrário do gaúcho, que só come carne, o pantaneiro também aprecia a fartura de peixe da região.

O SERINGUEIRO

Vive recluso no meio do mato, nas regiões da Floresta Amazônica, onde as seringueiras nascem espontaneamente, como no Acre. Seu trabalho é abrir vincos nos troncos para extrair o látex e, em seguida, defumá-lo até que se transforme em borracha. Como a seringueira só nasce na mata preservada, o seringalista passou a ser um combativo defensor da floresta, denunciando queimadas e a atuação de madeireiras.

O CAIÇARA

É o morador do litoral sudeste brasileiro, que povoa as matas de restinga próximas aos manguezais. Vive da pesca na foz dos rios e do cultivo de subsistência. Adotou muitos hábitos indígenas, como a roça de coivara e a pesca artesanal com covas. Preserva palavras do português quinhentista e alguns são loiros porque descendem de aventureiros franceses e suíços que se instalaram ali no período colonial.

O JANGADEIRO

É o pescador dos mares nordestinos, que vive nas comunidades do litoral. Especializou-se na pesca de rede a bordo de jangadas, pequenas embarcações de vela triangular feitas de seis paus roliços retirados das matas da região. Singrando as águas verdes e ensolaradas, no amanhecer ou no pôr-do-sol, o jangadeiro virou elemento típico da paisagem da região e símbolo de Alagoas.

O MESTIÇO ORIENTAL

O termo mestiço serve para definir qualquer tipo de mistura de raças, mas nos últimos anos tem sido mais usado para o caso dos orientais. O fenômeno ainda é recente e, em certa medida, raro, pois a raça amarela - da qual os japoneses são maioria no Brasil - viveu décadas organizada em colônias fechadas, o que dificultou a mistura.

Fonte: Revista TERRA 06/98 - resumo do texto de Vinícius Romanini

O MUNDO NAS COSTAS

**Ministério do Turismo quer aumentar hospedagem
nos albergues do país incentivando mochileiros**

Nada de carregador de malas, hotel bacana, fartos cafés da manhã ou almoços em restaurantes de renome. A idéia é conhecer lugares e culturas diferentes de forma mais descontraída e econômica. Essa é a regra número um de quem decide colocar tudo dentro de uma mochila e sair por aí. De olho nesse tipo de viajante, que em sua maioria tem entre 20 e 30 anos, o Ministério do Turismo vai apoiar uma campanha de incentivo aos mochileiros criada pela Federação Brasileira de Albergues da Juventude. A federação, por sua vez, pretende ampliar a rede de hospedagem no país para ver o número de usuários anuais pular de 100 mil para 500 mil no curto prazo. "Queremos ter estabelecimentos para esse público em todos os Estados e criar essa cultura de viagem na cabeça dos brasileiros", afirma José Roberto de Oliveira, da Secretaria Nacional de Políticas do Turismo.

Fonte: Revista Época, nº 303 - 2004

 E você? Alguma vez passou pela experiência de fazer uma viagem com a mochila nas costas? Caso tenha feito várias viagens assim, qual foi a sua favorita? Por quê? No seu país existem muitos Albergues da Juventude? São bem localizados? São muito utilizados? Por que sim/não?

1 Além dos já mencionados no texto acima, liste os prós e os contras de se viajar com 'O Mundo nas Costas'. Para cada vantagem e desvantagem, dê uma sugestão ou um conselho respectivamente.

EXEMPLO:
1. Quando viajamos sem malas nos deslocamos com mais facilidade. (pró)
   Sugestão: Ao viajar com uma mochila, escolha fazê-lo de trem.

1. Em uma mochila não cabem muitos pares de sapatos. (contra)
   Conselho: Procure sempre levar pelo menos um par de sandálias.

PRÓS	SUGESTÕES

CONTRAS	CONSELHOS

BAGAGEM

BOLSA
CARTEIRA
FRASQUEIRA
MALA
MALETA
MOCHILA
PASTA
POCHETE
SACO
SACOLA...

psíu!

Dizem alguns psicólogos que, ao chegarmos aos 42 anos, voltamos à energia da adolescência, mas com o conhecimento de um adulto e, muitas vezes, a possibilidade de sermos independentes financeiramente e de termos uma certa disponibilidade de tempo para gozarmos mais nossas vidas.

 Caso você já tenha passado dos 42 anos e queira confessá-lo, diga se concorda com a constatação acima. Caso concorde, responda:

1. Quais das atividades listadas em seguida o atraem mais? Apresente suas razões para a escolha.
   • Reunir-se com amigos para cozinhar na casa uns dos outros.
   • Freqüentar bares.
   • Praticar esportes radicais.
   • Ir a shows de música popular.
   • Viajar para lugares inusitados.
2. Que atividades consideradas 'para velhos' antes de você chegar aos 42 hoje o atraem sem que, por isso, se considere 'de idade'?
3. Pessoas acima dos 42 anos passaram por épocas revolucionárias marcantes: o movimento hippie, a revolução sexual, os movimentos feministas, etc. Como você acha que essas vivências influenciaram seu modo de vida atual?

Caso você ainda esteja longe dos 42 anos, como imagina que será sua assim chamada 'meia-idade' ou até a sua 'terceira idade'? Você tem algum receio? Como você está se preparando física e mentalmente para essa fase?

2 Em nota sobre o mundo diplomático, a revista Época, em sua edição de número 304, fez a seguinte constatação:

'Não é à toa que o Itamaraty quer estimular os diplomatas que se dispuserem a dar expediente em embaixadas distantes do circuito Elizabeth Arden. Em Pequim há 12 vagas, mas só a metade está ocupada. Em Nova Délhi trabalham apenas dois dos oito diplomatas previstos. Já em Paris, os 18 postos, incluindo os quatro da representação do Brasil na Unesco, estão sempre preenchidos. E com fila de interessados.'

Sem fazer uso do dicionário e baseando-se no texto acima, tente definir:

1. à toa	6. apenas
2. dispuserem	7. já
3. dar expediente	8. representação (na Unesco)
4. circuito Elizabeth Arden	9. preenchidos
5. há	10. fila

3 Ouça a fita e descubra qual o lugar ideal para passar as férias mencionado por cada um dos personagens e o motivo da preferência.

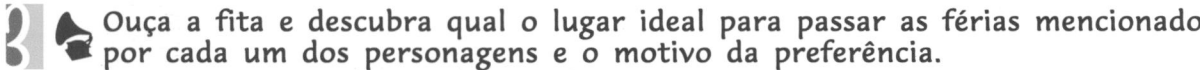

	Descrição do lugar ideal	Motivo
Manuel **Dalton** **Celina** **Kátia**		

ITENS PARA VIAGEM

CHEQUES DE VIAGEM
DICIONÁRIO
FILMADORA
GUIA TURÍSTICO
MAPAS
MÁQUINA FOTOGRÁFICA
PASSAPORTE
REFERÊNCIAS DE AMIGOS
REVISTAS TURÍSTICAS
VISTO...

psiu!

UNIDADE 18

4 Use as sugestões abaixo para convidar um colega para sair no fim de semana. Comece o diálogo assim:

A: **Está passando um filme muito bom no Cinearte. Você gostaria de assistir?**
B: Qual é o nome do filme?
A: **"O Homem que fazia chover".**
B: Que tipo de filme é esse?
A: **Acho que é um drama. Dizem que é muito bom!**
B: Então vamos. Qual é o horário?
A: **Tem às 18h, 20h, 22h. Que tal às 20h?**
B: Tudo bem. Espero você em casa por volta das 19h15.
A: **Combinado. Até lá, então.**

outras perguntas

- **Em que dias está passando?**
- **Onde (mais) está passando?**
- **Quem são os atores principais?**
- **Onde fica o cinema? É longe/perto daqui?**

aceitando o convite

- **Parece uma ótima idéia!**
- **Eu adoraria!**
- **Jóia! Legal!**

- **Que pena! Vou estar muito ocupado este final de semana. Talvez a semana que vem.**
- **Talvez uma próxima vez. Obrigado mesmo assim.**
- **Infelizmente não vai dar. Estou cheio de coisas pra fazer neste fim de semana. Quem sabe num outro dia?**

recusando o convite

 FUGA PARA O INTERIOR

Até pouco tempo atrás havia uma clara tendência das pessoas migrarem para as grandes cidades, principalmente para as capitais, uma vez que o sonho das grandes e famosas universidades, empregos bem remunerados, redes de supermercados e shopping centers era privilégio restrito às grandes capitais. Quem não abrisse mão de tais serviços automaticamente era obrigado a conviver com congestionamento, alto custo de vida, poluição e violência crescentes.

Atualmente muitos dos serviços acima citados deixaram de ser privilégios restritos às grandes capitais. Muitas cidades do interior já oferecem tudo o que as capitais podem proporcionar, além de outras vantagens da vida urbana que acabaram se tornando inacessíveis nas grandes cidades. E é justamente isso o que a maioria das pessoas busca quando migra para o interior.

Fonte: Revista Veja - 03/1998

 E você? Você gostaria de morar numa metrópole ou numa cidade do interior? Se você optasse por viver no interior, quais seriam as razões para isso? Colocamos ao lado uma lista de razões prováveis por que cada vez mais brasileiros querem mudar-se para o interior. Numere os itens a seguir em ordem de importância para você.

( ) **custo de vida mais baixo**
( ) **menos violência**
( ) **melhor qualidade de vida**
( ) **ar mais puro**
( ) **vida mais tranqüila**
( ) **pessoas mais amigas**
( ) **menos congestionamento**

Compare suas razões com a opinião dos seus colegas e discuta. Qual foi o item mais valorizado por todos? Você concorda com eles?
Agora o professor lhes indicará o resultado de uma pesquisa realizada em março de 1998 por uma revista brasileira, "Veja". Verifique se coincide com a ordem de importância assinalada por você. Se não, discuta com seus colegas, em classe.

CAMPING

BARRACA
COLCHONETE
FOGAREIRO
FÓSFOROS
LANTERNA
PANELAS E AFINS
REPELENTE
SACO DE DORMIR...

psiu!

REVISÃO

Acentue, quando necessário, as palavras dos cupons de desconto ao lado:

pousada
VALLE DOS PÁSSAROS
dentro da mata Atlântica

10% de desconto no pacote mínimo de 02 (duas) diárias (válido para 1 casal).

RESTAURANTE SUNTORY

10% de desconto nas refeições (válido somente para preços aplicados no cardápio, exceto os promocionais).

Ψ **Clínica Psicológica**

30% de desconto nas sessões Psicoterapia e Orientação Profissional (atendimento também a dependente de drogas).

TS TRAINING SOFTWARE
Treinamento em Informática

No ato da matrícula, ganhe o material didático e uma camiseta.
(curso de informática em dois dias).

Que profissionais estão relacionados às propagandas acima:

EXEMPLO: 1- Pousada Valle dos Pássaros: arrumadeira, porteiro, ...

No Brasil o valor das multas muda de acordo com o tipo de infração. Use a lógica para unir as colunas abaixo.

Infração de natureza gravíssima: R$ 191,54*

Infração de natureza grave: R$ 127,69*

Infração de natureza média: R$ 85,13*

Infração de natureza leve: R$ 53,20*

• Dirigir veículo sem possuir Carteira Nacional de Habilitação.

• Ter seu veículo imobilizado na via por falta de combustível.

• Estacionar o veículo afastado da guia da calçada (meio-fio) de cinqüenta centímetros a um metro.

• Transitar em marcha à ré, salvo na distância necessária a pequenas manobras e de forma a não causar riscos à segurança.

*Valores em junho/2004

VIAJE COM A **CVC**
APROVEITE A PROMOÇÃO
• PORTO SEGURO ✓ 518,00
  5 DIAS
• NATAL ✓ 878,00
  6 DIAS
• BONITO ✓ 838,00
  7 DIAS
• SERRA GAÚCHA ✓ 758,00
  7 DIAS
FAÇA JÁ A SUA RESERVA
☎ 231-1222

QUANDO O TREM ABRIR AS PORTAS,
DEIXE **SAIR** PARA DEPOIS ENTRAR.

Observe os seguintes folhetos informativos e publicitários. O que eles têm em comum é o tempo verbal: o IMPERATIVO. Por que será que os especialistas em publicidade usam tanto o Imperativo? Pesquise e discuta com seu colega/professor.

REVISÃO

Redação

Agora vamos criar um folheto informativo para uma agência de viagens a fim de fazer propaganda do seu país, da sua beleza, da sua cultura. Deve ser o mais atraente, convidativo e convincente possível. Use e abuse do IMPERATIVO! Coloque também um título sugestivo para o folheto.

psiu!

PRAIA

BIQUINI
BÓIA
BRONZEADOR
CADEIRA DE PRAIA
ESTEIRA
GUARDA-SOL
ISOPOR
MAIÔ
PROTETOR SOLAR
SAÍDA DE BANHO
TOALHA...

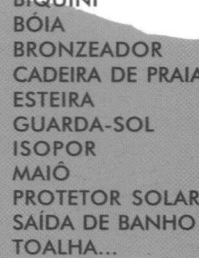

 No Brasil, o termo 'sair de casa' está por vezes associado ao casamento. Alguns preparativos importantes acontecem quando nos preparamos para essa cerimônia. A Fundação Procon, vinculada à Secretaria de Justiça e Defesa da Cidadania do Estado de São Paulo, preparou um guia para orientar noivos e noivas. O jornal O Estado de São Paulo publicou-o no mês das noivas de 2004. Que cuidados você acha que o Procon sugeriu em seu guia para os itens abaixo? Confira suas respostas com o seu professor.

PARTE RELIGIOSA	CARTÓRIO	GRÁFICA
_____	_____	_____
_____	_____	_____
_____	_____	_____

FESTA	TRAJES	FOTO E VÍDEO
_____	_____	_____
_____	_____	_____
_____	_____	_____

 Alguns verbos pedem o uso de uma preposição que pode inclusive modificar o significado dos mesmos. Discuta a diferença de sentido entre as frases abaixo:

1. Sempre agrada o filho quando o vê. ≠ O presente não agradou ao filho.
2. Sentiu-se mal ao aspirar a fumaça. ≠ Aspiramos a um cargo melhor.
3. Por que você implica tanto com ele? ≠ Exigir os seus direitos implica altos riscos.
4. Quero o bem-estar de todos. ≠ Quero a todos por igual.
5. As enfermeiras assistem os idosos com carinho. ≠ As enfermeiras assistem ao jogo de tênis.
   Esse é um direito que lhe assiste.
6. Custou-me encontrar uma boa casa. ≠ O carro lhe custou barato.
7. Vim de metrô para a escola. ≠ Vim do Metrô para a escola, correndo.
8. Eles falam da fome. ≠ Enquanto isso milhares morrem de fome.
9. Eu o encontrei no vilarejo. ≠ Eu o encontrei num vilarejo.
10. Cheguei à casa do produtor. ≠ Cheguei da casa do produtor.

Acrescente uma preposição a cada uma das frases seguintes:

1. O filme que assisti me deixou muito emocionada.
2. A única pessoa quem confio é você.
3. O cão obedece o dono cegamente.
4. Nós aspiramos um mundo melhor.
5. A loja que entrei ontem estava fazendo liquidação de quase todos os produtos.
6. O cantor não agradou os fãs.
7. Os lugares onde fui são estes.
8. Amélia não simpatiza Haroldo.

CUIDADOS COM O CARRO

ALINHAR DIREÇÃO
CALIBRAR PNEUS
CHECAR ÓLEO E FREIOS
CONFERIR DOCUMENTOS
VERIFICAR CINTOS E TRIÂNGULO...

psiu!

10 Leia o texto abaixo e:

1. pesquise o significado das palavras sublinhadas no texto.
2. circule a preposição correta que aparece entre parênteses no texto.

Mulher na Pesca - Que emoção lúdica!

Quando eu ouvia comentários a respeito de pesca, normalmente masculinos, o que imaginava eram <u>paisagens bucólicas</u> onde um homem calmamente sentado à beira do rio esperava sua <u>presa</u>. Mas onde estava a ação que muitos comentavam?

A pesca parecia, até então, uma atividade sem muita emoção, onde para justificar sua prática se inventavam estórias. Eu acreditava que pessoas ativas e "plugadas" nos roteiros alternativos e culturais de uma cidade como São Paulo não se interessariam por esse esporte.

Conforme ouvia de amigos, a pescaria também, era utilizada para se criarem <u>álibis</u>, justificando eventuais férias <u>conjugais</u>. Numa destas estórias, aconteceu um flagra. Ao voltar de um final de semana com os amigos de infância, no canal de Bertioga, quando a aventura tinha acontecido nas areias da praia e não em alto-mar, um dos mentirosos pescadores se esqueceu (em, de, para) trazer alguns exemplares que <u>testemunhariam</u> a seu favor. A solução foi comprar peixes de pescadores nativos. Porém, encontrou em uma peixaria, o peixe já limpo e embalado. Sua esposa logo o <u>desmascarou</u>, quando ao preparar o peixe encontrou um carimbo azul de fiscalização em seu dorso. Logo pensei: pescador necessita mesmo inventar estórias para proporcionar emoção a seus ouvintes.

Foi então que em uma viagem de reveillon com minha paixão descobri a emoção da pesca. Na ilha do Cardoso eu, meu leonino e toda aquela <u>tralha</u> de varas, alicates, molinetes, puçás...

E, acima de todos os meus preconceitos sobre a arte de pegar aqueles bichinhos que respiram por brânquias, me <u>lambuzei</u> de citronela, contra as mutucas, e embarquei logo cedo naquele barco de alumínio. Até então não conhecia de perto as habilidades de pescador de meu namorado, mas depois de preparar uma vara com a linha passando através dos anéis, o chumbo, o chicote e depois o anzol, ele me <u>convenceu</u>. Sorrindo disse: "Esta é para você. Pega um camarão vivo e vem aqui que eu vou te ensinar (para, a) <u>arremessar</u>."

Arremessar, mas o quê? Como? Seu sorriso me fez entender a paz contida em um canal de ilha,

cheio de vegetação, céu azul e águas límpidas, onde arremessei pela primeira vez.

Como dizia o filósofo: "Amo aquele que não quer ter muitas <u>virtudes</u>. Uma virtude é mais do que duas, porque tem mais nó a que suspender-se a <u>fatalidade</u>".

E, fatalmente , o meu primeiro sinal de <u>fisgada</u>.

Senti meu batimento cardíaco se precipitar, tendo que segurar forte com a segunda fisgada. Um certo medo de deixar escapar de minhas próprias mãos essa emoção também me atingiu.

Novamente, com meiguice a resposta: "Sente, com calma fisgue forte e de uma vez, puxa. Puxa para o alto e vai enrolando esta manivela, sente, solta, enrola mais a linha, com firmeza cede e continua enrolando". E toda a minha energia voltou-se (a, para, com) a água e dentro dela vi uma luzinha prateada e saltitante.

Era meu primeiro Robalinho na Ilha do Cardoso, em Cananéia, tão perto e ao mesmo tempo distante de meu habitat urbano e natural. Ah, que <u>emoção lúdica</u> é se sentir incapaz, por uma fração de segundos, de controlar sua própria emoção.

Então gritei de felicidade e beijei aquele exemplar escorregadio que veio de dentro das águas, sentindo sua força por entre meus dedos.

Por todo o dia fiquei pescando e apostando quem pegava mais peixes. Como todo pescador sabe, naturalmente, fui eu quem mais pescou naquele dia, sorte de principiante.

"Amo aqueles que não procuram atrás das estrelas uma razão para sucumbir e serem sacrificados: mas que se sacrificam à terra...", aos peixes, às águas, varas, puçás e outros objetos pelo puro prazer da pesca, que passa de pai para filho, de avô para neto, de marido para mulher.

Agradeço (para, ao, a) avô Roque, hoje avô do meu marido, por um dia tê-lo levado ao "Morro do Maluf" para pescar no final da <u>década de 70</u>. Assim os homens passam como espíritos (pela, por) sobre a ponte e cheios de emoção pescam: Robalos, Pernas-de-Moça, Bagres, Baiacus e criam os valores em que acreditam: na pesca!

Fonte: Revista "Pesca e Companhia" - Maria Regina Rocha Viesi

psiu!

TELEFONES ÚTEIS (EXEMPLO: SP)

CORPO DE BOMBEIROS-193
DESPERTADOR AUTOMÁTICO-134
HORA CERTA-130
INFORMAÇÕES-NÚMEROS DA LISTA TELEFÔNICA-102
LIGUE LUZ-120
POLÍCIA-190
PRONTO SOCORRO-192
TELEGRAMA FONADO-135...

Agora leia e responda:

1. Qual era a opinião da autora sobre a pesca?
_____

2. Como ela mudou de opinião?
_____

3. Qual é exatamente a emoção da pesca?
_____

Complete:
Ela gostou tanto da pesca que, _____

Trabalhe em pares, entrevistando seu colega a respeito de:

1. Experiência com pescaria (quando, onde, com quem, quantos peixes, etc.)
2. Opinião sobre a pesca
3. Opinião sobre "sorte de principiante"
4. Opinião sobre "estórias de pescador"

---

11 Escolha um dos verbos ao lado, coloque-o na forma adequada e escolha a alternativa correta entre parênteses:

| reconhecer | fisgar | desmascarar | levar |

| sentir | pescar | utilizar |

REVISÃO

O peixe foi _____ (por, pelo, pela) pescador.
A pescaria era _____ como álibi (por, pelos, pelas) alguns pescadores.
O pescador foi _____ (por, pelo, pela) esposa, quando, ao preparar o peixe, ela encontrou o carimbo da fiscalização em seu dorso.
As habilidades do namorado foram _____ (por, pelo, pela) Maria.
O robalinho foi _____ (por, pelo, pela) ela.
Uma forte emoção foi _____ (por, pelo, pela) pescadora ao primeiro sinal de fisgada.
Meu marido foi _____ (por, pelo, pela) avô Roque ao "Morro do Maluf" na década de 70.

---

12 Agora relacione as palavras com um traço e escreva frases usando a VOZ PASSIVA:

REVISÃO

ladrão
paciente
filhos
aluno
noivos
cliente

pais
professor
policial
convidados
doutor
advogado

1. _____
2. _____
3. _____
4. _____
5. _____
6. _____

ARTIGOS PARA PESCA

ANZOL
ISCA (NATURAL, VIVA, ARTIFICIAL)
ISOPOR
LINHA
MOLINETE
VARA...

psiu!

Viajar com ELES? Pode ser ÓTIMO

Para a maior parte das pessoas, as férias ideais são passar uma semana na praia a fim de descansar do trabalho e voltar com um bronzeado de abafar. Mas o que acontece quando o casal leva as crianças?

Bem, por certo não vai ser possível ter muitos momentos íntimos, tirar boas sonecas nem ficar bebendo até tarde da noite. Então por que fazemos o impossível para encaixar as crianças quando planejamos férias? Quem sabe porque todos necessitamos dar atenção aos filhos e, como pais ocupados, não conseguimos isso na correria do dia-a-dia. Alguns amigos meus tratam de dar essa atenção às crianças viajando todo santo ano para Orlando a fim de visitar a Disney pela enésima vez — junto com hordas de crianças brasileiras em férias escolares — numa tentativa de aplacar o sentimento de culpa e agradar aos filhos. Eu não consigo ter tanta abnegação!

Afinal, fora a Disney existem muitos outros lugares onde passar as férias com a família — que tal Marrocos, Espanha, França, Escócia, Estados Unidos, Grécia e, é claro, as belas praias do Brasil? Passamos férias maravilhosas em todos esses lugares, muitas vezes sem que houvesse atividades ou diversões especialmente destinadas aos "baixinhos".

O grande segredo do sucesso das férias com a família é o planejamento. Se for viajar para o exterior, pesquise detalhadamente as opções de vôo. Viagens longas de avião levando crianças sempre são melhores à noite, horário que facilita o sono. Escolha um vôo direto, sem escalas, e procure reservar assentos na frente, além de encomendar refeições especiais, berço, etc. quando comprar as passagens. Leve um kit de sobrevivência completo — fraldas, mamadeiras, leite já medido, babadores, lanchinhos, uma muda de roupa, o brinquedo favorito. Crianças maiores gostam de levar a mochila delas cheia de brinquedos e outros objetos para atividades. Quanto a crianças de peito, dê-lhes de mamar na hora da decolagem e do pouso, para aliviar a pressão nos ouvidos delas. Às crianças maiores, dê chupetas, doces ou bebidas para obter o mesmo efeito.

Leia tudo que puder sobre o lugar para onde vai e verifique com todo cuidado as coisas especiais que vai precisar, como berços, cadeirinhas para adaptar nos assentos do automóvel, quartos com varanda — ótimos para secar roupa e jantar a dois depois que as crianças dormirem. Calcule quantos fusos horários vocês vão atravessar para encaixar as crianças suavemente numa rotina razoável. Procure não reservar nada sem informações confiáveis — os folhetos turísticos são famosos por mentir ou enfeitar a realidade. Um exemplo é a ilha de Santorini, onde estivemos há uns dois anos: os lindos quartos-caverna do *apart-hotel*, reservados por um amigo solteiro e sem filhos, eram perfeitos — se não considerarmos que para chegar lá tínhamos que descer pelo menos 200 degraus bem inclinados. Depois de uma semana e sabe Deus quantas subidas e descidas com duas crianças pequenas, carrinhos e mochilas, estávamos em condições de correr uma maratona!

O verdadeiro segredo, no entanto, é de vez em quando tirar umas férias sem as crianças — vocês vão sentir uma falta tremenda delas, mas vão adorar aqueles momentos íntimos!

Fonte: Revista de Bordo Varig nº162 - Lucy Needham Vianna

CURIOSIDADES

Cabo Verde

Quando os portugueses se instalaram no arquipélago de Cabo Verde, no século XV, as ilhas se encontravam cobertas por uma densa vegetação tropical. No século XVI Cabo Verde se tornou uma escala importante dos navios escravocratas que navegavam para a América. Já nesse período a colonização e o cultivo errôneo do solo haviam transformado as ilhas num 'deserto flutuante' que culminou com as secas periódicas do século XVIII que se prolongam até o presente. A redução da atividade agrícola provocou uma evasão em massa da população para Guiné-Bissau e mais tarde para Angola, Moçambique, Senegal, Brasil e principalmente para os Estados Unidos. Em 1956 foi fundado o Partido Africano para a Independência de Guiné-Bissau e de Cabo Verde (PAIGC). Em 1974 caía o regime colonial português e em 1975 foi proclamada a independência. Deu-se então um fato interessante: pela primeira vez no mundo um mesmo partido governava dois países. Desde 1975 a área de bosques de Cabo Verde começou a aumentar graças ao trabalho de toda a população. Em 1986 foi posto em prática o Segundo Plano de Desenvolvimento que deu prioridade à economia do setor privado, especialmente o informal. No início das estações chuvosas, homens e mulheres deixam seus lares e escritórios para plantar árvores durante uma semana. Até 1995 contudo, a economia caboverdiana continuava muito dependente da ajuda externa, especialmente da ajuda da União Européia.

Onde fica

Continente Africano

Guiné-Bissau

- **População:** 1.044.000 (1994)
- **Superfície:** 36.120 Km²
- **Capital:** Bissau
- **Moeda:** Peso
- **Idioma:** Português (oficial), dialeto crioulo com elementos africanos e portugueses e idiomas nativos (os mais falados: o mande e o fula).
- **Religião:** Aproximadamente dois terços professam religiões tradicionais africanas e um terço é muçulmano. Há poucos católicos.

Onde fica

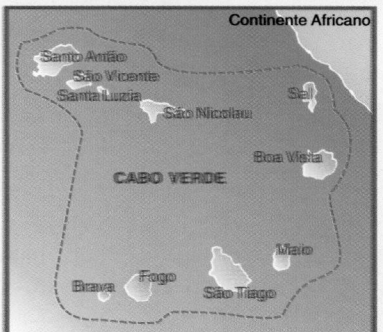

Continente Africano

Santo Antão
São Vicente
Santa Luzia
São Nicolau
Sal
Boa Vista
CABO VERDE
Maio
Brava
Fogo
São Tiago

- **População:** 372.000 (1994)
- **Superfície:** 4.030 Km²
- **Capital:** Praia
- **Moeda:** Escudo
- **Idioma:** Português (oficial), crioulo (baseado no português antigo com vocábulos e estruturas africanas). É a língua nacional.
- **Religião:** Majoritariamente católica

Guiné-Bissau

Guiné-Bissau foi a primeira colônia portuguesa a conseguir sua independência. A resistência ao colonizador iniciou-se no século XVI quando os portugueses se instalaram na Guiné. No século XVII foram feitos os primeiros contatos com os habitantes de Cabo Verde, escala obrigatória dos barcos de escravos com destino ao Brasil. Em um país pobre e pequeno, a agricultura e o comércio ficaram a cargo de um monopólio privado, a União Fabril. Na década de 1950 a mortalidade infantil era de 600 mortes para cada 1.000 nascimentos. Havia 11 médicos em todo o país e apenas 1% da população estava alfabetizada. Neste quadro, foi fundada, em 1954, a Associação de Esportes e Recreação que mais tarde seria o PAIGC. Em Bissau nasceu um importante movimento para a história de Portugal: o Movimento dos Capitães, antecessor do Movimento das Forças Armadas que no dia 25 de abril de 1974 derrotou o regime ditatorial português. Quatro meses depois, Portugal reconhece a independência de Guiné-Bissau. O governo do PAIGC diversificou a agricultura, nacionalizou o comércio exterior e iniciou uma campanha de alfabetização popular. Deu-se também prioridade à integração econômica com o arquipélago de Cabo Verde. Com o Primeiro Plano para o Desenvolvimento, iniciou-se a construção de 5 portos (1984) e foi concluído o aeroporto de Bissalanca. Entre planos de estabilização econômica, abertura da economia ao capital estrangeiro, reformas políticas, desequilíbrios sociais e econômicos, campanhas políticas e eleições, o FMI concedeu, em janeiro de 1995, um novo crédito de 14 milhões de dólares ao país.

Fonte: Guia del Mundo - 1998

Literatura Brasileira

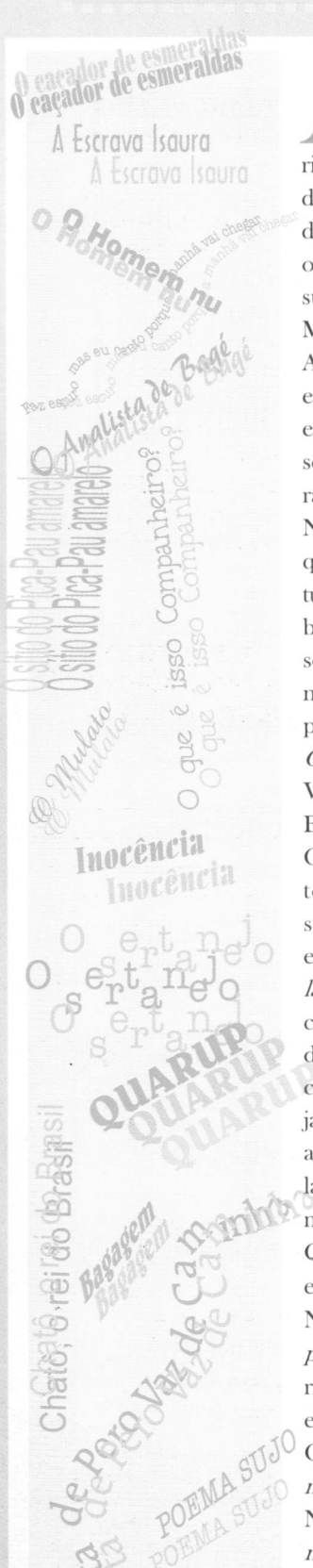

As primeiras obras literárias escritas no Brasil se constituíram de *textos informativos* sobre a conquista do território pelos portugueses e sobre a expansão da fé católica. Ficou famosa a carta de Pero Vaz de Caminha sobre a terra recém-descoberta e os sermões e peças religiosas escritos pelos jesuítas, com destaque para José de Anchieta e Manuel da Nóbrega.

A partir do século XVII tem início o *barroco*, estilo ainda bastante influenciado pelo modelo europeu. Ficam conhecidos os sermões religiosos e os textos que falam sobre as belezas naturais do Brasil e a poesia lírica e satírica.

No início do século XIX surge o *romantismo*, que tem caráter nacionalista valorizando a natureza, a história e a língua brasileiras. O poeta baiano Castro Alves destaca-se no período. Desenvolve-se o *regionalismo*, que enfoca costumes e tradições do interior brasileiro. Entre as principais obras regionalistas dessa fase estão *O sertanejo*, de José de Alencar, *Inocência*, de Visconde de Taunay, e *A Escrava Isaura*, de Bernardo Guimaraens.

O desenvolvimento das cidades e o crescimento da população urbana resultaram no surgimento do *realismo*, além das obras influenciadas pelo *naturalismo*. O romance *O Mulato*, de Aluísio Azevedo, é considerado o marco do naturalismo no país. Dá-se uma consolidação do regionalismo como tema dos romances. A partir da segunda década do século XX, já no período *modernista*, há um novo impulso ao regionalismo e o sociólogo Gilberto Freyre lança o *Manifesto Regionalista*. A tendência renova-se ainda com Jorge Amado, Rachel de Queiroz, Graciliano Ramos, José Lins do Rego e Érico Veríssimo.

No final do século XIX conhecemos o *parnasianismo*, que propõe uma poesia caracterizada pela correção métrica com vocabulário raro e rimas exóticas. O expoente do movimento é Olavo Bilac cujo poema épico *O Caçador de Esmeraldas* é lido e estudado até os dias de hoje.

No mesmo período desenvolve-se o *simbolismo*, caracterizado por uma poesia mística, espiritual e pela preferência por ritmos musicais. Um grande representante do movimento é Alphonsus de Guimarães.

No começo do século XX, com a consolidação da República e a expansão cultural, alguns escritores passam a expressar uma visão crítica dos problemas socioeconômicos antecipando uma das tendências mais marcantes do modernismo. Esses escritores são considerados *pré-modernos*. Dentre eles destacam-se: Lima Barreto, que faz uma caricatura do nacionalismo e da pobreza dos subúrbios cariocas; Euclides da Cunha que, em *Os Sertões*, revela a situação miserável do sertanejo nordestino e Monteiro Lobato, que elabora o ciclo do *Sítio do Pica-Pau Amarelo*, o maior conjunto de literatura infantil já escrito no Brasil.

Em 1922, na *Semana da Arte Moderna*, são divulgadas as teorias vanguardistas européias. Nessa fase há um resgate de tradições tipicamente brasileiras instalando-se ainda o verso livre, a prosa experimental e uma exploração criativa do folclore, da tradição oral e da linguagem coloquial.

O período pós-modernista tem como característica marcante a heterogeneidade – pluralidade de vozes, de estilos, de gêneros e de visões de mundo. A chamada geração de 80 é marcada pelo desencanto em relação aos ideais de engajamento social e político da década de 70. Já na década de 90, sobressaem algumas tendências comuns. É o caso dos romances que, inspirados no final do milênio, procuram analisar a história do país por meio de incursões ficcionais na história contemporânea, como *Cidade de Deus* (1997) de Paulo Lins. Entre os cronistas têm destaque Fernando Sabino, Rubem Braga e Luís Fernando Veríssimo. No ano 2000, as comemorações dos 500 anos de Descobrimento do Brasil motivam a publicação de um grande número de títulos que procuram rever e reinterpretar a história e a cultura nacionais.

Em 2002, Ariano Suassuna recebe o Prêmio Jorge Amado de Literatura e Arte, na Bahia, pelo conjunto de sua obra. Comemoram-se os centenários de Carlos Drummond de Andrade e Sérgio Buarque de Holanda. São festejados ainda os 100 anos de *Os sertões*, marco da literatura brasileira contemporânea.

Fonte: Almanaque Abril - 2003

Uso do Dicionário

CAPOEIRA

Não são todos os capoeiristas ou capoeiras que se consideram atletas. Para os grupos <u>mais</u> tradicionais de Salvador, ela é forma de expressão da cultura negra. Tanto que, para eles, trata-se de uma arte marcial afro-brasileira. "Reduzir a capoeira ao esporte é diminuir seu lado subjetivo, sua história e sua filosofia," diz Pedro Moraes Trindade, o mestre Moraes. "Capoeira é a fusão de corpo e mente. Em comparação a outras artes marciais, corresponde ao tai chi chuan chinês, no qual você não precisa ser forte, mas inteligente."

Manoel Nascimento Machado, ou mestre Nenéu, de Salvador, batizado na capoeira como "Sá Pererê", também insiste em ressaltar aspectos que extrapolam a mera habilidade física. "O capoeira <u>nunca</u> joga contra o outro, mas com o outro," explica. "Assim, ele se prepara para enfrentar a vida lá fora."

A capoeira começou a ser ensinada <u>regularmente</u> nos anos 30 e <u>já</u> naquela época estava dividida em duas vertentes. A de Angola, nome que homenageia as tradições dos escravos angolanos e a Regional, chamada assim por ter nascido na região da Bahia.

Em comum, a capoeira Angola e a Regional têm alguns princípios fundamentais. Quem joga <u>sempre</u> deve começar cumprimentando o parceiro ao pé do berimbau, quer dizer, agachado perto do instrumento que dará o ritmo dos golpes. Ambos devem estar limpos, <u>decentemente</u> trajados e <u>jamais</u> sem camisa. Deve-se procurar a harmonia, na qual um movimento de defesa já é o começo de outro, de ataque, sem ferir o companheiro. Os oponentes não se atracam, mas lutam por aproximação, respeitando a hora de entrar e sair da roda. E ninguém deve aprender capoeira para sair batendo nos outros.(...)

Fonte: Revista Super Interessante - 1996

1 REVISÃO
Você acha que os ADVÉRBIOS podem ou não MODIFICAR O SENTIDO de uma frase? Transcreva as frases onde aparecem advérbios (sublinhados no texto) e discuta com seu colega se há alguma/muita diferença de sentido nas frases com e sem os advérbios.

1. _____
2. _____
3. _____
4. _____
5. _____
6. _____
7. _____

2
Leia os trechos abaixo e adivinhe a que esporte se referem. Traga outros artigos de jornais ou revistas para um jogo de adivinhação em sala de aula.

1. "Tive uma chance de ultrapassá-lo na largada, mas sabia que poderia tocar nele e comprometer a corrida dos dois, por isso desisti."

2. A Seleção Brasileira conquistou seu nono título mundial, dos dez realizados, ao derrotar a Espanha na final por 6 a 4, na praia de Copacabana. Os gols brasileiros foram marcados por Benjamin (2), Junior Negão, Neném, Buru e Bruno.

3. O cavaleiro Rodrigo Pessoa venceu o Grande Prêmio de Paris, com o cavalo Baloubet de Rouet, e foi o último a entrar na pista zerando o percurso com o tempo mais rápido da competição, 36s66.

4. Daiane dos Santos sobrou na prova de solo, e ficou com a medalha de ouro na competição. Ela inovou ao incluir o duplo *twist* esticado na coreografia no lugar de uma tripla pirueta, o que lhe garantiu 9,762 pontos.

Fonte: Jornal O Estado de S.Paulo, 8 de março, 2004

FUTEBOL

ATAQUE
CARTÃO AMARELO
CARTÃO VERMELHO
CENTROAVANTE
DEFESA
FALTA
GOL
GOLEIRO
PÊNALTI...

psíu!

ESSA MENINA VALE OURO

Com humildade, carisma e determinação, a gaúcha Daiane dos Santos, de 21 anos, deixou seu nome gravado na história da ginástica olímpica. Ela ganhou mais uma medalha de ouro na prova de solo. Desta vez foi na etapa de Cottbus (Alemanha) da Copa do Mundo. A atleta foi aplaudida de pé por um público que delirava a cada pirueta de seu duplo mortal esticado. Com o feito, Daiane tornou-se a primeira brasileira a alcançar o topo do ranking mundial da modalidade solo.

É puxada a rotina da ginasta, que foi descoberta aos 11 anos enquanto brincava numa pracinha de Porto Alegre. Além dos exercícios, ela faz fisioterapia preventiva, para evitar lesões. Depois dos treinos, ainda vai para a faculdade dirigindo seu Ka vermelho. Está cursando Educação Física e, no futuro, espera ser técnica de ginástica ou *personal trainer*.

Nos raros momentos de folga, Daiane gosta de pegar um cinema e de sair para dançar pagode, axé, reggae e funk em Curitiba, onde mora. Fora do ginásio, troca o colante por modelitos que deixem à mostra o piercing no umbigo e a tatuagem de lagarto que traz nas costas.

Vaidosa, a atleta faz a própria maquiagem antes das apresentações. Diz que não se incomoda com a baixa estatura, de 1,45 metros. "E nunca sofri com preconceito por ser negra." Antes das provas, abre mão do estrogonofe, seu prato preferido, e cai de boca nos carboidratos, por serem de fácil digestão. A disciplina e o talento ganham o reforço de alguns talismãs: uma correntinha com a medalha de Santo Antônio, um terceiro olho, uma estrela de Davi e uma joaninha de pelúcia, presente de um técnico espanhol, em 1999. "Dá sorte", garante.

Em Atenas, Daiane deve mostrar sua nova coreografia, Brasileirinho. "Ela vai realmente sambar, o que nenhuma outra ginasta fará", comenta Rhony Ferreira, que montou a apresentação de Daiane. Ele explica ainda que a coreografia terá sons de berimbau, cuíca e a batucada das escolas de samba Mangueira e Beija-Flor.

Brasileirinho é uma das armas de Daiane para tentar tornar real o sonho da medalha olímpica.

Fonte: Texto adaptado de artigo da Revista Época, 15 de março, 2004

Observe como a palavra CONQUISTA é apresentada no dicionário:

> **conquista.** [Do lat. *Conquisita*, "procurar", "buscar".] *S. f.* **1.** Ato ou efeito de conquistar. **2.** Pessoa ou coisa conquistada.
> **conquistado.** [Part. de conquistar.] *Adj.* **1.** Que se conquistou. **2.** subjugado, vencido.
> **conquistador** (ô). [De *conquistar* + *-dor*.] *Adj. S. m.* **1.** Que ou aquele que conquista, que vence, que triunfa. **2.** *Fam.* Que ou aquele que faz conquistas amorosas.

• após a palavra CONQUISTA temos a explicação da origem da palavra e o significado original;
• temos depois as iniciais *S. f.*, que indicam a sua categoria gramatical (um substantivo feminino);
• temos então as definições da palavra;
• o dicionário apresenta ainda a palavra CONQUISTADO com a função de *Adj.* (adjetivo), com a definição e os sinônimos; e o termo CONQUISTADOR, com duas funções: a de *Adj.* (adjetivo) e a de *S. m.* (substantivo masculino), com as suas definições, uma delas *Fam.* (familiar).

> Em uma folha separada faça o mesmo ESTUDO das palavras: *HUMILDADE, DETERMINAÇÃO, GINÁSTICA, DELIRAR, PREFERIDO, FOLGA, APLAUDIDA, FEITO.*

> a. escreva frases com os DERIVADOS, SINÔNIMOS ou ANTÔNIMOS das palavras listadas.
> b. verifique os diversos usos da palavra PEGAR (pegar um cinema, por exemplo).

psiu!

TÊNIS

ACE
DEIXADINHA
DUPLA FALTA
FOOT FAULT
GAME
IGUAIS
QUARENTA
QUINZE
SAQUE
SET
TRINTA
VOLEIO...

UNIDADE 19

4

• Trivia •

Pólo aquático e futebol são os dois esportes coletivos mais antigos, em Olimpíadas. Estrearam nos Jogos de 1900, em Paris. • O uso do pódio para a entrega de medalhas aos três primeiros colocados começou nos Jogos de 1932, em Los Angeles. • As primeiras Olimpíadas que tiveram cobertura de televisão para Europa e Estados Unidos foram as de Roma, em 1960. Na época, a cadeia americana CBS pagou 50.000 dólares pelos direitos de transmissão.

REVISÃO

Fonte: Revista Veja - 26/06/1996

Use a voz passiva, quando possível, para reeditar as informações. Veja o exemplo:

- Pólo aquático e futebol foram estreados nos jogos de 1900, em Paris.

REVISÃO

5 **Rodapé da História**

No decorrer _____ décadas, Alice Coachman foi-se habituando _____ olhar comiserado de quem a ouvia dizer que era a primeira atleta negra a ganhar uma medalha _____ ouro olímpica. Achavam que ela era maluca. "Você? Mas não foi aquela *outra*?", perguntavam. A "outra", naturalmente, era a cultuada Wilma Rudolph, que capturou três ouros _____ Jogos de Roma, _____.1960. Só que Rudolph subiu ao pódio doze anos depois de Coachman fazer história nas Olimpíadas de Londres, em 1948, vencendo no salto em altura. A política segregacionista _____ época a impedia de treinar _____ pistas _____ brancos do Estado da Geórgia, onde morava — e onde agora se realizaram os Jogos de Atlanta. Até as palmas para comemorar sua vitória não podiam misturar-se: os brancos aplaudiram de um lado da rua, os negros, _____ outro. _____ 72 anos, Alice Coachman continua vivendo _____ sul dos Estados Unidos.

Fonte: Revista Veja - 26/06/1996

Algumas preposições foram omitidas do texto acima. Leia atentamente e use o quadro abaixo para completar os espaços adequadamente:

para	de	ao	no	aos
em	da	nos	nas	do	das

Você sabia?

• São duas as línguas oficiais das Olimpíadas: inglês e francês.

• Dois esportes premiam dois terceiros colocados (duas medalhas de bronze): judô e boxe.

6 Ouça na fita os instrutores explicando a prática de certos esportes; siga suas instruções fazendo mímicas e adivinhe a que esporte eles se referem.
Ouça mais uma vez e escreva abaixo as instruções dadas.

Esporte	Instruções
1.	
2.	
3.	

TIMES DE FUTEBOL

BOTAFOGO
CORINTHIANS
CRUZEIRO
FLAMENGO
GRÊMIO
PALMEIRAS
SANTOS
SÃO PAULO
VITÓRIA...

psiu!

UNIDADE 19

🎵 A LISTA DA BOA FORMA

Qual o melhor esporte, o mais completo? A resposta de especialistas em medicina esportiva, treinadores e atletas é unânime: o melhor esporte é aquele de que você mais gosta e que tem mais facilidade em praticar. Se você gosta de ter a sensação de triunfo a cada dois minutos, o melhor esporte pode ser o basquete, pois dá para - chuá! - encestar sem parar. Se o objetivo é ficar torneado como Sylvester Stallone, o negócio é fazer musculação e halterofilismo. Mas, se o que se quer do esporte é a queima de calorias, o aumento discreto da massa muscular, o incremento da resistência física, da flexibilidade e da coordenação motora — ou seja, se o que se deseja é uma melhoria geral da condição física, com pouco risco de lesões — então as melhores modalidades esportivas são a natação e o remo, seguidos de perto pelo judô e pelo surfe.

"A natação é excelente porque combina queima de calorias com capacidade cardiorrespiratória, flexibilidade, coordenação motora e segurança", diz o médico Giuseppe Taranto, chefe do departamento médico do time de futebol do Flamengo. "Ela só não é ideal para a aquisição de massa muscular". Segundo Taranto, "para desenvolver a massa muscular nas pernas e no tronco, o remo é o melhor esporte".

Como não há esporte perfeito, mesmo o remo tem problemas, a começar pelas bolhas e calos que provoca nas mãos. Sendo um esporte que força bastante alguns músculos e articulações, como cotovelos, ombros e joelhos, o remo pode causar lesões, já que boa parte de seus movimentos não é feita naturalmente pelo homem. O que o leva à categoria de esporte número

um, ao lado da natação, são os exercícios seqüenciados, durante longos períodos, que mexem praticamente com toda a musculação. "É possível perder até 1 quilo durante uma hora de treinamento", diz o treinador Guilherme Buck, técnico da seleção brasileira de remo, 68 anos de idade, cinqüenta de remo e oito Olimpíadas no currículo. O maior problema do remo não está propriamente no esporte em si, mas na dificuldade em se poder praticá-lo, já que são poucas as raias e lagoas no Brasil. Nesse aspecto, a natação é bem mais fácil, pois basta uma piscina e disposição.

Na Grécia clássica, os esportes olímpicos foram desenvolvidos para servir de treinamento para as guerras. Corridas, arremesso de peso, saltos e outras modalidades eram praticados para simular as condições dos campos de batalha. Nos tempos modernos, o esporte não serve mais como preparação para a guerra — mas também essa é uma das poucas coisas para as quais ele não serve. Hoje, o esporte serve para quase tudo: melhorar a saúde, socializar, jogar, se divertir, exibir o físico, cultivar a vaidade, competir, etc. Como são múltiplas as funções do esporte na sociedade contemporânea, desenvolveu-se a crença de que praticar um só esporte não basta. A última tendência em preparação física é o "cross-training", o treinamento cruzado. Em outras palavras: a prática de mais de uma modalidade esportiva. "O ideal é praticar o esporte de que se gosta mais, e complementá-lo com uma modalidade que ofereça aquilo que o preferido não dá", explica Valdir Barbanti, professor da Escola de Educação Física da Universidade de São Paulo, resumindo os preceitos do treinamento cruzado.

Fonte: Revista Veja -18/10/1995

7 No texto acima aparecem palavras terminadas em <u>dade</u> (indicativo de substantivo). Você consegue descobrir qual o ADJETIVO correspondente a esses SUBSTANTIVOS?

1. facilidade - _____

2. flexibilidade - _____

3. capacidade - _____

4. dificuldade - _____

REVISÃO

Responda:

1. Qual é o esporte mais completo?
_____

2. O que é treinamento cruzado?
_____

3. Ganhar pontos e vencer é muito importante para você ou você prefere jogar sem contar pontos?
_____

4. Por que você pratica esportes? Numere as alternativas abaixo:

  a. ( ) para vencer

  b. ( ) para fazer exercício físico

  c. ( ) para se divertir e relaxar

  d. ( ) outros

Sugestões para atividade escrita:

Escreva sobre seu esporte favorito. Coloque as seguintes informações:

a) O que você precisa para praticar esse esporte?
_____

b) Quantas pessoas são necessárias?
_____

c) Quais são as regras do jogo?
_____

d) Quando você começou a praticar esse esporte? Por quê?
_____

e) E agora, por que você o pratica?
_____

Discuta:

1. Seus colegas praticam esportes pelas mesmas razões?

2. Quais as outras razões por que as pessoas praticam esportes?

NATAÇÃO

GOLFINHO
MERGULHO
NADO BORBOLETA
NADO DE COSTAS
NADO LIVRE
NADO SINCRONIZADO
REVEZAMENTO...

psiu!

8 Trabalhe em pares: A está procurando um trabalho no Clube Atlético Paraíso onde os membros podem praticar uma variedade de esportes. B é um diretor do clube e está procurando um assistente para o Departamento de Esportes. A preenche o quadro A, e B o quadro B. Usem a imaginação e façam um diálogo onde B entreviste A. Será que A vai conseguir o emprego de assistente?

A
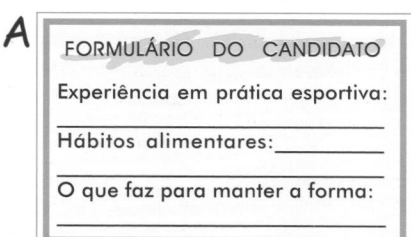
FORMULÁRIO DO CANDIDATO

Experiência em prática esportiva:
_____

Hábitos alimentares: _____

O que faz para manter a forma:
_____

B
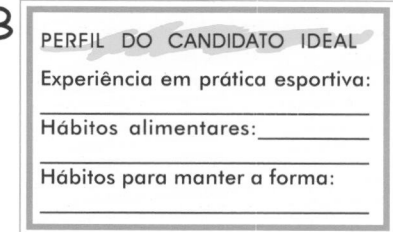
PERFIL DO CANDIDATO IDEAL

Experiência em prática esportiva:
_____

Hábitos alimentares: _____

Hábitos para manter a forma:
_____

Vamos inverter os papéis e fazer uma nova entrevista.

 Agora escreva um pequeno relatório sobre o candidato que você entrevistou.

Comece assim: Eu entrevistei...
Termine assim: Portanto é/não é a pessoa certa para este trabalho.

9 Ouça o que cada um dos nossos personagens espera alcançar com a prática de esportes. Consulte a tabela abaixo e diga qual é o esporte que melhor se adapta às necessidades de cada um.

O que cada modalidade oferece para a saúde						
	queima de calorias	aumento da massa muscular	desenvolvimento cardiorrespiratório	flexibilidade	coordenação motora	segurança
Natação	• • •	• •	• • •	• • •	• • •	• • •
Basquete	• •	• •	• •	• • •	• • •	• •
Futebol de Campo	• • •	• •	• •	• •	• • •	• •
Tênis	• •	• •	• •	• • •	• • •	• •
Vôlei	• •	• •	• •	• • •	• • •	• •
Aeróbica	• •	• •	• •	• • •	• •	• •
Corrida	• • •	•	• • •	•	•	•
Musculação	• •	• • •	•	•	•	•

A	
B	
C	

Pontuação para cada item variou de um a três

• • • muito
• • médio
• pouco

Fonte: Revista Veja

10 Agora discuta com seu colega/professor o que ele/você espera do esporte que está praticando ou que gostaria de praticar.

11 Observe o modelo abaixo à esquerda e aplique-o às frases apresentadas. Explique a mudança de sentido obtida.

REVISÃO

Ouça a explicação. Vai entender.
a. Se você ouvir a explicação, entenderá.
b. Se você ouvisse a explicação, entenderia.
c. Se você tivesse ouvido a explicação, teria entendido.

1. Venha no domingo. Vai me encontrar.
2. Sente-se lá. Vai ver melhor.
3. Pergunte a Ana. Vai ter a informação.
4. Aceite o emprego. Vai solucionar seus problemas.
5. Pratique algum esporte. Vai emagrecer.

BASQUETE (BOL)

ALA
CESTA (CESTINHA)
FALTA
GARRAFÃO
LANCE LIVRE
LINHA DOS 3
PIVOT
TABELA...

psiu!

 Como vocês acham que os pais de um esportista famoso se sentem quando seus filhos estão competindo? Vocês gostariam de ser mãe ou pai de um esportista famoso? Leia a reportagem sobre a mãe de um famoso piloto brasileiro de Fórmula 1 e saiba como ela se sente ao ver o filho competindo.

Lutar contra o espírito esportivo do filho é uma tarefa dura para uma mãe. Competições de risco trazem ainda mais preocupações para dentro de casa, mas combater os desejos da criança pode ser ainda pior.

É assim que pensa Idely dos Santos Barrichello, mãe de Rubinho, piloto de Fórmula 1. Ela já passou por alguns apuros, como o grave acidente sofrido pelo filho há quatro anos, mas nada capaz de mudar a maneira como encara o esporte. "Acho que as mães devem apoiar seus filhos naquilo que eles gostam de fazer, pois de nada adiantaria vê-los infelizes", ensina. "Se eu tivesse criado algum tipo de barreira à carreira do meu filho, talvez tivesse impossibilitado o mundo de ver seu dom com relação ao automobilismo, o que, no meu ponto de vista, só seria prejudicial".

Dona Idely diz que não perde uma corrida de Rubinho. Sempre que pode, acompanha o filho pelo mundo nos autódromos do circo da F1. Quando não pode viajar, a solução é ligar a TV. O perigo não a assusta: "O risco que ele corre nas pistas, acredito ser o mesmo que enfrentamos diariamente no trânsito de São Paulo. E, além disso, acredito que o que tiver que acontecer, acontecerá, seja onde for".

O que mais a incomoda são os longos períodos de separação, que ela chama de "lado negativo" do automobilismo. "Ficamos muito tempo longe um do outro, em razão das corridas e treinos, mas quando estamos juntos é só paparicação". Sua satisfação é sentir o desejo de infância virar realidade. "Minha alegria é ver meu filho feliz, realizando o sonho que compartilhamos desde que ele era criança".

Incentivo e recursos financeiros, porém, podem não ser suficientes para iniciar a carreira esportiva de um filho. O sacrifício pessoal pode ser um ingrediente ainda mais decisivo na tomada de direção na vida de um atleta profissional. É onde a mãe se transforma numa supermãe.

FONTE: REVISTA GOOD FOR YOU NEWS - ANO 2 Nº 08 - 05/98

 Você concorda com o pensamento de Dona Idely?
Você apoiaria seu filho se ele lhe dissesse que gostaria de ser um piloto de F1?

12 Agora leia o texto abaixo colocando os verbos entre parênteses na forma correta.

REVISÃO

Alice Thumel Kuerten _____ (sofrer) muito para ver o filho _____ (tornar-se) o maior tenista brasileiro de todos os tempos. O esporte sempre _____ (marcar) a sua vida, até de uma maneira trágica. Ela _____ (perder) o marido há 11 anos, quando ele _____ (sofrer) um infarto durante uma partida de tênis, onde _____ (atuar) como juiz. Desde então, _____ (ter) de suar muito para _____ (criar) sozinha os três filhos.

Gustavo Kuerten, o Guga, campeão em Roland Garros no ano passado, _____ (ter), desde criança, todo o apoio para uma carreira de sucesso. "Logo cedo, ele _____ (procurar) o esporte. _____ (Passar) por várias modalidades até _____ (tomar) uma decisão difícil, que foi a escolha do tênis, numa época em que também _____ (gostar) muito do futebol", conta dona Alice.

Além de Guga, ela _____ (criar) Rafael, o filho mais velho e hoje treinador de tênis em Florianópolis, e o caçula Guilherme, excepcional. "Por tudo o que _____ (passar) juntos nesses anos difíceis, mais do que nunca _____ (poder) comprovar o sentido de ser mãe. E agora, com todo o sucesso do Guga, _____ (sentir) que _____ (estar) sendo recompensada, porque não tem preço todo o sacrifício para _____ (incentivar/eles) e _____ (apoiar/eles) para _____ (seguir) o caminho de uma vida sadia."

Apesar de _____ (tratar-se) de um esporte onde o risco, comparado ao automobilismo, parece não existir, Alice Kuerten não _____ (esconder) as suas preocupações. "_____ (Ter) receios de contusões, de alguma lesão grave que _____ (poder) prejudicar a sua carreira. Além disso, o Guga está sempre no ar, _____ (voar) de um torneio para o outro. Só _____ (poder dizer) que _____ (ir) com Deus." Mas não são as viagens o seu maior temor. "_____ (Ficar) mais apreensiva quando ele vai _____ (divertir-se) no surfe. Há pouco tempo, ele ainda _____ (ser) um prego, ou seja, _____ (entrar) na água e _____ (afundar). Agora, já está _____ (melhorar)."

FONTE: REVISTA GOOD FOR YOU NEWS - ANO 2 Nº 08 - 05/98

VOLEI (BOL)

CORTADA
DOIS TOQUES
LEVANTADA
MANCHETE
SAQUE
SET
TIE BREAKER...

psiu!

SKATE

Benefícios: aumenta a agilidade e a capacidade de coordenação motora

Riscos: escoriações e fraturas em caso de queda

Onde praticar: nas pistas fechadas como o Buracão (Av. Fernando Simonsen, em São Caetano); Extreme Park (Rua Galatéia,100)

Quanto custa: o preço de um skate é em média de 150 reais

VELA

Benefícios: desenvolve a musculatura do tronco, aumenta os reflexos e estimula a capacidade de direção

Riscos: tempestades e ventos fortes podem virar o barco ou arrastá-lo para longe

Onde praticar: Yacht Club de Santo Amaro, Tel. 247-0836; Federação de Vela do Estado de São Paulo, Tel. 5666-8511; BL3, Tel. 541-7028

Quanto custa: de 150 a 200 reais pelo curso da classe optimist

CANYONING

Benefícios: desenvolve equilíbrio, força muscular, poder de decisão e autocontrole emocional

Riscos: quedas e escoriações

Onde praticar: H2Homem, Tel. 3955-0099; Grade VI, Tel. (019) 254-7417
Quanto custa: de 30 a 50 reais por descida

RAFTING

Benefícios: melhora o sistema cardiorrespiratório, o equilíbrio, a força e a resistência muscular

Riscos: cair do bote e bater nas pedras do rio. A repetição contínua do movimento de remada pode causar lesão articular e muscular

Onde praticar: Canoar, Tel. 3871-2282

Quanto custa: cerca de 50 reais por descida

PÁRA-QUEDISMO

Benefícios: desenvolve o equilíbrio e a capacidade cardiorrespiratória

Riscos: a criança não tem capacidade para decidir se quer mesmo pular

Onde fazer: Brasil Salto Duplo, Tel. (015) 263-3078; e Azul do Vento, Tel. (019) 246-0455

Quanto custa: cerca de 300 reais por salto

MERGULHO

Benefícios: é um ótimo exercício aeróbico, melhora a agilidade do movimento e a potência muscular

Riscos: cortes em corais e embolia

Onde praticar: Diving College, Tel. 3061-1453; ACM, Tel. 256-1011; e Projeto Acqua, Tel. 820-4025

Quanto custa: de 100 a 200 reais pelo curso, mais nadadeira, snorquel e máscara (a partir de 130 reais)

Fonte: Revista Veja - 03/1998 - Ano 31 nº10

KART

Benefícios: aumenta o controle emocional e a coordenação motora

Riscos: capotagem e perda de direção, entre outros acidentes

Onde praticar: Kartódromo da Granja Viana, Tel. 492-5055; Alpie Competições, Tel. 5666-3007; e Kartódromo de Interlagos, Tel. 5666-8822

Quanto custa: pelo curso pagam-se de 400 a 600 reais. O aluguel da pista com kart é de aproximadamente 50 reais por meia hora

13 Leia atentamente os textos acima e escreva V (verdadeiro) ou F (falso) para as seguintes sentenças. Se a sentença for <u>falsa</u>, corrija-a.

1. (   ) Nenhum esporte acima citado oferece grave risco de lesão.

2. (   ) Kart é o esporte mais caro de todos os esportes acima mencionados.

3. (   ) Skate é o esporte que menos precisa de acessórios.

4. (   ) Rafting, pára-quedismo e conyoning apresentam um benefício em comum.

5. (   ) Com apenas 100 reais você poderia participar de duas das aventuras descritas.

Você sabia?

Numa partida de futebol, os auxiliares têm nova maneira de avisar o juiz na hora do impedimento.
• A bandeira possui um botão que, ao ser apertado, emite sinal eletrônico.
• O juiz recebe o sinal pelo receptor preso ao braço.

Fonte: Revista Época 01/06/98

ATLETISMO

CORRIDA COM OBSTÁCULOS
LANÇAMENTO DE DARDO
LANÇAMENTO DE DISCO
MARATONA
REVEZAMENTO
SALTO EM ALTURA...

psiu!

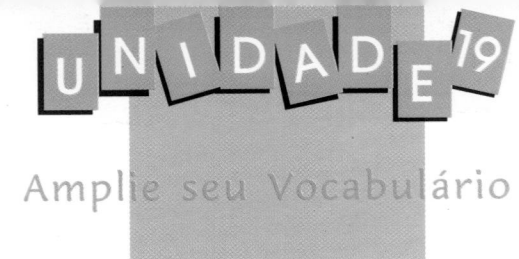

O moleque e a bola

À espera da Noruega, e estudando outros rivais com gráficos e afinco, vi Áustria x Chile, vi Itália x Camarões, depois vi mais uma partida cujo resultado não recordo, pois era um sonho e só me lembro do gramado azul. Acordo, almoço vendo a resenha da copa, vejo África do Sul x Dinamarca, vejo Arábia Saudita x França, e na minha cabeça as idéias já começam a carambolar. Porém, ainda que esses times jogassem com uniformes embaralhados, penso que não seria difícil distinguir o país rico do país pobre. Os pobres são os folgados, os esbanjadores, os exibicionistas, matam a bola no peito, a bola gruda ali que nem uma goma e o locutor francês faz "ôôôôô, bien joué, magnifique!". Ou, como diz o locutor brasileiro, eles têm intimidade com a bola. De fato controlam, protegem, escondem, carregam a bola para cima e para baixo, e em vez de intimidade, talvez tenham ciúmes dela. Já os ricos são alunos de outra escola, uma escola prática. Recebem a bola e um-dois, tocam, recebem, desprendem-se dela, não fazem questão dela, correm soltos por toda parte. Parecem conhecer e ocupar melhor o espaço de jogo, podendo se dizer que têm intimidade com o campo. Assim, quando se enfrentam países ricos e países pobres - na Holanda eles se enfrentam dentro do mesmo time - estão se enfrentando os donos do campo e os donos da bola.

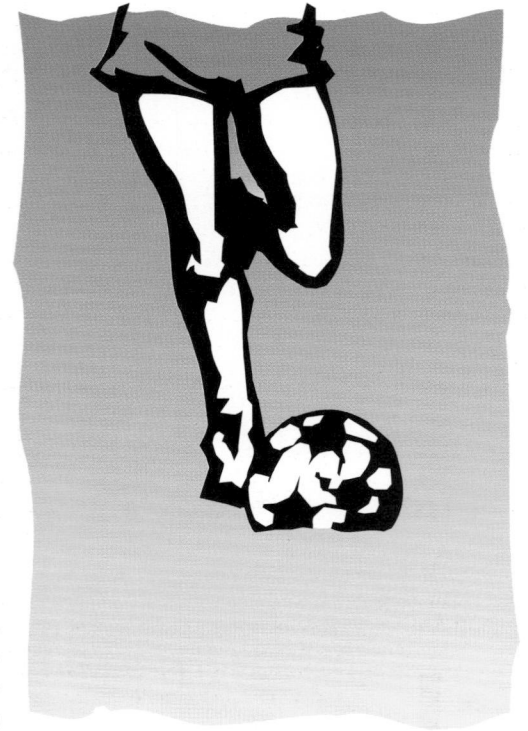

Eram eles os donos da bola, marca Mac Gregor, quando sem refletir a desembarcaram na América do Sul, um século atrás. No Rio, em São Paulo, em Buenos Aires, os ingleses detinham, além de todas as bolas, o monopólio das chuteiras, das camisas listradas e dos campos de grama inglesa, como manda a regra, perfeitamente planos e horizontais. Em sensacionais torneios, com turno e returno, jogavam então Inglaterra versus Inglaterra. Aos nativos, além da liberdade de torcer por uma ou outra equipe, sobrava a alegria de catar e devolver as bolas, que já naquele tempo os britânicos catapultavam com freqüência. Em 1895, segundo a crônica paulistana, confrontavam-se Railway Team e Gas Team, quando huma pellota imprensada entre dous athletas subiu aos céos e foi cahir às mãos de hum assistente. D'improviso, o cidadão seqüestrou a pellota. Metteu-a sob o braço e escafedeu-se no matagal, perseguido por dezenas de crioulos. Foi alcançado ao cabo de meia hora, às margens do rio Ypiranga. E celebrou-se alli, em terreno pedroso e cascalhudo, o primeiro jogo de bola entre brasileiros, com cicoenta actuantes e nenhum goalkeeper.

Livremente inspirada no football association, a pelada é a matriz do futebol sul-americano e, hoje em dia mais nitidamente, do africano. É praticada, como se sabe, por moleques de pés descalços no meio da rua, em pirambeira, na linha de trem, dentro do ônibus, no mangue, na areia fofa, em qualquer terreno pouco confiável. Em suma, pelada é uma espécie de futebol que se joga apesar do chão. Nesse esporte descampado todas as linhas são imaginárias - ou flutuantes, como a linha da água no futebol de praia - e o próprio gol é coisa abstrata. O que conta mesmo é a bola e o moleque, o moleque e a bola, e por bola pode se entender um coco, uma laranja ou um ovo, pois já vi fazerem embaixada com ovo. Daí, quando o moleque encara uma bola de couro, mata a redonda no peito e faz a embaixada com um pé nas costas. E quando ele corre de testa erguida no gramado liso feito um mármore, com a passada de quem salta poças por instinto, é uma elegância. Mas se a bola de futebol pode ser considerada a sublimação do coco, ou a reabilitação do ovo, ou uma laranja em êxtase, para o peladeiro o campo oficial às vezes não passa de um retângulo chato. Por isso mesmo, nas horas de folga, nossos profissionais correm atrás dos rachas e do futevôlei, como o Garrincha largava as chuteiras no Maracanã para bater bola em Pau Grande. É a bola e o moleque, o moleque e a bola.

No fim da tarde vejo entrar um bando de garotos, de seus dez, doze anos, num desses complexos esportivos que a prefeitura administra na periferia de Paris. Não estão para brincadeiras. Chegaram todos paramentados, provavelmente de metrô, e gastam quinze minutos correndo em círculos. Há meninos muito, muito brancos, outros muito, muitos pretos, e outros tantos bastante árabes. Já se dispõem em campo, no sistema três-cinco-dois, antes mesmo do primeiro apito. Um marmanjo vestido de escoteiro autoriza a saída, e a bola rola correta na grama sintética. Penso nas escolinhas de futebol como a do Zico, ou a do Rivelino, onde o Toquinho matriculou o filho. Aliás, o Rivelino disse que o menino leva jeito, porque puxou à mãe. Tento imaginar - e não consigo - que espécie de futebol será o nosso, se um dia tivermos escolinhas para todos os moleques com o talento de um Pelé, ou pelo menos com o da mulher do Toquinho. Distraído, quase perco o primeiro gol, assinalado pelo árabe da camisa 9. Mas posso descrevê-lo: driblou dois na corrida, ficou cara a cara com o goleiro, fez que ia chutar, arrastou a bola com a sola do pé direito, estatelou o goleiro, concluiu com toque de canhota, abriu os braços e saiu cantando: "Ronaldôôôôô". Bien joué, penso eu, magnifique!

Fonte: Jornal "O GLOBO" - 21/06/1998 Chico Buarque

CURIOSIDADES

Timor Oriental

Muito antes da chegada de Vasco da Gama, Timor era conhecido como uma fonte 'inesgotável de madeiras preciosas'. Em 1859 o território foi dividido entre Portugal e Holanda cabendo a parte oriental aos primeiros. Com a superexploração do sândalo branco, a base da economia voltou-se para o café. Em setembro de 1974, após a Revolução dos Cravos em Portugal, foi constituída a Frente para a Liberdade de Timor Oriental Independente (FRETILIN). Neste período o consulado da Indonésia em Dili estimulou um grupo de timorenses a organizar a Associação Popular Democrática de Timor, que propunha a integração de Timor à Indonésia. A independência da República Democrática de Timor Oriental foi proclamada pela FRETILIN no dia 28 de novembro de 1975. No dia 7 de dezembro do mesmo ano a Indonésia invadiu o território. Segundo denúncias, a política genocida aplicada pela Indonésia custou a vida de quase um terço da população. Em outubro de 1989 a Subcomissão de Direitos Humanos da ONU aprovou uma menção que condena a ocupação e a repressão causadas a Timor Oriental pela Indonésia. Esse ano marca também uma forte movimentação popular com estudantes tomando as ruas, incendiando automóveis e destruindo casas de oficiais da Indonésia. Foi proibida a entrada de jornalistas estrangeiros e Dili ficou ilhada do mundo: sem comunicação telefônica com o exterior e sem representações diplomáticas. Em outubro de 1989 o Papa João Paulo II visitou Dili. Calcula-se que das 80.000 pessoas presentes à missa, 13.000 fossem membros das forças de segurança da Indonésia. Os jornalistas que cobriram a visita do papa conseguiram informar a situação do país ao resto do mundo mesmo tendo seu material gráfico e suas câmeras ficado em Timor. No dia 12 de novembro de 1991, durante um cortejo fúnebre massivo mas pacífico, o exército abriu fogo sobre a multidão matando 50 pessoas. O governo português incentivou então a Comunidade Européia a cortar relações comerciais com a Indonésia. Em março de1992 partiu o navio 'Lusitânia Expresso' da Austrália levando a bordo ativistas pelos direitos humanos de mais de 23 países além de personalidades políticas portuguesas, dentre as quais o presidente português Ramalho Eanes. O navio foi contudo desviado pelas autoridades da Indonésia para uma ilha próxima. No dia 11 de março de 1993 a ONU alertou sobre as violações aos direitos humanos e solicitou acesso a Timor Oriental. Tal acesso foi permitido no ano seguinte. No início de 1996 a Anistia Internacional solicitou livre acesso ao país para os observadores de organizações de defesa dos direitos humanos. Em dezembro do mesmo ano o ativista exilado José Ramos Horta e o bispo católico Carlos Filipe Ximenes Belo receberam o prêmio Nobel da Paz daquele ano. Na EXPO 98 foi montado um grande pavilhão que apresenta a história, as crenças e costumes de Timor Oriental, reforçando ainda mais a divulgação da luta do seu povo.

Onde fica

- **População:** 821.000 (1994)
- **Superfície:** 14.870 Km²
- **Capital:** Dili
- **Idioma:** Tetum (mas são falados vários dialetos). A ocupação da Indonésia proibiu estas línguas no ensino que é praticamente todo feito em bahasa, o idioma da Indonésia. Uma minoria fala também o português.
- **Religião:** A maioria pratica cultos tradicionais. 30% da população é católica.

Fonte: Guia del Mundo - 1998

São Tomé e Príncipe

Uma das primeiras colônias do império português, localizado a 300 kms da costa africana, seus portos naturais foram usados durante o século XV como 'escala para o abastecimento dos navios'. Holandeses, espanhóis, franceses, ingleses e portugueses compravam ali escravos vindos do continente e os que continuaram nas ilhas acabaram convertendo-as no primeiro produtor africano de cana-de-açúcar. Após uma série de movimentos revolucionários, os plantadores de cana se transferiram para o Brasil com seus escravos levando consigo o germe da insurreição que reproduziu no Brasil os quilombos. Alguns dos quilombos, como o de Palmares, resistiram durante um século, convertendo-se em verdadeiras repúblicas. As ilhas de São Tomé e Príncipe voltaram a ser um mero depósito de escravos até o século XIX quando foram introduzidos o café e o cacau. Em 1969 foi fundado o MLSTP (Movimento de Libertação de São Tomé e Príncipe) com dois objetivos básicos: a independência e a reforma agrária. 90% de São Tomé e Príncipe pertencia a empresas estrangeiras e embora as ilhas sejam férteis, quase todos os alimentos consumidos precisavam ser importados. Em agosto de 1963 houve uma greve geral de 24 horas que paralizou totalmente as plantações. O MLSTP fez um intenso trabalho político clandestino que lhe valeu uma posição de destaque na Conferência das Organizações Nacionalistas das Colônias Portuguesas. Foi o único interlocutor válido quando após a Revolução dos Cravos de 1974 Portugal iniciou a descolonização. Em 1975 foi proclamada a independência do país. Dentre várias medidas nacionalistas destaca-se a campanha de alfabetização inspirada no método do educador brasileiro Paulo Freire que estimulava os 'círculos de cultura popular'. Em 1985, no meio da maior seca da história do país, o governo iniciou um processo de abertura econômica e foi diminuindo seu controle sobre o conjunto econômico que até o presente é muito dependente de produtos primários como o cacau, o café e as bananas. O governo começou também a incentivar a participação estrangeira na agricultura, na pesca e no turismo. Ao mesmo tempo foi sendo feita uma abertura política que mudaria o sistema unipartidário para o multipartidário. As primeiras eleições parlamentares desde a independência aconteceram em janeiro de 1991. No dia 29 de abril de 1995 a ilha de Príncipe se declarou autônoma e estabeleceu um governo regional.

Onde fica

- **População:** 125.000 (1994)
- **Superfície:** 960 Km²
- **Capital:** São Tomé
- **Moeda:** Dobra
- **Idioma:** Português (oficial), a maioria da população fala o crioulo (derivado do português e das línguas africanas)
- **Religião:** 80,8% da população é católica mas há também protestantes e membros da Igreja Evangélica indígena.

Fonte: Guia del Mundo - 1998

Música Popular

Tem origem no século XVIII, como expressão cultural da população das principais cidades coloniais, como Rio de Janeiro e Salvador, e é marcada pela síntese de sons indígenas, negros e portugueses misturando elementos de música folclórica e erudita. A **modinha**, espécie de canção lírica e sentimental e variação do estilo de maior sucesso na corte portuguesa, foi uma das primeiras expressões musicais tipicamente brasileiras. Já no século XIX, predomina o **lundu**, dança de origem angolana trazida pelos escravos. Sua fusão com os ritmos estrangeiros resulta no **maxixe**, surgido no Rio de Janeiro entre 1870 e 1880. Nessa época aparece o **choro**, caracterizado pela improvisação instrumental executada basicamente por violão, cavaquinho e flauta. O **samba** aparece no final do século XIX, no Rio, influenciado pela marcha, pelo lundu e pelo batuque, entre outros ritmos. No final dos anos 20 surgem as primeiras duplas sertanejas, como Mariano e Caçula, que fazem as chamadas **modas de viola**, que tratam da vida do homem da roça e são cantadas em duas vozes e acompanhadas por viola e violão. A partir da década de 30, a música brasileira faz sucesso no rádio e cria ídolos populares como Francisco Alves (o 'Rei da Voz'), Emilinha Borba e Marlene. Nessa época, durante o governo de Getúlio Vargas, a censura controla a música popular. É a época de **Aquarela do Brasil**, de Ary Barroso. Nos anos 40, a Rádio Nacional, estatal, contrata artistas prestigiados como Sílvio Caldas e Orlando Silva. Já a década de 50 é marcada pelo samba-canção, que fala das desventuras de amor, como **Vingança**, de Lupicínio Rodrigues. No fim dos anos 40, início dos anos 50, acontece o primeiro momento de sucesso da música nordestina com Luís Gonzaga, autor de **Asa Branca**, cantando as dificuldades da vida nordestina. Outro compositor de sucesso é Zé do Norte, que fica famoso com **Mulher Rendeira**. Em 1958 surge a **bossa nova**, com João Gilberto, Tom Jobim, Vinícius de Moraes e jovens cantores e compositores de classe média da zona sul carioca. O primeiro disco de bossa nova foi gravado por Elizeth Cardoso, com músicas de Tom Jobim e letras de Vinícius de Moraes. O acompanhamento de duas faixas (**Chega de Saudade e Outra Vez**) é feito pelo violão de João Gilberto, que introduz uma nova batida, identificada mais tarde como bossa nova. Em 1962, o festival de bossa nova realizado no Carnegie Hall, em Nova York, dá projeção internacional ao movimento. Nos anos 60, o clima de militância política dá origem a músicas que abordam temas relativos à situação social e política do país. Aparecem várias canções de protesto como **Caminhando**, de Geraldo Vandré, e **Upa Neguinho**, de Edu Lobo. Em meados dos anos 60, explode a **jovem guarda**, reflexo brasileiro do rock internacional, com Roberto e Erasmo Carlos. Nos anos 70, o **rock** desenvolve-se com Rita Lee e Raul Seixas. A partir de 1965 aparece a sigla **MPB**, que passa a identificar a música popular brasileira que surge após a bossa nova. A **MPB** diferencia-se da bossa nova por deixar de lado o intimismo, por apresentar-se em grandes espaços públicos e pela temática, ligada à situação política do país. Dá-se uma grande seqüência de festivais com

grandes participações e belas composições como **Arrastão**, interpretada por Elis Regina, **A Banda e Roda Viva**, de Chico Buarque, **Disparada**, de Geraldo Vandré, **Ponteio**, de Edu Lobo e Capinan, **Alegria, Alegria**, de Caetano Veloso, e **Domingo No Parque**, de Gilberto Gil. A partir da decretação do AI-5, em 1968, toda a produção cultural entra em crise, com o exílio de diversos artistas. Nos Anos 70, a **MPB** consagra intérpretes (algumas vezes também compositores) como: Os Novos Baianos, Gal Costa, Ivan Lins, Djavan, Fafá de Belém, Belchior, Alcione, Zizi Possi, Hermeto Paschoal, Gonzaguinha, João Bosco e Egberto Gismonti. Outros intérpretes como Ney Matogrosso, Alceu Valença e Elba Ramalho chegam ao sucesso com uma **fusão entre samba-canção e música pop**. Já nos anos 80 alguns compositores trabalham **elementos de música erudita de vanguarda, rock, reggae e funk**. Aparecem nomes como Arrigo Barnabé, Luiz Melodia, Leila Pinheiro, Marina Lima, e bandas e grupos como Premeditando o Breque, Blitz, Barão Vermelho, Titãs e Os Paralamas do Sucesso, entre outros. O Carnaval de Salvador populariza ritmos afro-brasileiros e o primeiro nome a se destacar é Luiz Caldas, divulgador do gênero **fricote**, por volta de 1987. A **lambada** invade então a Bahia e o Bloco de Carnaval Olodum passa a ter músicas gravadas por artistas como Gal Costa. Surge também Daniela Mercury, que mistura **samba e reggae** numa música chamada de **axé music**. Uma nova **música sertaneja** aparece da fusão do estilo caipira brasileiro com o country norte-americano, com duplas cantando músicas românticas, afastando-se de temas rurais, como Chitãozinho & Xororó e Leandro & Leonardo, entre outros. Já nos anos 90 temos o **rap, o funk e o pagode** ganhando espaço. A tendência da MPB é a **mistura de ritmos regionais com rock, reggae e funk**. Alguns nomes da nova geração são Chico Science, Carlinhos Brown, Marisa Monte, Adriana Calcanhoto, Cássia Eller, Chico César, etc. Entre os maiores sucessos de venda estão representantes do **axé music** (É o Tchan, Banda Eva e Cheiro de Amor) e do **pagode** (Só pra Contrariar, Negritude Jr. e Exalta Samba).

Entre os anos 2000 e 2002, os gêneros popularescos da década anterior, **pagode, axé e sertanejo**, começam a se retrair. Inicia-se um importante processo de reaproximação entre a música brasileira e as influências do pop internacional, notadamente da música eletrônica.

A retomada da alta qualidade da produção musical e poética confirma o movimento que se insinuava na década anterior, com o compositor Lenine ou os grupos Mundo Livre S/A e Nação Zumbi. Esse mesmo caráter de reavaliação-revalidação da música brasileira parece perpassar álbuns que registram encontros interessantes, como o de Caetano Veloso com Jorge Mautner, ou o de Marisa Monte com Arnaldo Antunes e Carlinhos Brown. Mesmo produções de gêneros relativamente estanques, como o **rap** e o **reggae**, refletem esse bom momento da **MPB**.

Fonte: Almanaque Abril - 2003

🎧 *O Folclore Brasileiro*

Na beira da "tuia" ou ao pé do fogo, o caboclo "garra a prosiá". Surgem histórias carregadas de fantasia, beleza e medo. Picando fumo, ele lembra daquela vez em que o cavalo de um compadre apareceu todo maltratado e com a crina trançada. "É coisa de **saci-pererê**", explica. A conversa muda de rumo e ele fala de festas religiosas onde fé e prazer se misturam. A tradição é sua escola e maior riqueza. Nosso personagem ganha nomes e trajes diferentes pelo País, mas todos têm em comum características marcantes: vivem da terra, aprenderam tudo do modo mais difícil e são os grandes responsáveis pela grandeza do folclore brasileiro.

Estudiosos e escritores, como Américo Pellegrini Filho, não se cansam de beber nessa fonte e algumas obras-primas nasceram dessa relação. Luís da Câmara Cascudo é um deles. O seu *Dicionário do folclore* é indispensável para quem quer conhecer o assunto e descobrir que folclore é bem mais que histórias de animais estranhos e festas religiosas ou populares. Ele ensina que o homem é fonte de divulgação e criação do folclore; que qualquer objeto que projete interesse humano, além de sua finalidade imediata, material e lógica, é folclórico. Uma ciência que tem como objetivo estudar as manifestações tradicionais e soluções populares, como os remédios caseiros, por exemplo, na vida da sociedade.

Não se pode negar, no entanto, que o lado mais conhecido do nosso folclore é o que trata de festa e histórias assustadoras de animais estranhos. Monteiro Lobato conseguiu como ninguém descrever essa fascinação no seu **Sítio do pica-pau amarelo**. Um lugar onde sabugo de milho e boneca de pano são gente, como bem disse Gilberto Gil; onde Dona Benta, Tia Anastácia, Narizinho e Pedrinho vivem o dia-a-dia envolvidos com as reinações do **saci-pererê**, com o medo da cuca e do barulhento galope da **mula-sem-cabeça**. O escritor utilizou no seu trabalho a chamada "literatura oral", que vem a ser toda manifestação cultural, de fundo literário, transmitida por processos não gráficos. O folclore brasileiro tem personagens de grande fama na área, alguns nascidos no País e outros trazidos por colonizadores e imigrantes.

O **saci-pererê** é um negrinho de uma perna só, cachimbo de barro na boca e capuz vermelho na cabeça muito difundido no interior da Região Sul e conhecido em todo o País. É dado a fazer travessuras, como entrar nas casas pelo buraco da fechadura para apagar o fogo de fogões e lamparinas. Também gosta de maltratar animais, como

os cavalos, que cavalga durante toda a noite e depois faz tranças em sua crina, porém, não atravessa água, como todos os encantados. Os estudiosos acreditam que o mito tenha nascido no Brasil no final do século 18 ou início do 19.

Outro negrinho famoso é o do **Pastoreio**, lenda muito popular no Rio Grande do Sul. Menino escravo, depois de surrado por fazendeiro rico e jogado em um formigueiro, reaparece montado em um cavalo com a proteção da Virgem Maria. A tradição manda acender uma vela para o negrinho quando se quer encontrar algo. Os gaúchos também têm o **"generoso"**, espécie de duende que entra pelas casas, mistura sal com açúcar, toca instrumentos e surpreende pessoas na cama.

Em Botucatu, interior do Estado de São Paulo, é difundido o **"cão-da-meia-noite"**. Um cachorro enorme, negro, com orelhas matraqueantes e corrida lenta e pesada. Não molesta ninguém fisicamente, mas é um perigo para mulheres adúlteras. Sempre que deixa sua touceira de bambu, vai ladrar na porta de suas casas.

É grande o número de lendas e personagens folclóricos com raízes brasileiras. A região amazônica é o berço de muitas. A história de como surgiu a **vitória-régia** é uma das mais belas. Uma linda moça decidiu viver com a Lua e passou a perseguir o satélite da Terra, até que viu a imagem do seu objeto de desejo refletida em um rio. Atirou-se e nunca retornou. No local apareceu uma linda planta que floresce conforme as fases da Lua e só abre suas pétalas à noite. Outra lenda famosa é a do **boto**. Tem na crendice popular papel semelhante ao da sereia, que canta para seduzir garotas ribeirinhas. Qualquer filho de pai incógnito é atribuído ao boto. A sereia brasileira atende por **mãe d'água** ou **iara**. Vive nos rios e surge no final da tarde para atrair rapazes, que leva para o fundo das águas. É um tipo irresistível, com olhos verdes que brilham como esmeraldas.

O rio Amazonas é origem de muitas lendas, principalmente sobre grandes serpentes, e ele próprio proporcionou uma das mais belas da cultura indígena. A história começa com **Tupã** ordenando a separação do Sol e da Lua, que eram casados, para criar o mundo. A lua chorou e suas lágrimas caíram sobre o mar. A água doce não conseguiu misturar-se com a salgada e nasceu o grande rio. Os índios também contam que Tupã manda o uirapuru cantar quando quer silêncio na mata. O pássaro representa Uribici, uma noiva rejeitada pelo cacique Ururau, que pediu a Tupã para ser transformada na ave.

Fonte: Revista Kalunga Ano XXVI - 08/98 - nº 92

1 Responda de acordo com o texto:

1. O que é folclore no sentido real? O que é folclore no sentido tradicional, popular?
2. Diga o nome de alguns personagens do folclore brasileiro e o que esses personagens fazem.
3. De que personagem você gostou mais?
4. Qual é a relação entre folclore e literatura?

PROVÉRBIOS (1)

AS APARÊNCIAS ENGANAM.
AS MÁS NOTÍCIAS CORREM.
A UNIÃO FAZ A FORÇA.
QUEM CANTA SEUS MALES ESPANTA.
QUEM RI POR ÚLTIMO RI MELHOR.

UNIDADE 20

2 Revise o Estudo de... da Unidade 11 (Tempos Compostos) e complete:

REVISÃO

1. Eles _____ (ir) a Brasília uma vez por semana.
2. No dia da eleição, nós já _____ (escolher) o nosso candidato.
3. Se ele já _____ (concluir) o trabalho, poderá sair para o lanche.
4. Meu pai ainda não _____ (chegar) quando telefonei.
5. Ela não será admitida na empresa embora _____ (fazer) um bom teste.
6. Mesmo que eu _____, (avisar) eles não teriam me escutado.
7. José _____ (fazer) ginástica todas as manhãs, desde o mês passado.
8. Quando a guerra _____, (terminar) todos poderão viver em paz.
9. Daqui a cinco anos, _____ (juntar) dinheiro suficiente para comprar uma casa nova.
10. Se você _____ (falar) eu teria tomado as devidas providências.
11. Espero que ela _____ (entender) a explicação de ontem.
12. Se eu o tivesse convidado, você _____ (participar) da festa?
13. Até a próxima quinta-feira, ele _____ (terminar) este trabalho.
14. Quando _____ (pagar) toda a dívida, vou sentir-me aliviado.

3 ♫ Ouça as lendas e reconte as estórias com suas palavras.

Preferência Nacional

Uma pesquisa sobre os personagens folclóricos mais populares no País colocaria no topo da lista, ao lado do saci-pererê, a cuca, que pertence ao chamado ciclo da angústia infantil e não tem características físicas definidas. Por várias gerações, crianças que se recusam a dormir ou insistem em continuar tagarelando quando já estão deitadas são advertidas de que podem ser levadas pela cuca para um lugar misterioso. "Nana, nenê, que a cuca vem pegar", quem não conhece?

Outro campeão de popularidade é o curupira, um duende com cabeleira de fogo e calcanhares para a frente. É conhecido como guardião das florestas e em 1560 o padre José de Anchieta já registrava o terror que o mito causava aos índios: "É coisa sabida e pela boca de todos corre que há certos demônios e que os brasis chamam de curupira, que acometem aos índios muitas vezes no mato, dão-lhes de açoite, machucam-nos, e matam-nos. São testemunhas disto os nossos irmãos, que viram algumas vezes os mortos por eles." Sua fama é tanta que em 11 de setembro de 1970 o então governador de São Paulo Abreu Sodré assinou uma lei instituindo o curupira como guardião das florestas e animais do Estado.

A mula-sem-cabeça também provoca calafrios, não só no Brasil como em toda América Latina. É definida como a forma que toma a concubina do sacerdote – Hilda Furacão, personagem do romance de Roberto Drummond, que se cuide. Conta a lenda que a infeliz se transforma em um animal que assombra quem encontra. Seu galope é ouvido longe. Não tem cabeça, mas relincha e às vezes soluça como gente. Uma das formas de se quebrar o encanto é provocar um ferimento na vítima.

Essa é também uma das maneiras de livrar alguém da sina do lobisomem, uma lenda famosa em todo o mundo, que já serviu de tema para vários filmes e livros. A tradição vem da Grécia e na África existem tribos que em suas iniciações rituais garantem manter associações com lobos e tigres. Platão e Santo Agostinho falam dele. No Brasil não havia nada a respeito do lobisomem até a chegada dos portugueses. Foi importado da Europa e ganhou grande fama no País. É sina do oitavo filho de um casal com sete filhas transformar-se em lobisomem, meio lobo e meio homem, que aparece nas noites enluaradas de terças e sextas-feiras. No Nordeste dizem que doentes de amarelão também viram lobisomem.

Qual é o seu conceito de folclore?
Qual é o personagem folclórico mais popular no seu país?
Algum personagem folclórico é usado para tornar as crianças mais obedientes?
Existe algum personagem folclórico do seu país que tenha alguma semelhança com os nossos?

Fonte: Revista Kalunga Ano XXVI - 08/98 - nº 92

PROVÉRBIOS (2)

A CAVALO DADO NÃO SE OLHAM OS DENTES (OU A IDADE).
ALEGRIA DE POBRE DURA POUCO.
CASA DE FERREIRO, ESPETO DE PAU.
DE GRÃO EM GRÃO, A GALINHA ENCHE O PAPO.
ERRANDO É QUE SE APRENDE.

psiu!

4 🎧 Ouça a fita e identifique o desenho que corresponde ao evento folclórico.

1.   2.   3.   4.   5.

5 Leia o artigo abaixo e discuta com seus colegas as vantagens e as desvantagens das transformações de uma metrópole como a de São Paulo, por exemplo. Discuta também o significado das palavras ou expressões destacadas no texto.

O segredo dos paulistas: não perder tempo, já dizia um anúncio da Empresa Brasileira de Relógios Hora no início da década de 50. Era a São Paulo do progresso, do desenvolvimento, que começava a dar sinais da **megalópole desvairada** que viria a ser. "São Paulo é a cidade que mais cresce no mundo", dizia o entusiasmado slogan criado na **exaltação** das comemorações do IV Centenário da cidade. Foi nessa capital do trabalho, nessa cidade que não pára, que surgiu o célebre sambista e **radioator** Adoniran Barbosa, autor de canções inesquecíveis como "Saudosa Maloca" e "Trem das Onze". Ele, nascido João Rubinato, ousou parar. Parar para ouvir e contar a rotina de uma outra São Paulo que via e vivia o "progresso" de um jeito bem diferente. Adoniran aparece, então, como narrador, como fonte de uma outra história. Em um momento em que o rádio se populariza, ele funcionava como uma ponte entre a rua e o rádio. Trazia a poética das ruas para o rádio em forma de personagens, de histórias, de crônicas.

Adoniran seria então a voz de uma cultura popular, não letrada, que busca sua inspiração na fala. Que fala? Aquela que se encontra "nos **lugares da palavra**". Uma cidade respira quando nela existem lugares da palavra, pouco importa sua função oficial – o café da esquina, a praça do mercado, a fila de espera nos correios, a banca do jornaleiro, o portão da escola na hora da saída.

A **transfiguração da sociedade** pelo progresso não pára e vai, aos poucos, extinguindo esses "lugares da palavra". Adoniran viveu isso e foi uma espécie de resistência a esse processo. Ele não conseguiu, no entanto, fazer essa resistência através do samba até o fim. A cidade do progresso crescia e ia engolindo a São Paulo de Adoniran, até que, um dia, ele se viu impossibilitado de continuar compondo. "Me mandaram achar São Paulo e eu não achei. Me mandaram achar o Bexiga e não existia mais, a não ser alguma coisinha ali pela 13 de Maio, rua Fortaleza. O Brás é **quem te viu e quem te vê**. Mas já não sofro mais, **estou calejado**", afirmou, **melancólico**, em uma de suas últimas entrevistas.

Fonte: Texto adaptado de artigo de Kika Mandaloufas no Jornal da USP - 2002

Responda às perguntas.

1. Qual é a imagem que você faz de São Paulo nos anos 50?

2. Quais foram as mudanças contra as quais lutou Adoniran Barbosa?

3. Quem venceu a batalha, São Paulo ou Adoniran Barbosa?

4. O que você acha das mudanças ocorridas na cidade de São Paulo?

5. Pesquise na Internet quem foi Adoniran Barbosa e quais eram as suas peculiaridades.

PROVÉRBIOS (3)

A ESPERANÇA É A ÚLTIMA QUE MORRE.
A GALINHA DO VIZINHO É SEMPRE MAIS GORDA.
A MENTIRA TEM PERNAS CURTAS.
AS PAREDES TÊM OUVIDOS.
A PRESSA É INIMIGA DA PERFEIÇÃO.

psiu!

Aqui está uma lista de idéias, algumas já em prática no Brasil. O que você acha destas idéias? Preencha o quadro abaixo e veja quantas pessoas foram pró e quantas contra. Discuta em classe.

	PRÓ	CONTRA	MOTIVO
RODÍZIO (OS CARROS NÃO PODEM CIRCULAR DETERMINADOS DIAS DA SEMANA).			
PROIBIDO FUMAR EM LUGARES PÚBLICOS.			
ELEVAÇÃO CONSIDERÁVEL DO PREÇO DOS CIGARROS.			
HORÁRIO DIFERENCIADO DE ENTRADA E SAÍDA DO TRABALHO.			
SERVIÇO À COMUNIDADE OBRIGATÓRIO A TODOS, UMA VEZ POR SEMANA.			
LIMPEZA DE RUAS E PRAÇAS FEITA POR MORADORES.			
MULTA ALTA A CADA UM QUE SUJAR LOCAIS PÚBLICOS.			
PROIBIDO NAMORAR (BEIJAR) EM LOCAIS PÚBLICOS.			

7

 Ouça a fita, anote as crenças e superstições mencionadas e discuta-as com seus colegas.

_____   _____

_____   _____

_____   _____

_____   _____

_____   _____   _____

Existem crenças similares em seu país?
E você? Você crê em algumas delas? Quais?

Escreva sobre crenças e superstições que interferem na vida das pessoas e apresente-as ao professor(a).

8

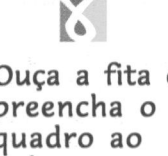 Ouça a fita e preencha o quadro ao lado:

NOME DO EVENTO FOLCLÓRICO	DATA DO EVENTO	LOCAL	CARACTERÍSTICAS DO EVENTO

psíu!

PROVÉRBIOS (4)

AMANHÃ É OUTRO DIA.
AMIGOS, AMIGOS, NEGÓCIO À PARTE.
AMOR, COM AMOR SE PAGA.
ANTES POUCO QUE NADA.
ANTES TARDE DO QUE NUNCA.

UNIDADE 20

Ontem você discutiu com seu/sua colega sobre conhecer ao vivo o folclore brasileiro. Você acaba de ler no jornal o artigo abaixo e vai telefonar-lhe sugerindo programar uma viagem para conhecer um dos eventos folclóricos mencionados no artigo. Depois de conversar sobre a data, o local e as características de cada evento, escolha um deles e programe a viagem.

Não é só de histórias fantásticas que vive o folclore brasileiro. Algumas de nossas festas regionais são conhecidas internacionalmente e atraem turistas de todo o mundo. O *"Círio de Nazaré"*, uma manifestação religiosa que acontece no segundo domingo de outubro, em Belém do Pará, é um bom exemplo. É tradicional desde o início do século XVIII e mistura fé e prazer. Arrasta uma multidão que dança, canta, bebe, come e paga promessas para Nossa Senhora de Nazaré. O ponto alto é a luta do povo por um lugar na imensa corda que acompanha a santa na procissão. É de origem portuguesa e é a festa mais concorrida do Norte e extremo Nordeste. Também tem grande prestígio na região o *"Bumba-meu-boi"*, folguedo brasileiro de maior significação estética e social. Vai de meados de novembro a 6 de janeiro, Dia de Reis. Pertence ao ciclo do Natal e sua mais antiga citação foi feita pelo padre Miguel do Sacramento Lopes Gama, no Recife, em 1840. Vale a pena conhecer também a *"A Procissão de Nossa Senhora dos Navegantes"*, realizada em Porto Alegre no dia 2 de fevereiro, chamada também de festa da Melancia. Centenas de barcos e milhares de fiéis participam da procissão fluvial. A imagem da santa é colocada em outra igreja e a procissão leva-a de volta à sua igreja, onde ficará o ano seguinte. Tal qual na Bahia, como fazem os devotos de Iemanjá, os gaúchos lançam nas águas do rio Guaíba presentes para o Nossa Senhora dos Navegantes: flores, fitas, grinaldas. As moças que desejam arranjar um bom casamento prometem dar seu vestido de noiva a Nossa Senhora se forem atendidas. A promessa é cumprida neste dia com o vestido de noiva sendo lançado às águas. No fim da procissão começa a festa com barracas de comidas e bebidas típicas e muitas melancias.

Outra manifestação da riqueza do folclore brasileiro é *"A Cavalhada"*. Todos os personagens típicos e tradicionais da cavalaria se encontram representados na Cavalhada brasileira. No passado constituía uma grande festa da qual participavam os grandes senhores de terras, os fazendeiros, que apresentavam os cavalos ricamente vestidos. Um dos poucos lugares a conservar a Cavalhada com o mesmo esplendor de antigamente é Montes Claros (Minas Gerais). Nas nossas Cavalhadas, a figura central é Carlos Magno, o rei cristão. De fato, a Cavalhada é um tema religioso e tem a finalidade de transmitir uma lição cristã, a de que o Bem vence o Mal. Há dois partidos: os cristãos, que se vestem de azul, representando o Bem, o Céu, e os mouros, que se vestem de vermelho, representando o Mal, o Inferno. Além da parte religiosa, existe ainda a brincadeira com jogos atléticos que demonstram a perícia dos cavaleiros.

O Jogo das Argolinhas - Este jogo também tem origem portuguesa. Apareceu no Brasil no século XVI e faz parte da cavalhada. Uma argolinha enfeitada com fitas é pendurada numa trave ou num poste enfeitado. Os cavaleiros devem retirar a argolinha com a ponta da lança no momento em que o cavalo passa debaixo do poste. Em seguida, o cavaleiro oferece a argolinha à amada ou a alguma jovem da assistência. O jogo da Argolinha é muito apreciado. A parte religiosa ou dramática, cheia de ostentação, representa uma luta entre cristãos e mouros sendo os infiéis batizados pelo rei cristão, Carlos Magno...

Fonte: Revista Kalunga Ano XXVI - 08/98 - nº 92 e Adaptação de Brasil Histórias, Costumes e Lendas.

Agora convide o seu/sua colega a assistir a um evento folclórico, no seu país, dando detalhes sobre ele: nome do evento, quando e onde ele se realiza, o que acontece nesse dia, etc.

10

Numere os parágrafos na ordem correta de forma a montar uma carta:

"Olá Carla:

Foi uma Missa longa mas muito bonita porque, como você sabe, ontem foi domingo de Páscoa e aqui na Itália esta data é muito comemorada.

Estou super ansiosa para te contar o que aconteceu ontem!

Todos trouxeram algum tipo de comida e fizemos um piquenique em um vale perto do rio. Colocamos até uma melancia na água, para esfriar (ficou uma delícia).

Ontem foi domingo e como todo domingo, eu acordei cedo para ir à Missa.

Muitas outras famílias foram ao vale e o lugar ficou colorido. Foi uma festa linda!

Muito bem... após a Missa toda a minha família se reuniu e fomos para as montanhas. Fomos de carro e todos vestiram roupas coloridas e alegres. Como você sabe, aqui é primavera e faz calor!!!

Mas o melhor mesmo aconteceu na hora do almoço quando meu avô Carlos, trouxe os ovos de Páscoa. Adivinhe o que havia dentro do meu ovo? UM COLAR DE PÉROLAS!!

Mas a parte mais divertida foi quando começamos a rolar os nossos ovos coloridos e pintados (deu um trabalho para fazê-los... trabalhamos vários fins de semana para deixá-los tão lindos)!

Estou muito feliz!! Dei um monte de beijos nele! Foi uma Páscoa muito alegre.

Beijos,

Daniela".

Você sabe como se comemora a Páscoa no Brasil? E no seu país, existe alguma comemoração especial? É uma festa religiosa?

PROVÉRBIOS (5)

COLOCAR OS PINGOS NOS IS.
COM COISA SÉRIA NÃO SE BRINCA.
COM FOGO NÃO SE BRINCA.
DEVAGAR SE VAI AO LONGE.
DOS MALES, O MENOR.

psiu!

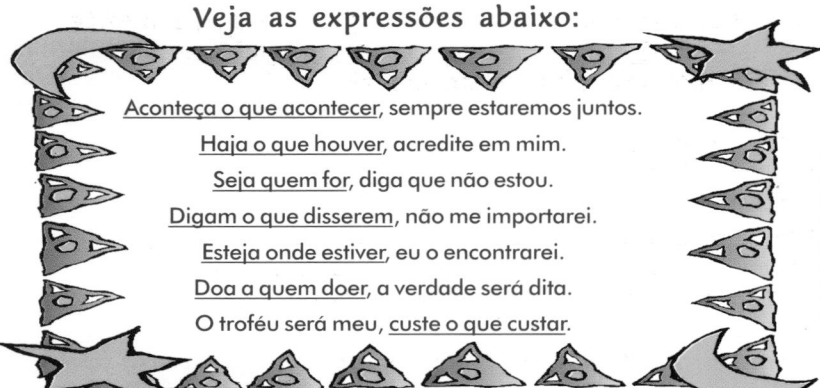

Veja as expressões abaixo:

Aconteça o que acontecer, sempre estaremos juntos.

Haja o que houver, acredite em mim.

Seja quem for, diga que não estou.

Digam o que disserem, não me importarei.

Esteja onde estiver, eu o encontrarei.

Doa a quem doer, a verdade será dita.

O troféu será meu, custe o que custar.

> São usadas para expressar:
> "qualquer que seja o dia, a pessoa, o acontecimento, o local, etc."

11 Vamos exercitar um pouco? Use-as nas respostas dos diálogos abaixo:

1. A: Tem uma pessoa lá fora procurando o senhor.
   B: Estou muito ocupado agora. _____

2. A: Você vai mesmo tornar pública essa história?
   B: Vou. _____

3. A: Você quer mesmo conseguir aquela bolsa de estudos?
   B: Claro! _____

4. A: Você vai se casar com aquele maluco de verdade?
   B: Sim, vou. _____

5. A: Você vai partir e logo se esquecerá de mim.
   B: Esquecer-me de você? Nunca! _____

6. A: Posso mesmo confiar em você?
   B: Sim. _____

7. A: Você não vai mudar de idéia?
   B: Não. _____

12

Vejamos a diferença de uso dos verbos no <u>tempo simples</u> com os verbos no <u>tempo composto</u>. Primeiro leia o texto no <u>tempo simples</u>.

> Tento dormir mas não consigo pegar no sono. Os problemas aumentaram e estou preocupado. No ano passado, desde que eu abri o negócio, eu consegui aumentar o volume dos negócios e estava satisfeito. Abri novas filiais e parecia que tudo ia bem. Mas abrir novas lojas foi meu grande erro. Se não abrisse tantas lojas talvez eu estivesse bem. Talvez eu precise de um psiquiatra. Se não conseguir dormir antes de uma semana, não estarei bem de saúde e muito provavelmente não conseguirei resolver meus problemas na firma.

REVISÃO

Agora leia o mesmo texto com os verbos no <u>tempo composto</u>. Você nota alguma diferença no sentido? Discuta com seu colega/professor.

> Tenho tentado dormir mas não tenho conseguido pegar no sono. Os problemas têm aumentado e tenho estado preocupado. Desde o ano passado quando eu abri o negócio, eu tinha conseguido aumentar o volume dos negócios e tinha estado satisfeito. Tinha aberto novas filiais e parecia que tudo ia bem. Mas ter aberto novas lojas talvez tenha sido meu grande erro. Se não tivesse aberto tantas lojas, talvez eu estivesse bem. Talvez eu esteja precisando de um psiquiatra. Se não tiver conseguido dormir antes de uma semana, não estarei bem de saúde e muito provavelmente não terei conseguido resolver meus problemas na firma.

PROVÉRBIOS (6)

É MELHOR PREVENIR DO QUE REMEDIAR.
EM BOCA FECHADA NÃO ENTRA MOSQUITO.
ESMOLA, QUANDO É MUITA, O SANTO DESCONFIA.
FALAR É FÁCIL, FAZER É QUE SÃO ELAS.
GOSTO NÃO SE DISCUTE.
HÁ MALES QUE VÊM PARA O BEM.

psiu!

13 Nas nossas conversas do dia-a-dia, usamos muitas analogias, principalmente quando fazemos descrições. Exemplo: <u>Ele era magro como um palito</u>. Que tipo de analogias você faria nas seguintes descrições?

1. Não consegui dormir bem. A cama era dura como_____.
2. Não sei o que a caixa continha, mas era pesada como_____.
3. Estava muito contente. Me sentia leve como_____.
4. Aquele cavalo é excepcional! É rápido como_____.
5. Esta história é verdadeira, sim. É tão certo como_____.
6. Quando os ladrões entraram no ônibus, mascarados e empunhando pistolas, comecei a
   tremer como_____.
7. Quando Paulo termina de comer, a sua mesa está uma imundície! Ele come como_____.
8. Desde pequeno ele nada muito bem. Nada como_____.
9. Não confio nele. Ele é traiçoeiro como_____.

14 Existem expressões com nomes de animais no seu idioma materno? No Brasil existem expressões como "peixe fora d'água", "olho de lince"... Você saberia usá-las? Os nomes de animais também são utilizados com sentido figurado? Quais? Com que sentido? Têm mais sentido positivo ou negativo? Tente descobrir com que sentido são usados, no Brasil, os seguintes animais:

BURRO _____ LESMA _____ PORCO _____

CORUJA _____ COBRA _____ ANIMAL _____

Você sabia? Existem diversos festivais brasileiros nos quais se premiam os mais variados gêneros de arte, como literatura, música, teatro e cinema. Os principais são:

a) **Festival de Brasília** – o mais antigo festival de cinema, realizado desde 1965, em que os vencedores recebem o troféu Candango e um prêmio em dinheiro.

b) **Eldorado de Música** – o prêmio mais importante de música erudita no Brasil, criado em 1985, é concedido, atualmente, a cada 2 anos.

c) **Festival de Gramado** – realizado desde 1969 como parte da Festa das Hortênsias. Torna-se independente a partir de 1973, quando acontece a 1ª Mostra de cinema competitiva. A partir de 1992, o festival passa a receber filmes de outros países de língua latina.

d) **Jabuti de Literatura** – é o mais importante de literatura brasileira, concedido anualmente desde 1959, pela Câmara Brasileira do Livro. Possui 17 categorias, entre elas romance, conto e poesia.

e) **Grande Prêmio Ayrton Senna de Jornalismo** – criado em 1998, é concedido a repórteres e editores de jornais, revistas, rádio e televisão, fotógrafos e meios de comunicação. O objetivo é reconhecer e incentivar a contribuição dos profissionais e dos veículos de divulgação de notícias para que colaborem para a solução de problemas sociais referentes às crianças e aos jovens brasileiros.

f) **MTV Awards** – premia a produção de videoclips. Possui 19 categorias e existe desde 1984, quando acontece sua 1ª edição nos EUA. No Brasil começa a partir de 1995.

g) **Prêmio Shell de MPB** – instituído em 1981 pela empresa multinacional Shell, é entregue anualmente a um compositor brasileiro em reconhecimento ao conjunto de sua obra e à sua contribuição para a história da MPB.

Fonte: Almanaque Abril - 2003

PROVÉRBIOS (7)

NÃO ADIANTA CHORAR O LEITE DERRAMADO.
NÃO CANTE VITÓRIA ANTES DO TEMPO.
NÃO DEIXE PARA AMANHÃ O QUE VOCÊ PODE FAZER HOJE.
NÃO FAÇA COM OS OUTROS O QUE NÃO QUER QUE FAÇAM A VOCÊ.
NÃO SE DEVE FAZER TEMPESTADE EM COPO D'ÁGUA.
NÃO SE METE O NARIZ ONDE NÃO SE É CHAMADO.
JAMAIS DIGA NUNCA.

psiu!

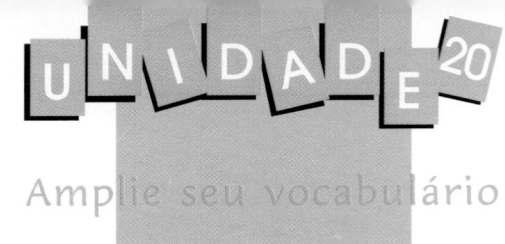

CARNAVAL

Festa móvel realizada em fevereiro ou março, 40 dias antes da Semana Santa, contados a partir do Domingo de Ramos. Oficialmente é comemorado durante três dias, de domingo a terça-feira, e termina na Quarta-feira de Cinzas. Mas, na realidade, tem duração variada. Uma das maiores manifestações de cultura popular do Brasil, mistura festa, espetáculo, arte e folclore. Além do brasileiro, são famosos o Carnaval de Veneza, na Itália, e o de Nova Orleans, nos Estados Unidos.

O Carnaval tem origem pagã em festas e orgias da Antiguidade, nas danças da Idade Média e nos bailes de máscara do Renascimento. Chega ao Brasil no século XVII trazido pelos portugueses. Chamado de entrudo, era uma brincadeira na qual as pessoas atiravam umas nas outras bexigas com água e farinha. No fim do século XIX surgem sociedades carnavalescas, como os cordões, os blocos, os ranchos e os corsos, que desfilam, dançam e cantam músicas anônimas. Em 1899, a pianista Chiquinha Gonzaga (1847-1935) lança a marcha *Ó Abre-Alas*. É a pioneira a compor especialmente para o Carnaval.

Escolas de samba - São agremiações que desfilam durante o Carnaval com fantasias, alegorias e coreografias relacionadas ao tema escolhido a cada ano. Muitas têm organização quase empresarial e mantêm funcionários assalariados. Os figurantes desfilam ordenados em setores (alas), cantando o samba-enredo da escola. A concepção das fantasias e a ordem das alas e dos carros alegóricos são determinadas pelo carnavalesco — o diretor do espetáculo.

A primeira ala é a comissão de frente, cuja função é apresentar a escola. Em seguida vem o carro abre-alas, que carrega o símbolo da escola e apresenta o tema do enredo ao público. Independentemente do tema, existem alas ou figurantes permanentes. Toda escola, por exemplo, possui três casais de mestre-sala e porta-bandeira. Outras alas fixas são as das baianas, formadas pelas mulheres mais idosas da escola, das crianças e da bateria. Funcionando como a orquestra do desfile, a ala da bateria é composta apenas de instrumentos de percussão acompanhados por violão, cavaquinho e pelos intérpretes do samba-enredo.

A denominação escola de samba nasce no Rio de Janeiro em 1928. O compositor Ismael Silva (1905-1978) é o primeiro a usar a expressão para se referir a seu grupo carnavalesco, o rancho Deixa Falar. O primeiro desfile oficial é realizado em 1935. Atualmente há desfiles de escola de samba em todo o país. O do Rio de Janeiro, no entanto, continua sendo o mais tradicional e o de maior projeção. São cerca de 70 escolas de samba, divididas em seis grupos. O principal é o grupo especial, formado pelas 14 maiores escolas. A avaliação para a premiação das escolas é feita por 36 jurados, que dão notas de 1 a 10 aos seguintes quesitos: bateria, samba-enredo, harmonia, evolução, enredo, conjunto, alegorias e adereços, fantasia, comissão de frente e mestre-sala e porta-bandeira. A escola deve apresentar-se durante, no mínimo, 65 minutos e, no máximo, 80. Cada 5 minutos de atraso sobre o prazo máximo tira 1 ponto da nota final.

Trios elétricos - Caminhões equipados de palco e aparelhagem de som — com até 100.000 watts de potência — que fazem shows ao vivo se deslocando pela cidade. Criados na Bahia, saem no Carnaval animando milhões de pessoas que dançam atrás deles. O primeiro trio elétrico, o de Dodô e Osmar, surge em 1950. Com o tempo, passam a comandar o Carnaval de Salvador (BA), ao lado dos blocos afros, afoxés e bandas, como Ilê Aiyê, Filhos de Gandhi, Olodum, Ara Ketu, Timbalada, Chiclete com Banana e, mais recentemente, Cheiro de Amor, Eva e É o Tchan. O ponto alto do Carnaval baiano é o encontro dos trios na praça Castro Alves.

Micareta - Festa carnavalesca comemorada fora da época do Carnaval. Atualmente, mais de trinta micaretas acontecem no Brasil durante todo o ano. As principais são as nordestinas, como a Recifolia (Recife-PE), o Carnatal (Natal-RN), o Fortal (Fortaleza-CE) e a Micaroa (João Pessoa-PB).

Frevo - gênero musical e tipo de dança característicos do Carnaval de Pernambuco. Música de ritmo bastante acelerado, é tocada por instrumentos de percussão e de sopro e dançada com passos quase acrobáticos. Os dançarinos usam pequenos guarda-chuvas em sua coreografia. No Carnaval do Recife e de Olinda (PE) desfilam clubes de frevo, como o Vassourinhas e o Lenhadores, e blocos, como o Flor da Lira e o Flor da Magnólia.

Fonte: Almanaque Abril - 1998 - Foto: Ormuzd Alves/Folha Imagem

APÊNDICE I

O ALFABETO

O ALFABETO EM PORTUGUÊS

Em português, temos **5 vogais** e **18 consoantes**. Os nomes das letras são masculinos: o **p**, o **c**, o **a**. Mas dizemos: *a letra* **p**, *a letra* **c**, *a letra* **a**. Na produção das vogais, a corrente de ar passa pela boca sem nenhum obstáculo. No caso das consoantes, há interferência de algum órgão da boca: lábios, dentes, etc.

1. Não fazem parte do alfabeto português:

 K (cá)    w (dáblio)   y (ipsilon)

   Mas estas letras são usadas em:
   - símbolos químicos: K – potássio
   - símbolos, siglas e abreviaturas de uso internacional: w (tungstênio), w (watt), WC (sanitário), y (ítrio), yd (jarda), y (incógnita matemática), km, kg, kw (devem ser grafadas com "**quê**" quando escritas por extenso: quilômetro, quilograma, quilowatt).

2. Em português, existem algumas combinações de letras a que chamamos **dígrafos**: **nh** (ene-agá) (ɲ) (ninho); **lh** (ele-agá) (ʎ) (filho); **ch** (cê-agá) (ʃ) (chave); as consoantes "**s**" e "**r**" dobradas (passar, carro); **sc** (nascer), **sç** (nasça), **xc** (exceção), **gu** (guerra), **qu** (quilo).

3. O **ç** (ce cedilhado, cedilha ou ce-cedilha) não faz parte do alfabeto, mas é usado na escrita, seguido de **a**, **o**, **u**, nunca em início de palavra, representando o fonema /S/: calça, açúcar, coração, criança, poço, aviação.

4. Em português, o **h** não é aspirado, não tem som: Helena, hora, hoje, Henrique, homem. A letra **h** também ocorre em interjeições: **Hein!**, **Ah!**

Letra	Nome	Correspondências Fonéticas	Exemplos
a	á	(a - ã)	pá, pato, lama, lã
b	bê	(b)	barba, boi, brinco
c	cê	(s - k)	céu, casa
d	dê	(d - dʒ)	dado, dia
e	é	(ɛ - e - ẽ - ɪ)	pé, medo, mente, cone
f	efe	(f)	faca, final
g	gê	(ʒ - g)	gente, gato
h	agá		hora, Helena
i	i	(i - ĩ - j)	pico, sinto, foi
j	jota	(ʒ)	já, janela
l	ele	(l - w)	laço, mal, Brasil
m	eme	(m)	maçã, amor
n	ene	(n)	nadar, pano
o	ó	(ɔ - o - õ - u)	pó, roxo, ponto, aluno
p	pê	(p)	pé, perto, pronto
q	quê	(k)	quero, quente
r	erre	(R - ɾ)	carro, rio, radar, caro
s	esse	(s - z - ʃ - ʒ)	sapo, casa, este, mesmo
t	tê	(t - tʃ)	tabela, tia, sete
u	u	(u - ũ - w)	uva, mundo, mingau
v	vê	(v)	livro, vinho
x	xis	(ʃ - s - z - ks)	xale, máximo, exemplo, táxi
z	zê	(z - s - ʃ)	zero, luz, refiz

O SISTEMA VOCÁLICO EM PORTUGUÊS

O português apresenta **12 vogais**:

- **7 vogais orais** (o ar sai livremente pela cavidade bucal):

(a)	(ɛ)	(e)	(i)	(ɔ)	(o)	(u)
saco	(eu) seco	seco	mico	eu soco	o soco	o suco
pá	pé	você	íris	hora	boca	uva

- **5 vogais nasais** (o ar sai parte pela boca, parte pelas fossas nasais ou pelo nariz):

(ã)	(ẽ)	(ĩ)	(õ)	(ũ)
canto	pente	cinco	onze	fundo
samba	dente	vinte	conta	nunca

ACENTOS

Em português o acento **agudo** (´) assinala o **timbre aberto** da vogal, e o acento **circunflexo** (^), o **timbre fechado**. Ambos indicam a vogal **tônica**.

Exemplo: em "avó"/"avô", há tanto diferença de timbre (aberto e fechado), como diferença fonológica, de significação, indicando a mudança de gênero (masculino e feminino).

APÊNDICE II

GRAMÁTICA

ARTIGOS

	Masculino		Feminino	
	Singular	Plural	Singular	Plural
Artigos Definidos	o	os	a	as
Artigos Indefinidos	um	uns	uma	umas

PRONOMES PESSOAIS e FORMAS DE TRATAMENTO

Singular	Plural
eu	nós
tu/*você	vocês
ele/ela/*a gente	eles/elas

*você e a gente não são pronomes pessoais, mas formas correntes de tratamento no Português do Brasil (PB).

SUBSTANTIVOS e ADJETIVOS

Singular	Plural	Singular	Plural
carro grande	carros grandes	casa grande	casas grandes
carro pequeno	carros pequenos	casa pequena	casas pequenas
livro amarelo	livros amarelos	blusa amarela	blusas amarelas

SUBSTANTIVO — palavra com que se nomeia um ser ou um objeto (concreto); uma ação, uma qualidade ou um estado (abstrato)

ADJETIVO — palavra que caracteriza, especifica, determina o substantivo, indicando, entre outros, *qualidade* (delicado, inteligente), *estado* (confuso, calmo), *lugar de origem* (brasileiro, carioca).

VERBOS SER e ESTAR — PRESENTE DO INDICATIVO

eu **sou**
você/ele/ela/a gente **é**
nós **somos**
vocês/eles/elas **são**

tu **és**

eu **estou**
você/ele/ela/a gente **está**
nós **estamos**
vocês/eles/elas **estão**

tu **estás**

SER — refere-se ao que é permanente (estado civil, profissão, identidade, religião, características físicas e psicológicas, localização, etc.);

ESTAR — refere-se ao que é temporário (não permanente).

- *Sou Carolina Andrade.*
- *Sou brasileira, médica e casada.*
- *Não sou alta nem católica.*
- *Estou em casa hoje porque estou cansada.*

Algumas expressões: **ESTAR COM**

ESTOU COM FRIO!

alguém
calor
febre
fome
preguiça
pressa
raiva (de)
saudade
sede
sono
vontade de

frio

ESTAR COM DOR ➔ de cabeça, de garganta, de barriga, de dente, de estômago, de ouvido, nas costas, nas pernas, etc.

VERBO HAVER — PRESENTE DO INDICATIVO

1. No sentido de **existir**:

Singular	Plural
• *Há um problema aqui.*	• *Há 10 alunos na sala.*
• *Não há nada aqui?*	• *Não há muitas pessoas na platéia.*
• *Há algo importante?*	• *Quantas caixas há aqui?*

2. No sentido de **fazer** (indicando **tempo**):

Há quantos meses você está no Brasil? (= Quanto tempo faz que você está no Brasil?)
Estou no Brasil há três meses. (= Faz três meses que estou no Brasil.)

VERBO HAVER NOS TEMPOS DO INDICATIVO

	Presente	Perfeito	Imperfeito	Futuro do Presente	Futuro do Pretérito	Futuro com o verbo IR
Singular	**há**	**houve**	**havia**	**haverá**	**haveria**	**vai haver**
Plural	**há**	**houve**	**havia**	**haverá**	**haveria**	**vai haver**

- *Quando **houve** aquele incidente tão desagradável?*
- *Não se sabe quantas pessoas **havia** nas ruas de Brasília na posse do Presidente.*
- *Não faço a menor idéia do que **haverá/vai haver** na reunião amanhã.*
- *Quantos alunos **haveria** se o curso fosse pela manhã?*

Observações:

a. Na linguagem falada, geralmente, o verbo **HAVER**, ou o verbo **FAZER** indicando tempo, são substituídos pelo verbo **TER**, o que não é considerado correto de acordo com as normas gramaticais.
   - ***Tem** muito aluno que não estuda.*
   - ***Tem** um bom tempo que não vejo o Paulo!*
   - ***Teve** algum problema pra tirar os documentos?*
   - ***Tinha** muita gente na festa da Carla.*

b. Os verbos **HAVER** e **FAZER**, indicando tempo, são impessoais, isto é, vêm sempre no singular:
   - ***Há** muitas dúvidas ainda sobre este assunto.*
   - ***Há** dois meses (**Faz** dois meses) (que) estamos em Porto Alegre.*
   - ***Havia** ainda muitas coisas para fazer.*
   - ***Há** anos não vejo meus amigos.*
   - ***Faz** uma hora (**Há** uma hora) (que) estou no escritório.*

c. O verbo **HAVER** é usado na forma flexionada (conjugada, como: *eu hei, ele, ela, você, a gente há, nós havemos, eles, elas, vocês hão, tu hás, vós haveis*) apenas nos TEMPOS COMPOSTOS, podendo também ser substituído pelo verbo **TER**:
   - *Nós **havíamos** conversado com ele. = Nós **tínhamos** conversado com ele.*
   - *Eles **haviam** (**tinham**) terminado todas as tarefas.*

ATENÇÃO:

O verbo **EXISTIR** é usado no singular ou no plural:
- ***Existe** uma família interessada neste programa.*
- ***Existiram** povos politeístas?*
- ***Existem** muitos profissionais habilitados a esta função.*
- ***Existiriam** seres em outros planetas?*

PRONOMES POSSESSIVOS e PRONOMES ADJETIVOS

eu	**meu(s), minha(s)**
você	**seu(s), sua(s) (= de você)**
ele	**seu(s), sua(s)/dele**
ela	**seu(s), sua(s)/dela**
nós	**nosso(s), nossa(s)**
vocês	**seu(s), sua(s) (= de vocês)**
eles	**seu(s), sua(s)/deles**
elas	**seu(s), sua(s)/delas**
tu	**teu(s), tua(s)**
vós	**vosso(s), vossa(s)**

- *Paulo e Márcia já compraram **suas** passagens aéreas para a viagem. Ainda não comprei a **minha**. Você já comprou a **sua**?*
- *A: **Minha** irmã está sem carro.*
  *B: Este não é o carro **dela**?*
  *A: Não, este é o **meu**. Roubaram o **dela** noutro dia.*
- *A: Comprei os **nossos** ingressos para o concerto de sexta à noite.*
  *B: Este é o **meu** ingresso ou o **dele**?*

Verbos usados com **PRONOMES REFLEXIVOS** — barbear-se; cobrir-se; deitar-se; distrair-se; divertir-se; esforçar-se; levantar-se; pentear-se; machucar-se; mudar-se; olhar-se; sentar-se; sentir-se; trocar-se; vestir-se; etc.

Pronomes Pessoais	Pronomes Reflexivos
eu	me
tu	te
ele/ela/você/a gente	se
nós	nos
vós	vos
eles/elas	se

- *As crianças **se** divertiam muito.*
- *O que aconteceu com você? Você já **se** olhou no espelho?*
- *Fui ao médico, pois não **me** sentia muito bem.*
- *A: A gente **se** vê muito pouco. A gente precisa **se** encontrar mais.*
- *B: Realmente, precisamos **nos** encontrar mais! Você tem razão.*

CONTRAÇÕES DE PREPOSIÇÕES

em	+	a	=	na		em	+	o	=	no
	+	as	=	nas			+	os	=	nos
	+	uma	=	numa			+	um	=	num
	+	umas	=	numas			+	uns	=	nuns
de	+	a	=	da		de	+	o	=	do
	+	as	=	das			+	os	=	dos
por	+	a	=	pela		por	+	o	=	pelo
	+	as	=	pelas			+	os	=	pelos

de	+	este(s)	=	deste(s)		de	+	aquele(s)	=	daqueles
de	+	esta(s)	=	desta(a)		de	+	aquela(s)	=	daquela(s)
de	+	isto	=	disto		de	+	aquilo	=	daquilo
de	+	aqui	=	daqui		de	+	ali	=	dali
de	+	ele(s)	=	dele(s)		de	+	ela(s)	=	dela(s)
em	+	este(s)	=	neste(s)		em	+	aquele(s)	=	naquele(s)
em	+	esta(s)	=	nesta(s)		em	+	aquela(s)	=	naquela(s)
em	+	isto	=	nisto		em	+	aquilo	=	naquilo

ALGUNS VERBOS e EXPRESSÕES COM PREPOSIÇÕES

ir **a** pé/ir **a** cavalo

ir **de** carro/**de** trem/**de** ônibus/**de** metrô/**de** bicicleta

ir **a** — ir à aula, à escola, à praia, à festa, à academia de ginástica, ao cinema, ao teatro, ao jogo, à Bolívia, à China, ao México, ao Peru, aos Estados Unidos, ao Cristo Redentor, ao Corcovado, a Cuba, a Israel, a Portugal

ir **para** — ir para a praia, para a aula, para casa

NOTA: Na linguagem coloquial, diz-se: ir na cidade; ir na escola; ir no cinema, etc.

a — às 10h, às 11h30; acordar às 6h; começar às 7h e terminar às 8h30; almoçar ao meio dia; almoçar ao meio dia e meia (12h30)

a — assistir a (assistir à TV, à novela, à peça de teatro, ao jogo, ao filme)

com — conversar com; almoçar com; jantar com

de... a — das 7h às 17h30

de — gostar de: gostar daqui; gostar de viajar; gostar desta cidade; gostar de/da comida italiana; gostar de você, de mim, dela

de — sair de (sair de casa, sair do trabalho); precisar de, necessitar de, falar de

de — vir de: venho da cidade de Limeira (= nasci em Limeira), venho da Inglaterra (= sou da Inglaterra); venho da escola a pé

em — estar em (estar **em** casa, estar na sala, estar no quarto, estar na escola, estar no trabalho, estar no clube, estar na igreja); ficar em (ficar **em** casa, ficar no trabalho, na biblioteca); trabalhar em (trabalhar no escritório, no banco, no centro da cidade, numa loja, num hospital); estudar em; morar em; viver em

estar **em... a** — estar no Brasil a passeio/a turismo; estar em Portugal a estudo; estar nos Estados Unidos a serviço

por — passar por/andar por/viajar por: pela rua; pelo parque; pela cidade; por perto; por aqui; duas vezes por semana, três vezes por dia, quatro vezes por ano; interessar-se por

COMPARATIVO e SUPERLATIVO

- *Camila tem duas irmãs: Elisa e Paula. Camila é **alta**.* → Grau normal
- *Camila é **tão alta quanto (como)** sua irmã Elisa.* → Comparativo de igualdade
- *Paula é **mais alta (do) que** sua irmã Elisa.* → Comparativo de superioridade
- *Paula é **a mais alta de todas** as irmãs.* → Superlativo
- *Pedro trabalha **muito**.*
- *Pedro trabalha **tanto quanto (como)** seu irmão Marcelo.* **(=)**
- *Pedro trabalha **mais (do) que** seu irmão Roberto.* **(+)**
- *Pedro trabalha **mais (do) que** todos os seus irmãos.* **(+)**

Adjetivo	Comparativo/Superlativo
pequeno (pequen**a**/pequen**os**/pequen**as**)	**menor** (menor**es**)
grande (grande**s**)	**maior** (maior**es**)

- *O carro amarelo é **pequeno**.*
- *O carro vermelho é **tão pequeno quanto** (**como**) o amarelo.*
- *O carro azul é **menor** (**do**) **que** o amarelo.*
- *O carro branco é **o menor** de todos.*

- *Este carro é **grande**.*
- *Este carro é **tão grande quanto** (**como**) aquele outro.*
- *O outro carro é **maior** (**do**) **que** este.*
- *Aquele carro é **o maior de** todos.*

Adjetivo		Comparativo		Superlativo
• bom (bons)	→	melhor (do) que	→	o melhor/os melhores
• boa (boas)	→	melhores (do) que	→	a melhor/as melhores
• mau (maus)	→	pior (do) que	→	o pior/os piores
• má (más)	→	piores (do) que	→	a pior/as piores

- *O tempo hoje está **ruim/mau**.*
- *O tempo ontem estava **tão ruim/mau quanto** (**como**) hoje. (=)*
- *O tempo no domingo estava **pior** (**do**) **que** hoje. (+)*
- *O tempo no sábado estava **pior que** em todos os outros dias. (+)*

- *Esta comida está **boa**.*
- *Aquela comida está **tão boa quanto** (**como**) esta. (=)*
- *Aquela outra comida é **melhor** (**do**) **que** esta. (+)*
- *Esta outra comida é a **melhor** de todas. (+)*

ALGUNS ADJETIVOS

• alegre(s)	• cheio(a)(s)	• feio(a)(s)	• novo(a)(s)	• rico(a)(s)
• alto(a)(s)	• caro(a)(s)	• grande(s)	• pequeno(a)(s)	• ruim(ruins)
• baixo(a)(s)	• comprido(a)(s)	• gordo(a)(s)	• perigoso(a)(s)	• seguro(a)(s)
• barato(a)(s)	• curto(a)(s)	• lento(a)(s)	• pobre(s)	• triste(s)
• bom(bons)/boa(s)	• difícil(difíceis)	• leve(s)	• quente(s)	• vazio(a)(s)
• bonito(a)(s)	• fácil(fáceis)	• magro(a)(s)	• rápido(a)(s)	• velho(a)(s)

• pesado(a)(s)

PRONOMES PESSOAIS

Retos (Caso Subjetivo)		Oblíquos (Caso Objetivo)	
		Átonos	Tônicos
1.ª	eu	me	mim, comigo
2.ª	tu	te	ti, contigo
3.ª	ele/ela	o, a, se, lhe	si, consigo, ele, ela
1.ª	nós	nos	nós, conosco
2.ª	vós	vos	vós, convosco
3.ª	eles/elas	os, as, se, lhes	si, consigo, eles, elas

O **Pronome Oblíquo** é facultativo e pode vir antes, depois e no meio do verbo. Há regras para sua colocação, que, na linguagem escrita, devem ser seguidas de acordo com a norma padrão. De um modo geral, especialmente na linguagem falada, no Português do Brasil são usados antes do verbo. Os Pronomes Oblíquos Tônicos vêm sempre depois de **preposição**:

- *Não há mais nada entre **mim e ti**.*
- *Entreguei a revista **para os meninos**.*
- *Entreguei a revista **para eles**.*
- *Vocês viajarão **com todos nós**?*
- *Vocês viajarão **conosco**?*

Os **Pronomes Oblíquos** são complementos de verbos:

a. **o, a, os, as** completam verbos **SEM** preposição:
   - *Vi **o menino**. → Vi-**o**.*

b. **lhe, lhes** completam verbos **COM** preposição:
   - *Explicou **às meninas** o problema. → Explicou-**lhes** o problema.*

c. os demais podem ser **diretos** ou **indiretos**, dependendo do verbo:
   - *Entreguei **o livro ao professor**. → Entreguei-**o** ao professor. (**o** = complemento direto)/Entreguei-**lhe** o livro. (**lhe** = complemento indireto).*

Exemplos: *Ele **o** olhou com carinho./Seu neto **lhes** trouxe um presente./Obedecia-**lhe/a ele**./Vejo-**os** em cima da mesa./José **o** estima/estima-**o**./Convidei-**os** para o jantar./Não **lhe** diga isto!/Contei-**lhe** um segredo./Perguntava-**lhe** tudo./ Disse-**lhe** a verdade./Vocês **os** viram/viram-**nos**?/Eu **o** pude ver./Não conheço aquelas pessoas. Apresente-**as** para mim./Onde está o chocolate? Você **o** comeu todo?/Lúcia, vou ao aniversário de Paulo no sábado. Você não quer vir **conosco**?/Preciso ir embora. Meu filho está esperando por **mim** em casa./Vocês vão ao teatro? Posso ir com **vocês**?/Marisa gosta muito dos pais e sempre escreve para **eles**.*

Os Pronomes **o, a, os, as** assumem formas especiais depois de certas terminações verbais.

Terminado em:	Forma do Pronome:	Exemplos:
vogal	o, a, os, as	• *Paguei o aluguel.* ➔ *Paguei-**o**.*
z / s / r	lo, la, los, las	• *Fiz o serviço.* ➔ *Fi-**lo**./Vai dizer a verdade.* ➔ *Vai dizê-**la**.*
som nasal	no, na, nos, nas	• *Viram o(s) garoto(s).* ➔ *Viram-**no(s)**.*
m, ão, õe, õem	no, na, nos, nas	• *Põe a(s) mesa(s).* ➔ *Põe-**na(s)**.*

Preste atenção à **acentuação** destas formas:
- amar + a/o/s ➔ am**á**-la(s)/lo(s).
- fazer + a/o/s ➔ faz**ê**-la(s)/lo(s).
- por + a/o/s ➔ p**ô**-la(s)/lo(s).

Mas ➔ - abrir + a/o/s ➔ abri-la(s)/lo(s).

*Meu carro está quebrado./Preciso levá-**lo** ao mecânico com urgência./O trabalho não está certo./Você precisa refazê-**lo**./Pude vê-**lo**./Não pôde fazê-**lo**./Vou comprá-**lo**./Os alunos compraram-**nos**(os compraram)./O gerente vai abri-**lo**.*

IMPERATIVO

Presente do Indicativo	Imperativo Afirmativo	Presente do Subjuntivo	Imperativo Negativo
Tu falas ➔	**Fala** (tu)	Que tu fales	➔ Não **fales**
Ele fala	**Fale** (você)	← Que ele fale	➔ Não **fale** (ele)
Nós falamos	**Falemos** (nós)	← Que nós falemos	➔ Não **falemos** (nós)
Eles falam	**Falem** (vocês)	← Que vocês falem	➔ Não **falem** (vocês)

Embora haja sinais claros de que o **tu** está desaparecendo como pessoa **gramatical**, sendo preservado apenas como uma **forma de tratamento**, no Português do Brasil, as formas de tratar um interlocutor são **tu** (geralmente no sul) ou **você**. Verbos, pronomes, etc. devem concordar com **tu** (pronome de 2ª pessoa) ou com **você** (de 3ª).
Assim, ao usar o **tu**, se diz:

- ***Lê** isto aqui./**Ouve** bem o que te digo./**Fica** quieta./**Presta** atenção.*

Por outro lado, ao usar **você**, diz-se:

- ***Leia** isto aqui./**Ouça** bem./**Fique** quieta./**Preste** atenção.*

NOTA: Entretanto, uma variação muito freqüente no dia-a-dia, na linguagem falada, em algumas regiões do Brasil, e em determinadas situações, ou entre determinados grupos socioculturais, não se emprega o Imperativo segundo a norma padrão.

Forma correta (norma padrão)	Forma corrente na linguagem falada
• ***Dê**-me um lápis.*	• *Me **dá** o lápis.*
• ***Ouve** o que eu falo.*	• ***Ouça** o que eu falo.*
• ***Olhe** esta flor.*	• ***Olha** esta flor.*
• ***Cheire** este perfume.*	• ***Cheira** este perfume.*
• ***Faça** sua obrigação.*	• ***Faz** sua obrigação.*
• ***Traga** um copo de água, por favor.*	• ***Traz** um copo de água, por favor.*

AUMENTATIVO e DIMINUTIVO DO SUBSTANTIVO

Os **Aumentativos** são normalmente formados com o acréscimo dos sufixos **–ão** e **–ona**, e os **Diminutivos**, com **–inho**, **–inha** (**-ito**, **–ita** são menos comuns). Nem sempre se referem ao tamanho, mas, dependendo da situação em que são empregados, podem dar conta de idéias e sentidos diferentes (às vezes, mais de um deles ao mesmo tempo): afetividade, carinho, ironia, opinião negativa ou positiva. Em certos casos, na verdade, não expressam a idéia de aumentativo ou diminutivo, como: **passarinho, cafezinho, portão, cartão, folhinha** (calendário). Seguem alguns exemplos.

1. Afetivo e carinhoso ➔ *Aquele **velhinho** simpático é um **amorzinho** de pessoa!*
*Que saudades, **primão**!*
***Carlinhos** é meu **amigão**!*

2. Pejorativo ➔ *Eta **povinho** besta!*
*Não gosta de estar perto do **povão**!*

3. Irônico ➔ *Você contou tudo pra minha mãe! Que **amigão**!*
*Vou ficar longe do **transitozinho** desta cidade infernal.*

4. Positivo e/ou Negativo ➔ *Carla é mesmo um **mulherão**!*
*Que **gatão** o irmão de Cristina, que é uma **gatona** também.*
*Que **timaço**!*
*O seu **timeco** não jogou nada.*
*Que **sujeitinho** sem caráter!*
*Por que se envolver com essa **gentinha**?*

VOZES VERBAIS

1. **Voz Reflexiva**

    a. **Reflexiva** — o sujeito pratica a ação sobre si mesmo:

            • *Carla machucou-se./O garoto se cortou com a faca./Aquele poeta se matou.*

    b. **Reflexiva recíproca** — dois elementos como sujeito: um pratica a ação sobre o outro:

            • *Paula e Renato se amam(-se)./Os jovens se agrediram(-se) durante a festa./Os ônibus se chocaram(-se) violentamente.*

2. **Voz Ativa** — o sujeito agente pratica a ação verbal ou participa ativamente de um fato:

            • *As meninas exigiram a presença da diretora./A torcida aplaudiu os jogadores./O médico cometeu um erro terrível.*

3. **Voz Passiva** — o sujeito paciente sofre a ação verbal.

    a. **Voz Passiva Analítica** — sujeito paciente, verbo auxiliar **ser** ou **estar**, verbo principal indicador de ação no particípio e agente da passiva:

            • *As encomendas foram entregues pelo próprio diretor./As casas foram alugadas pela imobiliária./As roupas foram compradas por uma elegante senhora.*

    b. **Voz Passiva Sintética** — verbo transitivo direto, pronome **SE** (PARTÍCULA APASSIVADORA) e sujeito paciente:

            • ***Entregam-SE*** *encomendas./****Alugam-SE*** *casas./****Compram-SE*** *roupas usadas./****Vende-SE*** *uma casa na praia./****Vendem-SE*** *casas./****Aluga-SE*** *um apartamento./****Alugam-SE*** *apartamentos./****Procura-SE*** *um cão perdido./****Procuram-SE*** *funcionários./****Conserta-SE*** *geladeira./****Consertam-SE*** *geladeiras.*

Passagem da ativa para a passiva:
   1. **Voz ativa** ➔ *A torcida aplaudiu os jogadores.*
   2. **Voz passiva** ➔ *Os jogadores foram aplaudidos pela torcida.*

	Infinitivo	Gerúndio	Particípio
1.ª	am**ar**	am**ando**	am**ado**
2.ª	vend**er**	vend**endo**	vend**ido**
3.ª	part**ir**	part**indo**	part**ido**

O verbo VIR apresenta a mesma forma para o Particípio Passado e para o Gerúndio:
- *Ele está **vindo** para cá.*
- *Ela disse que nunca tinha **vindo** aqui.*

O particípio passado, na Voz Passiva, varia em gênero (masculino e feminino) e número (singular e plural):
- *A **casa** foi **destruída**. ➔ As **casas** foram **destruídas**.*
- *O **carro** havia sido **vendido**. ➔ Os **carros** haviam sido **vendidos**.*
- *A **lâmpada** tinha ficado **acesa**. ➔ As **lâmpadas** tinham ficado **acesas**.*
- *O **pedido** será **aceito**. ➔ Os **pedidos** serão **aceitos**.*

Na Voz Ativa, o particípio passado é invariável e se usa com os verbos **ter** e **haver**, formando tempos compostos:
- *Eles tinham/haviam **retornado** cedo.*

A forma irregular do Particípio Passado, que varia em gênero e número, é usada com os verbos **ser**, **estar** e **ficar** na Voz Passiva:
- *A carta **foi entregue**.*
- *O dinheiro todo **foi gasto**.*
- *O prêmio **havia sido ganho**.*
- *O candidato **foi eleito**.*

Alguns se usam indiferentemente com quaisquer dos verbos, tanto na Voz Ativa como na Passiva:
- *Ele estava **morto**.*
- ***Havia sido morto*** *(matado).*
- *Eu **tinha limpo** (limpado) tudo.*
- *A sala **foi limpa** (limpada).*

Em geral, emprega-se a forma regular do particípio passado com os verbos **ter** e **haver**, na Voz Ativa:
- *Ele **havia entregado** a carta.*
- *Nós **havíamos gastado** tudo.*
- *Eu **tinha ganhado** muito.*
- *O povo o **tinha elegido**.*

Para se empregar a Voz Passiva, em Português, os verbos devem ter um **complemento direto**, sem preposição:
- ***Os alunos*** *terminaram **a tarefa**. ➔ **A tarefa** foi terminada pelos alunos.*
- ***Minha mãe*** *deu **um presente** ao meu primo. ➔ **Um presente foi dado** ao meu primo **por minha mãe**.*

É impossível, em Português, usar a Voz Passiva com:
1. Verbos sem complemento direto ➔ *As crianças **brincam**./Nós **vivemos** bem aqui./Aquele homem **morreu**.*
2. Verbos com preposição ➔ *Eles **obedecem aos** pais./Todos **assistiam à** televisão./**Necessito de** ajuda./**Gostamos de** comida italiana.*

Verbos de um único Particípio irregular:
dizer = **dito**; pôr = **posto**; escrever = **escrito**; abrir = **aberto**; fazer = **feito**; cobrir = **coberto**; ver = **visto**; vir = **vindo**
Alguns verbos admitem duas formas de Particípio Passado.

Infinitivo	Particípio Regular	Particípio Irregular
1. Aceitar	▪ Aceitado	▪ Aceito/Aceite
2. Acender	▪ Acendido	▪ Aceso
3. Benzer	▪ Benzido	▪ Bento
4. Desenvolver	▪ Desenvolvido	▪ Desenvolto
5. Eleger	▪ Elegido	▪ Eleito
6. Emergir	▪ Emergido	▪ Emerso
7. Entregar	▪ Entregado	▪ Entregue
8. Envolver	▪ Envolvido	▪ Envolto
9. Enxugar	▪ Enxugado	▪ Enxuto
10. Expressar	▪ Expressado	▪ Expresso
11. Exprimir	▪ Exprimido	▪ Expresso
12. Expulsar	▪ Expulsado	▪ Expulso
13. Extinguir	▪ Extinguido	▪ Extinto
14. Findar	▪ Findado	▪ Findo
15. Ganhar	▪ Ganhado	▪ Ganho
16. Gastar	▪ Gastado	▪ Gasto
17. Imprimir	▪ Imprimido	▪ Impresso
18. Inserir	▪ Inserido	▪ Inserto (não usual)
19. Isentar	▪ Isentado	▪ Isento
20. Limpar	▪ Limpado	▪ Limpo
21. Matar	▪ Matado	▪ Morto
22. Morrer	▪ Morrido	▪ Morto
23. Murchar	▪ Murchado	▪ Murcho
24. Omitir	▪ Omitido	▪ Omisso
25. Pagar	▪ Pagado	▪ Pago
26. Prender	▪ Prendido	▪ Preso
27. Salvar	▪ Salvado	▪ Salvo
28. Soltar	▪ Soltado	▪ Solto
29. Suspender	▪ Suspendido	▪ Suspenso
30. Tingir	▪ Tingido	▪ Tinto

CRASE

CRASE = fusão ou contração de duas vogais idênticas, principalmente a da **Preposição A** com os **Artigos Definidos Femininos (A, AS)** ou com os **Pronomes Demonstrativos A, AS, AQUELE, AQUELA, AQUILO**. A seguir, algumas DICAS BÁSICAS para saber se ocorre ou não a crase.

1. Só ocorre crase diante de **palavras femininas**, portanto:
   - *O sol estava a pino.* (➔ sem crase, pois pino não é palavra feminina)
   - *Ela recorreu a mim.* (➔ sem crase, pois mim não é palavra feminina)
   - *Estou disposto a ajudar você.* (➔ sem crase, pois ajudar não é palavra feminina).

2. Se a preposição **A** vier de um verbo que indica **destino** (ir, vir, voltar, chegar, cair, comparecer, dirigir-se), troque este verbo por outro que indique **procedência** (vir, voltar, chegar). Se, diante do verbo que indicar **procedência**, ocorrer a contração **de + A = DA**, diante do verbo que indicar **destino**, deve-se usar crase. Se não houver a contração **DA**, não ocorrerá crase.
   - *Vou a Porto Alegre.* ➔ **sem** crase (Venho **DE** Porto Alegre.)
   - *Vou à Bahia.* ➔ **com** crase (Venho **DA** Bahia.)
   - *Dirigia-se a Lisboa.* ➔ **SEM** crase (Venho **DE** Lisboa.)
   - *Dirigia-se à África.* ➔ **COM** crase (Venho **DA** África.)

3. Se não houver verbo indicando movimento, troca-se a palavra feminina por outra masculina. Se, diante da palavra masculina, ocorrer a contração da preposição **A + O = AO**, diante da palavra feminina, deve-se usar crase. Se não houver a contração **AO**, não ocorrerá crase.
   - *Assisti à peça.* ➔ com crase (Assisti **AO** filme.)
   - *Paguei à cabeleireira.* ➔ com crase (Paguei **AO** cabeleireiro.)
   - *Respeitamos as regras.* ➔ sem crase (Respeitamos **OS** regulamentos.)

CASOS ESPECIAIS

1. Diante das palavras **moda** e **maneira**, das expressões **adverbiais à moda de** e **à maneira de** (mesmo que as palavras moda e maneira fiquem subentendidas), ocorre crase:
   - *Fizemos um churrasco **à** gaúcha.*
   - *Comemos bife **à** milanesa, frango **à** passarinho e espaguete **à** bolonhesa.*
   - *João usa cabelos **à** Príncipe Valente.*

2. Nos **Adjuntos Adverbiais de Modo, de Lugar** e **de Tempo femininos**, ocorre crase:
   à direita, à esquerda, à noite, à revelia, à tarde, à vontade, às escondidas, às escuras, às pressas, às tantas

3. Nas **Locuções Prepositivas** e **Locuções Conjuntivas femininas** ocorre crase:
à maneira de, à moda de, às custas de, à procura de, à espera de, à medida que, à proporção que

4. Diante da palavra **distância**, só ocorre crase se houver a formação de **Locução Prepositiva** (se houver uma expressão, com a preposição **DE** com valor de Adjetivo*):
   - *Reconheci-o a distância.*
   - *Reconheci-o à distância de duzentos metros.* (A palavra distância vem, na segunda frase, especificada, modificada, pela expressão **de duzentos metros.**)

5. Diante do **Pronome Relativo QUE** ou da **Preposição DE**, em caso de **contração** da **preposição A** com o **Pronome Demonstrativo A, AS** (= aquela, aquelas):
   - *Essa roupa é igual **à** que comprei ontem.*
   - *Sua voz é igual **à** de um primo meu.*

6. Diante dos **Pronomes Relativos A QUAL, AS QUAIS**, quando o verbo da Oração Subordinada Adjetiva exigir a **Preposição A**, ocorre crase:
   - *A cena **à** qual assisti foi chocante.* (*assistir **a** algo*)
   - *A entrevista **à** qual compareceu o candidato de oposição teve grande repercussão.* (*comparecer **a** algo*)

7. Quando o **A** (preposição) estiver diante de uma palavra no **plural**, não ocorre crase:
   - *Referi-me **a** todas as alunas, sem exceção.*
   - *Não gosto de ir **a** festas desacompanhado.*

   Mas: • *Referi-me **às** alunas, sem exceção.* (→ referir-se **a + as** alunas)

         • *Não gosto de ir **às** festas desacompanhado.* (→ ir **a + as** festas)

8. Nos **Adjuntos Adverbiais de Meio** ou **Instrumento** (a não ser em caso de ambigüidade):
   - *Preencheu o formulário a caneta.*
   - *Paguei a vista minhas compras.*

   Nota: Admiti-se crase em:
   - *Paguei à vista minhas compras.*

   Mas: • *Pagou **à** vista de todos.* (→ Todos presenciaram, viram o fato.)

         • *Pagou a vista e não a prazo.* (→ Da mesma maneira, não se usa: **ao prazo.**)

9. Diante de **Pronomes Possessivos femininos**, é facultativo o uso do artigo. Então, quando houver a preposição **A**, é facultativo o uso da crase:
   - *Referi-me **a sua** professora./Referi-me **à sua** professora.*

10. Após a preposição **até**, é facultativo o uso da preposição **A**. Portanto, caso haja substantivo feminino à frente, é facultativo o uso da crase:
    - *Fui **até a** secretaria.*
    - *Fui **até à** secretaria.*

11. A palavra **CASA** só leva **artigo**, se estiver especificada; portanto, só nesse caso ocorre crase:
    - *Cheguei **a casa** antes de todos.*
    - *Cheguei **à casa** de Ronaldo antes de todos.* (**de Ronaldo** especifica a palavra **casa.**)

12. A palavra **TERRA**:
    a. Significando **planeta**, é substantivo próprio (letra maiúscula) e leva artigo e, se houver a preposição **A**, ocorre a crase:
       - *Os astronautas voltaram **à** Terra.*
    b. Significando **chão firme, solo**, só leva artigo, se estiver especificada; portanto, só nesse caso pode ocorrer a crase:
       - *Os marinheiros voltaram **a** terra.*
       - *Irei **à** terra de meus avós.* (**de meus avós** especifica a palavra terra.)

13. Não se usa a crase entre palavras repetidas como:
cara a cara, frente a frente, gota a gota.

PARA LEMBRAR • •

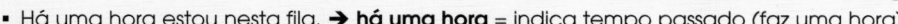

- Há uma hora estou nesta fila. → **há uma hora** = indica tempo passado (faz uma hora)
- Tomaremos o avião daqui a uma hora. → **a uma hora** = indica tempo futuro

- **INTERJEIÇÕES** — palavras que se referem a estados emocionais do falante, variando de acordo com o contexto emocional. Expressam sentimento, surpresa, alegria, aplauso, emoções.

- **LOCUÇÕES INTERJETIVAS** — duas ou mais palavras com valor de interjeição: **Meu Deus!, Ora bolas!, Que horror!, Puxa vida!, Não diga!, Graças a Deus!, Cruz credo!** Alguns exemplos de interjeições e de locuções interjetivas, segundo as emoções ou sentimentos que exprimem:

- **aclamação** → Viva!, Oba!, Oh!, Ah!
- **advertência** → Atenção!, Cuidado!
- **afugentamento** → Arreda!, Fora!, Rua!, Passa!, Xô!, Ô!, Ó!
- **agradecimento** → Grato!
- **alegria** → Ah!, Oh!, Oba!
- **alívio** → Ufa!, Uf!, Arre!, Gente!, Meu Deus!
- **animação** → Coragem!, Avante!, Eia!
- **aplauso** → Bravo!, Bis!, Mais um!
- **cansaço** → Ufa!
- **chamamento** → Alô!, Olá!, Psit!, Oi!, Psiu!, Ó!, Ô!

- **desejo** → Oxalá!, Tomara!, Quem me dera!
- **dor** → Ai!, Ui!
- **espanto** → Puxa!, Opa!, Xi!, Gente!, Meu Deus!, Uh!, Oh!, Chi!, Ué!, Credo!, Cruzes!, Jesus!
- **estímulo** → Firme!, Toca!
- **impaciência** → Hum!, Hem!
- **medo** → Credo!, Cruzes!, Jesus!, Meu Deus!, Xi!, Gente!
- **pedido de silêncio** → Silêncio!, Psiu!, Quieto!, Bico fechado!
- **pena** → Oh!, Ah!, Ai!, Ui!

GRAUS DO ADJETIVO

Adjetivo — palavra que caracteriza, especifica, determina o substantivo, indicando, entre outros, qualidade (delicado, estúpido), estado (confuso, calmo), lugar de origem (brasileiro, carioca). **GRAUS DO ADJETIVO:** normal, comparativo e superlativo.

Comparativo — mesma característica entre dois ou mais seres, duas ou mais características de um mesmo ser:

igualdade ➔ tão... quanto (como): ▪ *Esta atriz é **tão** simpática **quanto** (**como**) a outra.*

superioridade ➔ mais... (do) que: ▪ *Esta atriz é **mais** simpática **do que** a outra.*

inferioridade ➔ menos... (do) que: ▪ *Esta atriz é **menos** simpática **do que** a outra.*

Superlativo — exprime qualidade em grau muito elevado ou intenso:

absoluto ➔ quando a característica não se refere à de outros elementos.

- **analítico:** feito pelo acréscimo de palavra modificadora, como: **muito, demais, demasiadamente:**
  - ▪ *Ayrton Senna foi um piloto **muito** veloz./A atriz premiada é **muito** simpática.*
- **sintético:** uma só palavra, formada pelo acréscimo dos sufixos **-íssimo, -érrimo, -ílimo:**
  - ▪ *Este exercício é **facílimo**./A atriz premiada é **simpaticíssima**.*

relativo ➔ característica relacionada, favorável ou desfavoravelmente, à de outros elementos.

- **superioridade:** ▪ *Esta é a atriz **mais** simpática de todas.* ➔ o(a)(s) mais... do que
- **inferioridade:** ▪ *Esta é a atriz **menos** simpática de todas.* ➔ o(a)(s) menos... do que

Apresentam formas sintéticas especiais os adjetivos no quadro abaixo. Quando estes adjetivos se referem a características de um mesmo ser, admitem-se as construções **mais bom que, mais mau que, mais grande que** e **mais pequeno que:** Ele é bonito e inteligente; alguns o consideram **mais bom que** inteligente. As formas Irregulares do Superlativo Sintético são eruditas, derivadas do Latim e muitas são pouco utilizadas na linguagem cotidiana.

Adjetivos	Comparativo de Superioridade	Superlativo Absoluto	
		Regular	Irregular
bom	melhor	boníssimo	ótimo
mau	pior	malíssimo	péssimo
pequeno	menor	pequeníssimo	mínimo
grande	maior	grandíssimo	máximo

Certos adjetivos, como alguns do quadro abaixo, apresentam duas formas, sendo a irregular menos freqüente na língua falada.

Adjetivos	Superlativo Absoluto	
	Regular	Irregular
amargo	amarguíssimo	amaríssimo
amável		amabilíssimo
amigo		amicíssimo
antigo	antiguíssimo	antiqüíssimo
áspero	asperíssimo	aspérrimo
chique		chiquérrimo
comum		comuníssimo
cruel	cruelíssimo	crudelíssimo
difícil	dificilíssimo	dificílimo
doce	docílimo	dulcíssimo
fácil	facilíssimo	facílimo
feliz	felicíssimo	
frio		frigidíssimo
geral		generalíssimo
humilde	humildíssimo	humílimo
incrível		incredibilíssimo
magro	magérrimo	macérrimo
mísero		misérrimo
normal	normalíssimo	
pessoal		personalíssimo
pobre	pobríssimo	paupérrimo
provável		probabilíssimo
sábio		sapientíssimo
simpático	simpaticíssimo	
simples		simplíssimo
veloz	velocíssimo	

SUBSTANTIVOS

Quanto ao gênero, podem ser:

1. **biformes** ➔ uma forma para o masculino e outra para o feminino:

   menino (masculino) - menina (feminino); barão - baronesa; cavalheiro - dama; cidadão - cidadã; gato - gata; homem - mulher; peru - perua; príncipe - princesa

   São **heterônimos** aqueles que fazem distinção de gênero **não** pela **desinência**, mas pelo **radical**:

   bode - cabra; boi - vaca; cavalo - égua; genro - nora; homem - mulher; rei - rainha

2. **uniformes** ➔ uma única forma para ambos os gêneros: a criança; o colega; o indivíduo. Classificam-se em:

   1. **epicenos** ➔ usados para animais de ambos os sexos (macho e fêmea):

      camelo macho - camelo fêmea

      Para especificar o sexo, são utilizadas as palavras **macho** ou **fêmea**:

      o crocodilo macho - o crocodilo fêmea; a mosca macho - a mosca fêmea

   2. **sobrecomuns** ➔ um só gênero gramatical para designar pessoas de ambos os sexos:

      o algoz; o cônjuge; a criança; a criatura; o indivíduo; a pessoa; a testemunha; a vítima

      A identificação do sexo é feita pelo contexto.

   3. **comuns de dois gêneros** ➔ são substantivos que possuem uma só forma para o masculino e o feminino, mas designam pessoas, fazendo a distinção dos sexos através de palavras determinantes (permitem a variação do gênero por meio de palavras modificadoras: artigos, adjetivos, pronomes):

      meu/minha fã; o/a colega; o/a dentista; o/a herege; o/a imigrante; o/a indígena; o/a jovem; o/a pianista; um/uma estudante

Mudança de **gênero** com mudança de **sentido**:

Masculino	Feminino
▪ o cabeça (o mentor)	▪ a cabeça (parte do corpo)
▪ o capital (dinheiro)	▪ a capital (cidade principal)
▪ o caixa (pessoa)	▪ a caixa (objeto)
▪ o cisma (separação)	▪ a cisma (desconfiança)
▪ o cura (padre)	▪ a cura (restabelecimento)
▪ o grama (unidade de massa)	▪ a grama (relva)
▪ o guarda (vigia, sentinela)	▪ a guarda (vigilância)
▪ o lente (professor)	▪ a lente (vidro)
▪ o moral (coragem)	▪ a moral (ética)

Substantivos que podem ser usados ou no masculino ou no feminino:

o(a) diabetes; o(a) hélice; o(a) íris; o(a) personagem; o(a) soprano; o(a) tapa; o(a) usucapião; etc

Substantivos que oferecem dificuldade quanto ao gênero:

➔ São **masculinos**: *o champanha; o dia; o dó; o eclipse; o guaraná; o idioma; o mapa; o problema; o sistema; o telefonema; etc*

➔ São **femininos**: *a cal; a comichão; a dinamite; a faringe; a omoplata; etc*

Mudança de **número** com mudança de **sentido**:

Singular	Plural
▪ bem = felicidade, virtude, benefício	▪ bens = propriedades, valores
▪ costa = litoral	▪ costas = dorso (parte do corpo)
▪ féria = renda diária ($)	▪ férias = período de descanso
▪ letra = símbolo gráfico	▪ letras = literatura
▪ vencimento = fim de prazo para pagamento	▪ vencimentos = salário

Substantivos **COLETIVOS** ➔ designam, no singular, um conjunto de seres (pessoas, coisas, animais):

arquipélago (de ilhas); banda (de músicos); bando (de aves, crianças, ciganos, ladrões); batalhão (de soldados); cacho (de bananas, uvas, etc); cardume (de peixes); constelação (de estrelas); cordilheira (de montanhas); elenco (de atores); fauna (de animais); flora (de plantas); molho (de chaves); multidão (de pessoas); penca (de bananas, laranjas, etc); platéia (de espectadores); orquestra (de músicos); ramalhete (de flores); etc

➔ Há ainda os **numerais coletivos** que expressam o número exato de alguns seres, como:

bimestre (dois meses); centena (cem); centenário (cem anos); dezena (dez); dúzia (doze); par (dois elementos); quina (série de cinco números); semestre (seis meses); etc

ALGUMAS DIFICULDADES DA LÍNGUA CULTA

1. **PORQUÊ** ➔ substantivo, precedido de artigo (o, os), pronome adjetivo (meu(s), este(s), esse(s), aquele(s), quantos(s)) ou numeral (um, dois, três, quatro):
   - ▪ *Ninguém entende o **porquê** de tanta confusão.*
   - ▪ *Este **porquê** é um substantivo.*
   - ▪ *Quantos **porquês** existem na Língua Portuguesa? Existem quatro **porquês**.*

2. **POR QUÊ** ou **QUE** ➔ em final de frase, recebe acento:
   - ▪ *Ela não me ligou e nem disse por **quê**.*
   - ▪ *Você está rindo de **quê**?*
   - ▪ *Você veio aqui para **quê**?*

3. **POR QUE** → junção da preposição **por** com o pronome interrogativo **que** ou com o pronome relativo **que** (substituindo por qual razão, pelo qual, pela qual, pelos quais, pelas quais, por qual):
   - *Por que não me disse a verdade?* = por qual razão
   - *Gostaria de saber por que não me disse a verdade.* = por qual razão
   - *As causas por que discuti com ele são particulares.* = pelas quais
   - *Ester é a mulher por que vivo.* = pela qual

4. **PORQUE** → ligando duas orações, indicando causa (= já que = conjunção subordinativa causal), explicação (= pois = conjunção coordenativa explicativa) ou finalidade (= a fim de que = conjunção subordinativa final):
   - *Não saí de casa, porque estava doente.* = já que → *É uma conjunção, porque liga duas orações.* = pois
   - *Estudem, porque aprendam.* = a fim de que
      por que → preposição + pronome relativo = por + o(a) qual/por + os(as) quais
      por que → conjunção = explicação/causa
      porquê → substantivo = a razão, a causa, o motivo
      por quê → final de frase interrogativa
      quê → substantivo = algo, coisa

5. **QUE** → (pronome, conjunção, advérbio ou partícula expletiva):
   - *Que você pretende, tratando-me dessa maneira?*

   QUÊ → (substantivo = alguma coisa), interjeição (indicando surpresa, espanto) ou pronome em final de frase (imediatamente antes de ponto final, de interrogação ou de exclamação):
   - *Você pretende o quê?*
   - *Quê!? Quase me esqueço do nosso encontro.*

6. **MAS** → conjunção adversativa (= porém, contudo, todavia, no entanto, entretanto):
   - *Iria ao cinema, mas (porém) não tenho dinheiro.*

   MAIS → advérbio de intensidade, ou idéia de adição, acréscimo (sentido oposto a menos):
   - *Ela é a mais (menos) bonita da escola.*

7. **ONDE** → (= em que lugar):
   - *Onde você colocou minha carteira?*

   AONDE → (= a que lugar):
   - *Aonde você vai, menina?*

   DONDE → (= de que lugar):
   - *Donde tu vieste?*

8. **MAL** → substantivo (= doença, moléstia, aquilo que é prejudicial ou nocivo):
   - *O mal da sociedade moderna é a violência urbana.*

   MAL → advérbio (antônimo de bem):
   - *Acho que os assessores estão mal informados.*

   MAU → adjetivo (antônimo de bom):
   - *Ele é um homem mau (não é bom); só pratica o mal (e não o bem).*

   MAL → conjunção temporal (= assim que):
   - *Mal cheguei em casa, tocou o telefone.*

9. **A PAR** → estar bem informado sobre, ter conhecimento de:
   - *Estou a par de todos os acontecimentos.*

   AO PAR → equivalência entre valores cambiais:
   - *O real não está ao par do dólar.*

10. Expressão de tempo:
    1. **HÁ** → indicar tempo decorrido, passado:
       - *Ele partiu há duas semanas.*

    2. **A** é usado para indicar tempo futuro:
       - *Estamos a dois dias das eleições.*
       - *Há alguns dias.* ou *Alguns dias atrás.*
       Não → HÁ alguns dias ATRÁS.

11. **ACERCA DE** → locução prepositiva (= sobre, a respeito de):
    - *Estávamos falando acerca de política.*

    A CERCA DE → aproximação:
    - *Moro a cerca de 2 Km daqui.*

    HÁ CERCA DE → tempo decorrido:
    - *Não falo com Paulo há cerca de dois meses.*

12. **AFIM** → adjetivo (= com que se tem afinidade):
    - *São muito amigos: verdadeiros espíritos afins.*

    A FIM DE → conjunção indicando finalidade (= para que):
    - *Trabalhou muito a fim de ser promovido.*

13. **DEMAIS** → advérbio (= excessivamente):
    - *Puxa! Acho que comi demais! Que mal-estar!*

    DE MAIS → *Não vejo nada de mais na atitude de Pedro. Por que tanta confusão?*

14. **SENÃO →** = exceto, salvo, a não ser que:
    - *Nas férias, não fiz nada senão dormir!*

    SE NÃO → = caso não:
    - *Se não houver seriedade, não sairemos desta situação lamentável.*

    SENÃO → substantivo = obstáculo, dificuldade, defeito:
    - *Há apenas um senão nesta história toda, que me preocupa muito.*

15. **NA MEDIDA EM QUE →** = como, já que:
    - *Na medida em que havia poucos recursos, não foram realizadas todas as reformas necessárias.*

    À MEDIDA QUE → = à proporção que, conforme:
    - *À medida que o tempo passava, ficávamos ainda mais ansiosos.*

16. **NÓS VIEMOS →** verbo *vir* no pretérito perfeito do indicativo:
    - *Ontem, nós viemos procurá-lo, mas você não estava.*

    NÓS VIMOS → verbo *vir* no presente do indicativo:
    - *Nós vimos aqui, agora, para conversar sobre nossos problemas.*

    NÓS VIMOS → verbo *ver* no pretérito perfeito do indicativo:
    - *Ontem, nós vimos uma cena horrível!*

    NÓS VEMOS → verbo ver no presente do indicativo:
    - *Vemos muitas coisas, mas nada podemos dizer!*

17. **SENTAR-SE NA MESA →** sobre a mesa:
    - *Sentei-me na mesa, pois não encontrei cadeira alguma.*

    SENTAR-SE À MESA → defronte à mesa:
    - *Sentei-me à mesa para almoçar.*

    ESTAR AO COMPUTADOR → ao telefone, ao portão, à janela:
    - *Sentei-me ao computador para trabalhar.*

18. **PERCA →** verbo / **PERDA →** substantivo:
    - *"Não perca a paciência, pois essa perda de gols não se repetirá", disse o técnico ao jornalista.*

CONCORDÂNCIA DOS VERBOS IMPESSOAIS

1. **HAVER** é impessoal e é usado na 3ª pessoa do singular:
    → Indicando tempo decorrido:
      - *Havia dois dias que não comia.* (E não: **Haviam**)
      - *Havia um mês, nós estávamos à sua procura.* (E não: **haviam**)

    → Com o sentido de existir, acontecer:
      - *Havia dez interessados.* (E não: **Haviam**)
      - *Aqui houve alterações.* (E não: Aqui **houveram**)
      - *Haverá sessões contínuas.* (E não: **Haverão**)
      (As palavras em negrito têm a função sintática de Objeto Direto, não de sujeito.)

    → Mesmo acompanhado de um verbo auxiliar, formando uma locução verbal, ambos ficarão no singular:
      - *Deve haver muitas dúvidas sobre este assunto.*
      - *Teria havido muitos problemas àquela época?*
      - *Poderá haver confrontos entre os policiais e os grevistas.*

    → Nos outros sentidos, o verbo **haver** concorda com o sujeito:
      - *Os alunos haviam ficado revoltados.*

2. **FAZER** é impessoal e é usado na 3ª pessoa do singular:
    → indicando tempo decorrido:
      - *Faz três meses que não o vejo.* (E não: **Fazem**)
      - *Amanhã fará dois anos.* (E não: Amanhã **farão**)
      - *Fazia duas horas que esperava.* (E não: **Faziam**)

    → indicando condições meteorológicas:
      - *Faz 35° no verão, em Londrina.*
      - *Fez dias belíssimos.* (E não: **Fizeram**)
      - *No século XXI fará verões rigorosos.* (E não: No século XXI **farão**)
      - *Ali fazia 40° à sombra.* (E não: Ali **faziam**)

    → Caso esteja acompanhado de um verbo auxiliar, formando uma locução verbal, ambos ficam no singular:
      - *Deve fazer cinco anos que ele morreu.*

    → Nos outros sentidos, concorda com o sujeito:
      - *As crianças fazem uma bagunça daquelas!*
      - *Os gêmeos fazem dez anos e o caçula faz oito.*

3. Outros **verbos impessoais** também são usados na terceira pessoa do singular, quando usados em seu sentido literal, não figurado. Como por exemplo, chover (e outros verbos indicando fenômenos da natureza):
    - *Chove há três dias sem parar.* (Mas em "**Choveram** pedras.", o verbo não é impessoal, pois o sujeito é **pedras**.)

4. **PASSAR DE**, em expressões de tempo, indicando horas:

- *Já **passa** das 11h30.*
- *Já **passava** das oito horas, quando ela chegou.*
- ***Passava** das duas horas.* (E não: **Passavam** das duas horas.)
- ***Passa** das três da tarde.* (E não: **Passam** das três da tarde.)

NOTA: Não confunda esta estrutura, que é considerada **sem sujeito** (note que **duas horas**, **três horas**, etc., vêm precedidos da preposição **DE**), com o verbo **passar** que aparece nos exemplos abaixo:

- ***Passam** três horas do meio-dia.*
- ***Passavam** três minutos das duas.* (**três horas** e **três minutos** = **sujeito**)

5. **TRATAR-SE DE**, com referência a uma afirmação anterior:

- *O clube dispensou Jari e Adão. **Trata-se** de dois jogadores sem função na atual equipe.* (E não: **Tratam-se** de dois jogadores)
- *Lá vêm as duas moças. Não esqueça: **trata-se** das filhas do prefeito.* (E não: **tratam-se** das filhas do prefeito.)

APÊNDICE III

VOCABULÁRIO

ALGUMAS NACIONALIDADES, ALGUNS PAÍSES e IDIOMAS

País	Nacionalidade	Idioma
a Alemanha	alemão(alemães), alemã(s)	alemão
a Argentina	argentino(s), argentina(s)	espanhol
a Austrália	australiano(s), australiana(s)	inglês
a Bélgica	belga(s)	flamengo
a Bolívia	boliviano(s), boliviana(s)	espanhol
o Brasil	brasileiro(s), brasileira(a)	português
o Canadá	canadense(s)	inglês e francês
o Chile	chileno(s), chilena(s)	espanhol
a China	chinês(chineses), chinesa(s)	chinês
a Colômbia	colombiano(s), colombiana(s)	espanhol
a Coréia	coreano(s), coreana(s)	coreano
*Cuba	cubano(s), cubana(s)	espanhol
o Equador	equatoriano(s), equatoriana(s)	espanhol
a Espanha	espanhol(espanhóis), espanhola(s)	espanhol
os Estados Unidos	americano(s), americana(s)	inglês
a Finlândia	finlandês(finlandeses), finlandesa(s)	finlandês
a França	francês(franceses), francesa(s)	francês
a Grécia	grego(s), grega(s)	grego
a Holanda	holandês(holandeses), holandesa(s)	holandês
a Inglaterra	inglês(ingleses), inglesa(s)	inglês
a Irlanda	Irlandês(irlandeses), irlandesa(s)	inglês
*Israel	israelense(s)	hebraico
a Itália	italiano(s), italiana(s)	italiano
o Japão	japonês(japoneses), japonesa(s)	japonês
o México	mexicano(s), mexicana(s)	espanhol
a Noruega	norueguês(noruegueses), norueguesa(s)	espanhol
a Nova Zelândia	neozelandês(neozelandeses), neozelandesa(s)	inglês
o Peru	peruano(s), peruana(s)	espanhol
*Portugal	português(portugueses), portuguesa(s)	português
a Rússia	russo(s), russa(s)	russo
a Suécia	sueco(s), sueca(s)	sueco
a Suíça	suíço(s), suíça(s)	alemão, francês, italiano
a Turquia	turco(s), turca(s)	turco
o Uruguai	uruguaio(s), uruguaia(s)	espanhol
a Venezuela	venezuelano(s), venezuelana(s)	espanhol

a África	africano(s), africana(s)
a América do Norte (EUA)	norte-americano(s), norte-americana(s)
a América do Sul	sulamericano(s), sulamericana(s)
a Ásia	asiático(s), asiática(s)
a Europa	europeu(s), européia(s)

*Cuba, Israel e Portugal não recebem artigo.

ALGUMAS PROFISSÕES

advogado(a)	ferreiro(a)
arquiteto(a)	faxineiro(a)
analista de sistemas	garçom, garçonete
artista	guia turístico
ator, atriz	intérprete
bancário(a)	jornaleiro(a)
banqueiro(a)	jornalista
carpinteiro(a)	juiz
chefe de cozinha	mecânico(a)
contador(a)	professor(a)
comissário(a) de bordo	porteiro(a)
digitador(a)	policial
encanador(a)	recepcionista
engenheiro(a)	segurança
enfermeiro(a)	secretário(a)
executivo(a)	tradutor(a)

eletricista

NUMERAIS CARDINAIS

0 – zero	200 – duzentos, duzentas
1 – um, uma	256 – duzentos e cinqüenta e seis
2 – dois, duas	300 – trezentos, trezentas
3 – três	389 – trezentos e oitenta e nove
4 – quatro	400 – quatrocentos, quatrocentas
5 – cinco	427 – quatrocentos e vinte e sete
6 – seis	500 – quinhentos, quinhentas
7 – sete	568 – quinhentos e sessenta e oito
8 – oito	600 – seiscentos, seiscentas
9 – nove	690 – seiscentos e noventa
10 – dez	700 – setecentos, setecentas
11 – onze	704 – setecentos e quatro
12 – doze	800 – oitocentos, oitocentas
13 – treze	823 – oitocentos e vinte e três
14 – quatorze ou catorze	900 – novecentos, novecentas
15 – quinze	999 – novecentos e noventa e nove
16 – dezesseis	1000 – mil
17 – dezessete	1016 – mil e dezesseis
18 – dezoito	1100 – mil e cem
19 – dezenove	1958 – mil novecentos e cinqüenta e oito
20 – vinte	2000 – dois mil, duas mil
21 – vinte e um	3000 – três mil
22 – vinte e dois	100.000 – cem mil
23 – vinte e três...	187.000 – cento e oitenta e sete mil
30 – trinta	468.000 – quatrocentos e sessenta e oito mil
31 – trinta e um	1.000.000 – um milhão
32 – trinta e dois	1.570.000 – um milhão, quinhentos e setenta mil
33 – trinta e três...	2.000.000 – dois milhões
40 – quarenta	3.000.000 – três milhões
41 – quarenta e um...	10.000.000 – dez milhões
50 – cinqüenta	100.000.000 – cem milhões
60 – sessenta	1.000.000.000 – um bilhão
70 – setenta	2.000.000.000 – dois bilhões
80 – oitenta	1.000.000.000.000 – um trilhão
90 – noventa	2.000.000.000.000 – dois trilhões
100 – cem	
101 – cento e um	
102 – cento e dois	
115 – cento e quinze	
125 – cento e vinte e cinco	

ORGANOGRAMA DE UMA EMPRESA

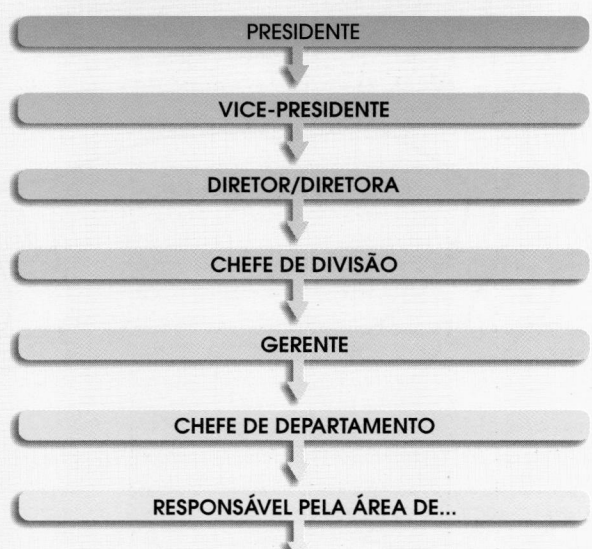

PRESIDENTE

VICE-PRESIDENTE

DIRETOR/DIRETORA

CHEFE DE DIVISÃO

GERENTE

CHEFE DE DEPARTAMENTO

RESPONSÁVEL PELA ÁREA DE...

FRUTAS E LEGUMES

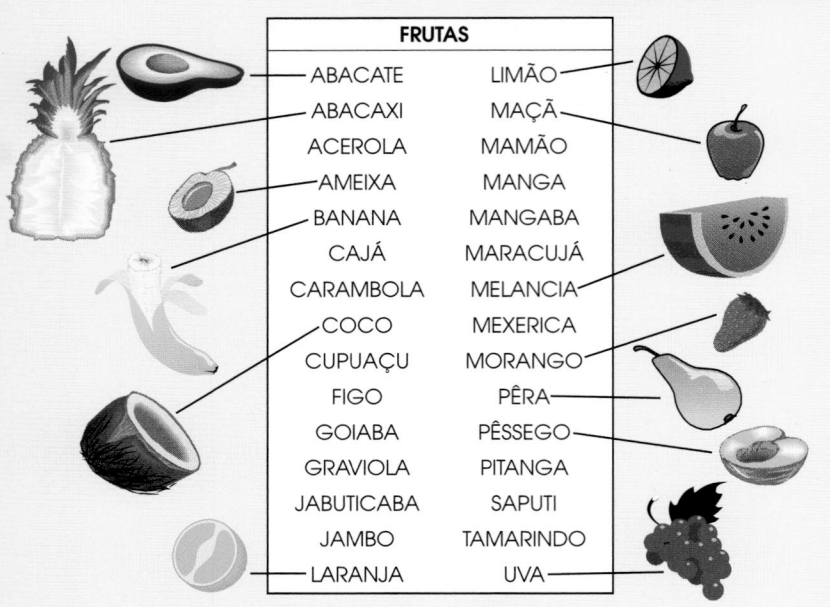

FRUTAS

ABACATE	LIMÃO
ABACAXI	MAÇÃ
ACEROLA	MAMÃO
AMEIXA	MANGA
BANANA	MANGABA
CAJÁ	MARACUJÁ
CARAMBOLA	MELANCIA
COCO	MEXERICA
CUPUAÇU	MORANGO
FIGO	PÊRA
GOIABA	PÊSSEGO
GRAVIOLA	PITANGA
JABUTICABA	SAPUTI
JAMBO	TAMARINDO
LARANJA	UVA

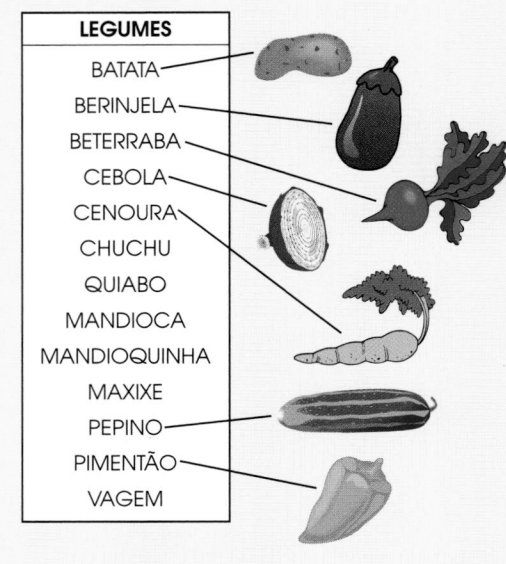

LEGUMES

BATATA
BERINJELA
BETERRABA
CEBOLA
CENOURA
CHUCHU
QUIABO
MANDIOCA
MANDIOQUINHA
MAXIXE
PEPINO
PIMENTÃO
VAGEM

ALGUMAS EXPRESSÕES CHAVE

Desculpe, não entendi. Você/o senhor/a senhora pode repetir?

A: Qual é mesmo o seu nome?/Qual é o seu nome?
B: Osvaldo Tersariolli
A: Como se soletra Tersariolli?
B: T – E – R – S – A – R – I – O – L – L – I

A: Oi./Olá. Como vai?
B: Tudo bem./Tudo jóia./Tudo ótimo.
Bem, obrigada/o. E você?

A: Com licença. Posso entrar?
B: Pois não. Fique à vontade.

A: O que significa 'gentil'?
B: Generoso, agradável.

A: Como se diz *nickname* em português?
B: Apelido.

A: Obrigada/o./Muito obrigada/o.
B: De nada./Não há de que./Sempre às ordens.

A: Com licença. Estou procurando por Augusto Nogueira.
B: Ele fica no quinto andar, sala 501.

A: Por favor, onde fica o toalete/o banheiro?
B: No final do corredor, à direita.

A: Com licença, posso usar o telefone?
B: Sim. Claro. Fique à vontade.

A: Desculpe o atraso. O trânsito estava horrível.
B: Tudo bem.

A: A que horas o banco abre? A que horas o banco fecha?
B: O banco abre às 10h e fecha às 16h.

A: Por favor, quanto custa este chapéu?/Qual é o preço?/Quanto é?
B: Quarenta e cinco reais.

CORTES DE CARNE

TIPOS DE CARNE

bovina
de galinha
de ovelha
de porco
vitela
frutos do mar

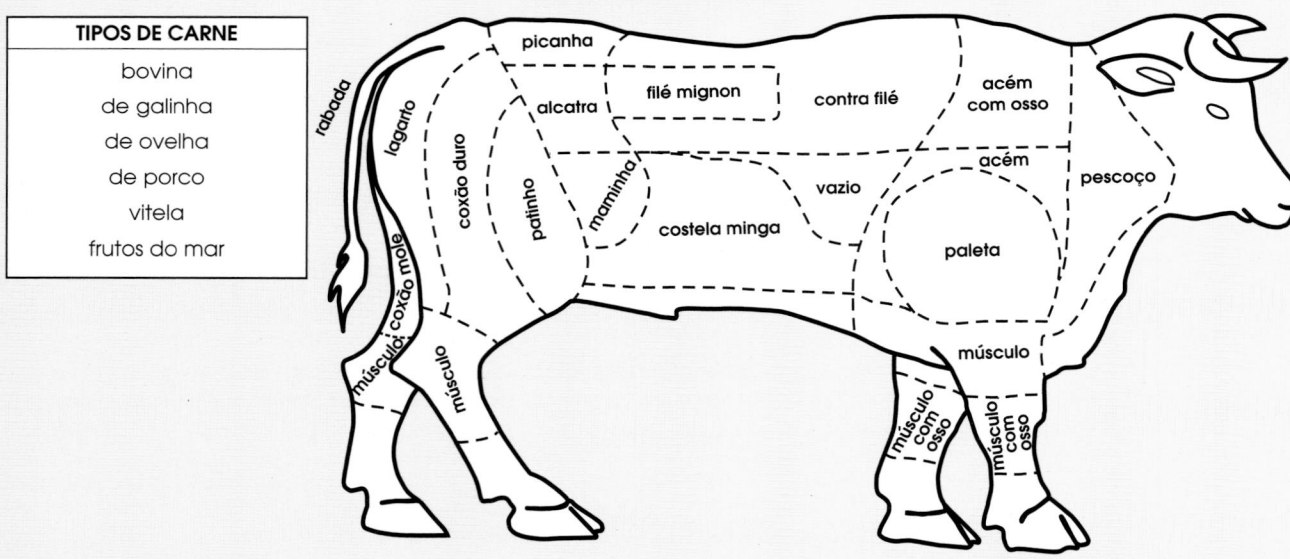

FRUTOS DO MAR

camarão	mexilhão
crustáceos	moluscos
lagosta	ostra
lula	peixes
mariscos	polvo

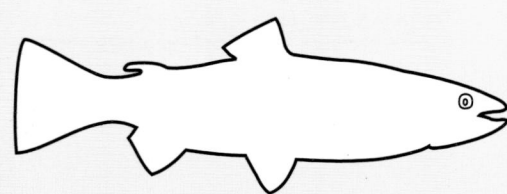

MIÚDOS

coração
fígado
miolos
mondongo
rins